林慶彰　總策畫

民國時期稀見期刊彙編

第一輯

文學科研究年報 ②

臺北帝國大學研究年報

第廿六冊

文學科研究年報

第二輯

臺北帝國大學文政學部

臺北帝國大學文政學部 文學科研究年報 第二輯

目次

アーノルドの文學論

矢野禾積

目次

LIST OF ABBREVIATIONS

（發行年時は初版のそれにあらずして本稿に使用せし text のそれなり）

Am.	for	*Discourses in America.* Macmillan and Co. 1912.
Celt.	〃	*On the Study of Celtic Literature and other Essays.* (Everyman's Library). J. M. Dent.
Col.		*Collected Works.* Macmillan and Co. 1905.
Cult.		*Culture and Anarchy.* Smith, Elder and Co. 1869.
E.		*Essays* by Matthew Arnold. Oxford University Press. 1925.
E. C. I.		*Essays in Criticism.* First Series. Macmillan and Co. 1911.
E. C. II.		*Essays in Criticism.* Second Series. Macmillan and Co. 1915.
E. L. C.		*Essays Literary and Critical.* (Everyman's Library). J. M. Dent.
Irish.		*Irish Essays and Others.* (Popular Edition). Smith, Elder & Co. 1891.
Letters.		*Letters of Matthew Arnold.* 1848—1888. 2 vols. Macmillan and Co. 1895.
Mixed.		*Mixed Essays.* (Popular Edition) Smith, Elder, & Co. 1903.
Poems.		*Poems of Matthew Arnold.* (Oxford Poets Series) Oxford Uiversity Press. 1913.
Poetry.		*Essays on Poetry.* 研究社.

第一篇　詩　論

第一章　詩と散文

詩(Poetry)と散文(Prose)との區別如何といふ事は、苟も文學の本質を論ぜんとする者の必ず一度は[illegible]逢着せざるを得ざる根本問題の一つである。この故に、上は希臘のAristotleより、下は現英のJohn《ジョン》 Middleton《ミドルトン》 Murry《マリー》, Herbert《ハーバート》 Read《リード》, T. S. Eliot《テイ・エス・エリオット》に至る迄、あらゆる文學理論家、特に詩論家は、一應この問題を取上げ、それに對し何等かの解決を與へんと試みたのである。彼等の業績を逐一點檢し批評する事は、さしあたり必要の無い事であるが、わがMatthew《マシュー》 Arnold《アーノルド》も亦、世の多くの文藝論者と同じやうに、言語文字による一切の人生の表現をば"Prose"と"Poetry"とに分つた。(Cf. *Mixed.* p. 154). ここに"Poetry"と言ふのは、彼自身の言葉を用ゐれば、韻文で書かれたる想像的作品、"imaginative production in verse"(*Ibid.*)の事なのであるが、彼は「詩質」と「詩形」とを比較的嚴密に區別しようとして居たらしく、その内容に想像的要素乏しきもの、例へば Alexander Pope《アレクザンダー・ポウプ》の作品の如きに對しては、"Poetry" といふ名稱を與ふる事を吝しみ、これをば單に「韻語の驅使」"the use of verse" (Col. XI. p. 437) と呼び更へて居る。 同樣に、その內容から見れば、上述の如き狹義の "Poetry" に近きにかかはらず、散文の形式を借れるもの、卽ち、"Poetry" と "Prose" との中間に位すべき想像的作品をば、彼は特に "Prose Poem" (E. C. I. p. 114) と呼んだ。 Maurice de Guerin《モリス・ド・ゲラン》の "The Centaur" の如き、卽ちこの適例である(註一)。

勿論、時としては、彼も亦、"Poetry" といふ語を以て、例へばモリス・ド・ゲラン論に於ける如く、むしろ抒情詩のみを意味するやうに見える場合もあれば、また反對に、例へば、千八百五十三年刊行の家集 *Poems* の序文に於ける如く、恰も抒情詩を無視して敍事詩、劇詩のみを眼中に置いたかに見えるやうな事が無いでもない。 或はまた、時には、此一語によつて「詩心」「詩情」"poetic instinct" (*E. C. I.* p. 106) を表したり、"poetry and religion" (*Am.* p. 114) などといふ表現に見られる如く、文藝の精神或は本質を表示せるが如き例も稀には見出だされる。 然し、文藝論に於ては、アーノルドは、通例 "Poetry" といふ語を明白なる意識の下に、狹義に用ゐて居るやうに思はれる。

彼が時々、"poetry and eloquence" (*Am.* p. 118, p. 124) とか、"poetry and literature" (*Col.* XI.

p. 333, p. 334) とかの如き語法を用ゐて居るのは、狹義の詩と、他の文學とを區別せんがために外ならないので、ここに所謂 "eloquence" とか "literature" とかは、共に "Poetry" に對する "Prose Literature" を意味するもののやうに思はれる。

それでは、アーノルドが、嚴密なる意味に於て "Poetry" と呼んだものは如何なるものであるか。

何物よりも「抽象」を忌んで實感を重んじたアーノルドは、彼の所謂「詩」に對しても亦、滿足な定義を與へようとしなかつた。若し彼が敢へて之を爲さうと企てた事があつたとしたならば、それは恐らくかの Byron《バイロン》 論 (E. C. II. pp. 136—137) に於てであつたらうが、それとて人を十二分に納得せしむるが如き懇切周到なものではない。然しながらたとひ如何程不完全にもせよ、詩に關して彼が折に觸れて洩らした片言隻語を通して、彼の念頭に在つた「詩」の概念が如何なるものであつたかは、多大の勞苦と忍耐とをさへ敢へて厭はないならば、或程度迄系統的に窺ひ得られるであらう。

アーノルドは、「詩は、單に、事物を、最も美はしく印象的に、かつ甚だ效果的に言ひ表す様式である」 "Poetry is simply the most beautiful, impressive, and widely effective mode of saying things" (*E. C. I.* p. 161) と言ひ、また「詩は、單に、人語の到達し得る最も愉快にして完全なる表現形式である」"Poetry is simply the most delightful and perfect form of utterance that human words can reach" (*Irish.* p. 154) とも言つて居る。前者は千八百六十三年八月に發表された、Heine《ハイネ》論に見ゆるものであり、後者は千八百七十八年八月公にされた「倫敦に於ける佛蘭西劇」"French Play in London" の中に見出だされるもので、その間凡そ十五年を隔てて居るが、二者共、大體同じ内容を略同じ語句を用ゐて語つて居るのを見ると、アーノルドの詩に對する考へ方は、少くとも、此間、終始一貫して居たものと思はれる。

さて、これら二つの定義は詩をば、その表現の形式より生ずる效果によつて、最も簡潔に道破せんとの試みと言ふべく、ここに列擧された "most delightful, beautiful, impressive, effective" 等の諸點は、詩が「最も完全なる表現形式」である所から生ずるものと考へられる。而して、等しく言語文字を表現の媒體とする二つの文學形式に對し、同一内容を有する最上級の讚辭を同時に呈する事が許されないとすれば「詩」が「最も完全なる表現形式」である限り、「散文」は當然「詩」の下位に立たねばならないであらう。「詩は、言ふ迄も無く、本來散文よりも優れたるものである」"Poetry, no doubt, is more excellent in itself than prose." (*Col*. XI. p. 432).アーノルドの編纂した『ジョンスン博士詩人傳選』*The Six Chief Lives from Johnson's "Lives of Poets"* の序に見出だされる如上の一行にも、詩を散文よりも優れりと、するの持論は明白に讀まれるのであるが、彼はこの事實をば恰も當然自明の理なるかの如く考へて、次のやうに力強く主張して居る。——

Which of us doubts that imaginative production, uttering itself in such a form as this, is altogether another and a higher thing from imaginative production uttering itself in any of the forms of prose? And if we find a nation doubting whether there is any great difference between imaginative and eloquent production in verse, and imaginative and eloquent production in prose, and inclined to call all imaginative producers by the common name of poets, then we may be sure of one thing: namely, that this nation has never yet succeeded in finding the highest and most adequate form for poetry. Because, if it had, it could never have doubted of the essential superiority of this form to all prose forms of utterance. (*Irish*. pp. 155–156)

「かかる形式によりて自らを表現する想像的作品が、散文の形式によりて自己を表現する想像的作品とは全然異なれる高級なものである事を疑ふ者があらうか。若し韻文學と散文學との間に大なる相違の果して存するや否やを疑ひ、一切の文學者をば「詩人」といふ同じ名を以て呼ばうとする國民がありとしたならば、彼等は未だ曾て最高かつ最適の形式を發見した事の無い國民であるといふ一事だけは、少くとも確である。何となれば、若しも彼等がかかる立派な詩形を所有して居たならば、かかる形式が、他の如何なる散文形式よりも本質的に優つて居るといふことを疑ふべくもないからである」。

然らば、「詩」と「散文」とは、如何なる點に於て相異なり、またその相違は、二者の優劣問題に如何に關聯するか。

先に擧げた二つの定義は、既に述べたやうに、專ら表現形式の上から詩の特質を要約せんとしたものであつた。然し、かかる特質或は結果の由りて來る所以は未だ明にして居なかつた。卽ち、彼は、「詩」と「散文」とを區別する唯一の形式的要素たる「韻文」「詩形」の性質如何の問題にさへも觸れて居なかつた。そこで、今や彼は、今迄よりも一層深き注意を拂ひながら、此點を說明して次のやうに言ふ。——

Its rhythm and measure, elevated to a regularity, certainty, and force very different from that of the rhythm and measure which can pervade, prose, are a part of its perfection. (*Irish.* p. 154).

「一種の規則正しさ、正確さ、及び、散文に行き渡つて居る韻律節奏の力とは大に異なれる力―この三者を有する詩歌の韻律節奏は、その詩)完全の一部を成す」。これによつて見れば、アーノルドの意識せる「詩」と「散文」との區別は、二者に內在せる韻律、節奏の相違、並にこれら韻律節奏が一つの「想像的作品」を完全ならしむる上に如何なる重要性を帶びて居るか、といふ二點に存するやうに思はれる。

されば、先づ問題となるのは、「詩」と「散文」とに於ける韻律節奏の性質如何といふ事である。アーノルドは、ここに、詩の韻律節奏の有する特性として、その "regularity," "certainty," "force" の三つを擧げて居るが、これらの語は果して何を意味して居るのであらうか。彼の全集十五卷を繙き、更にこれに洩れたる數篇の文藝評論を涉獵したけれども、唯一つ、次に述ぶるが如き "force" に關する暗示的な一節を除いては、私はこれらに對する何等の說明をも發見する事が出來なかつた。從つて、殆ど一切の問題は、ここに新に考察されねばならなくなつて來る。

然しながら、此處に "a regularity" と呼ばれて居るものは、詩に於ける韻律の性質上、明に、その顯著なる「律動」"rhythmic movement"の周期的反覆性、卽ち、時として「律格」"metre" と呼ばるるものに相違あるまい(註一)。何となれば、如何なる文藝形式にせよ、そこに見らるる律動が、ある「規則正しさ」"regularity" に達せざる限り、少くとも形式に關する限り、それは「散文」に外ならないからである。また、アーノルドが此處に "certainty" と言へるものは、一の律動の規則正しき繼起が過り無く見らるるが如き境地、卽ち、それが必然性を以て正確に繰返さるるに至つた狀態を指したものと考へられる。

それでは、アーノルドが、此處に、特に「散文のそれとは甚だしく異なれる力」と呼んだものは、果して如何なるものであらうか。それは、恐らく、律格の存在、卽ち、韻文といふ特殊な形式より發生する特殊の「力」の謂に外ならないであらう。何となれば、內容より迫る力を別にする時、詩と散文との律動を區別するものは、それ以外に無いからである。而して、この推定は、アーノルド自ら戲曲 *Merope*《メロウピイ》に序したる次の如き言葉によつて正《まさ》しく裏書されるのである。——

Powerful thought and emotion flowing in strongly marked channels, make a stronger impression: this is the main reason why a metrical form is a more effective vehicle for them than prose; in prose there is more freedom, but, in the metrical form, the very limit gives a sense of precision and emphasis.

「劃然明瞭なる通路を流るる、力強い思想と情緒とは、他の場合に於けるよりも一層強い印象を與へる。これ、かかる強力なる思想情緒に對しては、散文よりも詩形の方が遙に效果的なる主因である。散文には勿論韻文に於けるよりも大いなる自由がある。然し、詩形に於ては、制限があるといふ事實其物が、正確と强勢との感を與へるのである」。

アーノルドのこの言葉は、先に引用した彼自身の「詩は最も印象的にしてまた甚だ效果的な表現形式である」といふ定義を、半ば説明するものであり、從つて「散文は韻文の有せるが如き力をば有ち得ない」"Prose can not have the power of verse" (E. C. II. p. 66) といふ彼の主張も自ら生ずるわけである。然し、それらにも增して更に重要なるは、彼のこの言葉が、圖らずも、今述べた詩特有の「力」"force"が、詩の律動を構成する他の二つの特殊なる要素、卽ち「規則正しさ」と「確實さ」と、不可分離に相關聯せる事を語れる一事である。斯くして、われらは、次の如き結論に到達せざるを得ないのである。卽ち「唯詩のみ能く與へ得るが如き愉快にして美しき印象を産むものは、詩を形式的方面からのみ考察する限りに於て、その特殊なる韻律と節奏とである」。

而して、此結論は自ら、われらを今一つの更に重要なる結論にと導く。それは、若し、詩に於ける韻律節奏が、斯くの如く、一つの作品をして、嚴密なる意味に於ける詩たらしむるに不可缺な要素であるならば、これを缺ける作品は、嚴密なる意味に於て、詩とは呼び得ないといふ事である。それと同時に前の結論は、散文に於ては、韻律節奏は、詩に於ける程不可缺な要素を成して居ない」といふ事實を併せ示すものである。その何故に然るかといふ事は、詩は何故にかかる特殊の形式を必要とするか、といふ問題を解決する事によつて、自ら明となるであらう。

詩は何故に韻文たる事を要するか。一つの文學作品が詩形を採用せるは、全く任意的偶然的なものであらうか。それともまた、何等か內面的必然性に基づくものであらうか。

若しも、韻文といふ特殊な形式によりて生ぜられた效果印象が、その作品の本質たるものと何等內面的な關係を有して居ないならば、かかる形式は、畢竟、單に何等か第二義的な目的のために採用された、偶然的なる裝飾物としか考へられないであらう。

アーノルドは、詩形を、何等か本質的なものと考へて居たであらうか。彼が之をば重要なる意義を有し、その表現する內容(substance)と不可分離的なる關係を有《も》てるものと考へて居たといふ事實は、後段「詩的美の法則」"laws of poetic beauty"を研究する時、明となるであらう。されば、茲には、他の、恐らくは一層根本的なる見地より、この問題を考察する事としたい。

詩は何故に韻文で書かれなければならないか。

アーノルドは「倫敦に於ける佛蘭西劇」の中で、主として詩文學に現はれたる英佛兩國の國民性を比較檢討したる後、國民的天才と文學形式との間に必然的關係の存する事を指摘し、次の如く斷じて居る。——

The genius for high poetry calls forth the high and adequate form, and is inseparable from it. (*Irish*: p. 156.)

「高尙なる詩に對する天才は、高尙にして適切なる形式を要求し、これと分ち難いものとなつて居る」。

然しながら、アーノルドは此場合"genius"といふ語によつて何を意味しようとしたのであらうか。

何人にもあれ、文藝創作の過程を少しく注意して觀た人は、その根底に、或る隱れたる、然し優勢なる力が働いて、たえず作家を指導し統御して居る事に氣づくであらう。作家をして、その表現すべき體驗を選擇せしめ、然る後彼の創作活動を主宰するものは、實に此力なのである。而して、此力は、創作に際して、內部より、內容に對し適切妥當なる形式を要求するが故に、其處に結果する作品に於ては、內容卽形式たらざるを得ない。

然らば、文學形式の種類は、嚴密に言ふ時、內容の性質如何によると言ふべきである。從つて、若しその內容たるべきものが感情的生活であるならば、それが熾烈なる情熱の奔騰飛躍たると、纎細微妙なる情調の漂搖波盪たるとに論無く、而してこれを如實に表現する事が作家の主要目的なるかぎり、其處に生ずる形式は自ら一種の律動を帶びざるを得ない。これに反し、作家の言はんと欲するところが、何物よりも論理の正確事理の明白を尊重するものであるならば、假に其作品が捨てがたき一種の律動を帶びて居るとしても、それは當然第二義的のものと見做さるべきものである。

斯くの如く、形式は、表現の目的、並に表現せらるるものの性質如何によつて、異なるものであり、また表現の内容は、題材に對する作家の態度、及び、その取扱の様式によつて決定される。 されば、形式の如何を決定するものは、結局、かの内部に在つて一切の創作活動を司つて居る力であると言へる。 而して、アーノルドが "genius" と呼んだものは此力である。 故に、詩をして詩たらしむるものは、この "genius" に外ならない。 アーノルドが "genius" を目して、詩の "distinctive support" (*E.C.* I. p. 53) または "ruling divinity" (*Ibid.* p. 62) と呼んだ理由は、正しく此點に在りと言へる。

されば、若し、この "genius" の性質を明瞭にするならば、詩文の形式を豫め決定する根本原理も亦自ら明となるであらう。

（註一） N. E. D. は "Prose-poem" といふ語の最初に見ゆるものとして千九百六年一月十五日發行の *Daily Chronicle* を擧げて居るが、アーノルドのモリス・ド・ゲラン論が發表されたのは千八百六十三年一月の事である。

（註二） Cf. The difference between the rhythms of prose and verse is this, that poetry selects certain rhythms and makes systems of them, and these repeat themselves: and this is metre. —Robert Bridges: *The Necessity of Poetry*, p. 25.

第二章　「天才」と「知性」

アーノルドに從へば、"genius"とは、主として"an affair of energy"(E. C. I p. 50)である。換言すれば、われらの所謂"energy"の最も本質的な部分を成せるもの、生命たるものは、實に、"genius"である。(Cf. E. C. I p. 50, p. 51).

それでは、是等の場合に於ける"genius"といふ語は、抑も何を意味して居るのであらうか。

アーノルドは、そのJoubert《ジユーベール》論の中に、"real men of genius" (Ibid. p. 266) を定義して次のやうに言つて居る。——

Real men of genius,——by which I mean, that they have had a genuine gift for what is true and excellent, and are therefore capable of emitting a life-giving stimulus. (E. C. I p. 266.)

「眞の天才人とは、眞實にして優秀なるものに對する、純眞なる天分を有し、かるが故に生氣潑剌たる刺戟を與へ得る能力を有する人の謂である」。

これによつて察すると、アーノルドの所謂"genius"とは、眞實にして優秀なるものを直感識別すると共に、これを外部に表出して周圍の人々に、生氣潑剌たる、刺戟を與へ得るが如き天賦の能力の事であるらしい。從つて彼が、例へばJeremy Taylor《ジェレミー・テイラー》の說教を批評して、

That passage has been much admired, and, indeed, the genius in it is undeniable. (*Ibid.* p. 92)

「この一節は大に賞讚されたものであり、實際其處にある天才は否なみ難い」

と言ひ、或はまたJohn Ruskin《ジョン・ラスキン》の文を論じて

There is what the genius, the feeling, the temperament in Mr. Ruskin, the original and incommunicable part, has to do with. (*ib.* pp. 69—70)

「これがラスキンの天才――感情と言はうか、氣質と言はうか、とにかく彼獨得の言語道斷の才能の取扱ふものである」。

と評せる時、彼が"genius"の一語によつて表はさんと欲せるものは、前者に於てはこの能力の發揮された結果であり、後者にありてはこの特殊なる能力其物である。

然しながら、"genius"は元來"energy"活動の形式なるが故に、それは多くの方面にその姿を現はす。"poetical genius" (*E. C.* II. p. 175) "genius for scholarship and philology" (*ibid.*) "inventive genius" (*E. C. I.* p. 52) "genius in science" (*ibid.* p. 54) の如き、卽ちその一例である。

然らば、文藝に於ける "genius" は如何なる活動を爲すか。 これは、前揭のジューベール論に於て述べられた "genius" の性質より、容易にその大體を察し得られると思ふ。 卽ち感知と表出と、この二つの作用は、文藝の世界に於ても依然として "genius" の示す最も重要なる活動の形式である。 アーノルドがその有名なる論文「現代に於ける批評の任務」 "The Function of Criticism at the Present Time" に於て說く所も、畢竟この範圍を出ない。

The grand work of literary genius is a work of synthesis and exposition, not of analysis and discovery; its gift lies in the faculty of being happily inspired by a certain intellectual and spiritual atmosphere, by a certain order of ideas, when it finds itself in them; of dealing divinely with these ideas, presenting them in the most effective and attractive combinations, —— making beautiful works with them in short. (*E. C. I.* p. 5).

卽ち、文學的天才の驚嘆すべき活動は、綜合と表現とにある。 同じく思想や觀念を取扱ふにしても、新思想發見の如きは哲學者の爲すべき仕事であるが、文學的天才は、むしろ彼の周圍に存在せる知的精神的なる雰圍氣、或は觀念等によりて深く心を動かされ、これをば巧に結合して美しい形式の下に世に送り出す事に、その獨得の本領を發揮する。

アーノルドの斯かる天才觀は、夙く既に、千八百五十七年、牛津大學に於ける詩學敎授としての處女講演「文學に於ける近代的要素」“On the Modern Element in Literature” 中の (E. p. 458).

Because that activity of the whole mind, that genius, as Johnson nobly describes it, 'without which judgment is cold and knowledge is inert; that energy which collects, amplifies, and animates,' is in poetry at its highest stretch and in its most energetic exertion.

「かの全心の活動、ジョンスン博士がいみじくも、これ無くんば批評は冷刻に、知識は無力になると言つた、あの天才、集め、結合し、擴げ、生氣を與へるあの精力、これが詩に於ては最も緊張しかつ最も潑剌たる活動をして居る」。〔註一〕

といふ言葉にも窺はれるのであるが、これはまた後年——千八百七十九年——彼が Wordsworth《ワーヅワース》 を論じて、その偉大性は、自然並に人生に現はるる歡喜を感知し表現する彼の異常なる力に在りとなした、あの見方に呼應するものである。(E. C. II. p.

153) 殊に、詩人の本領をば、單なる個人的生活の表現に置かず、むしろ所謂「時代精神」の代辯者たるの點にありとなした事は、千八百六十九年、母に寄せた書簡に於て、おのが詩の特性と價値との正しく斯かる點に存する事を說けると、完全に合致するものである。(Cf. *Letters*, II. p. 9).

以上で、大體、詩作を司る“genius”の如何なるものであるかが分明したと思ふ。それでは、散文に於て、詩に於ける“genius”に相當すべきものは何であらうか。アーノルドは“intelligence”を以て「散文を司る神性」“the ruling divinity of prose”と考へた。そこで、われらは、アーノルドの意味する“intelligence”とは如何なるものであるかを明にしなくてはならない。

アーノルドは千八百五十九年十二月二十四日、姉に與へた手紙の中で、英國民に最も缺けて居るものは“intelligence”であると言つて居るが(*Letters*, I. p. 111), 此場合彼の意味する所が何であるかは、同一思想を洩らせる十一年前の手紙、並に八年後に公にされたる『ケルト文學研究』*The Study of Celtic Literature* 等に散見する文字より推知する事が出來る。即ち、前者に於ける“the insensible masses of England” (*Letters*, I. p. 5), 或は“the utter insensibility ... to the number of ideas and schemes” (*Ibid.* p. 5) は、前後の文字より推して、明に、後者に於ける "hard intelligence" (*Celt.* p. 136) に相當するものであり、これはまた正しく、"want of intelligence" (*Letters,* I p. 111) の謂に他ならない。更にこれをば、他の場合に於ける彼の用例、例へば、"sensitiveness of intelligence" (*E. C.* I. p. 49) "flexibility of intelligence" (*Ibid.* p. 51, p. 52), "quick and flexible intelligence" (*Ib.* p. 49), "quick and open intelligence" (*Mixed.* p. 6) 等に照らして見れば、アーノルドが此語によりて意味せんとしたものは明に「知性」即ち、思想觀念等を感知し受容する性能、知的感應力であつた事が知られる。而して、空想または氣まぐれ等によりて曇らせらるる事無く、この知性をば、ひたすら明鏡止水の如き狀態に保ち、對象を如實に見ようとすることが、アーノルドの所謂「批評的努力」"critical endeavour" (*E. L. C.* p. 249) である。故に「批評的精神」と言ひ「批評的努力」と稱するものは、要するに、この知的活動の一形式であると言へよう。從つて、若し或國民にして、清新優秀なる思想や觀念に對し、冷淡無關心なる限り、換言すれば、彼等の知性が鈍感不活潑なる限り、或はまた彼等が對象を如實に見ようとしないで「知性」が曇れるままに殘されて居る限り、彼等の生活の表現たる「文學」に「批評的精神」「批評的努力」の見られざるは當然である。これ、アーノルドが、英國民の最大缺陷として「知性の缺乏」を歎ぜると略《ほゞ》同じ頃、他方、英文學に最も缺けたるものとして「批評的努力」を指摘せる所以である。（E. L. C. p. 249, p. 250).（序ながら、牛津大學に於て「ホウマー飜譯論」*On Translating Homer* がはじめて講ぜられたのは千八百六十年秋の事である。）

斯くの如く、「知性」は一切の知的なるものに對し敏活に反應する力ではあるが、その本來の性質は飽迄も消極的受動的である。知らうと願ひ、知らうと努力する事は積極的であつても、知るといふ作用は消極的である。即ち「知性」は、これに訴ふるものを明識する力は有して居るが「天才」の場合に見らるるが如き綜合と表現との力は無く、況や對象に「生氣を吹込む」(animate)が如き能力は惠まれて居ない。「知性」の特色は、むしろ、彼方から働きかけるものの姿を正しく映し示す所にあると言へよう。故に、それは、分析解剖を使命とする文學にその本領を發揮するものと言へる。而して、それは、散文の領域に外ならない。アーノルドが、「本來の知性がいはば萬能である所の文學の部門たる散文」"prose, that branch of literature where intelligence proper is, so to speak, all in all" (*E. C. I. p. 55*) と言つたのは、即ち此點を指したものと考へる。

斯くの如く、「天才」と「知性」とは、相異なれる性能なるが故に、その支配下に於ける心的活動は、自ら活動の形式を異にせざるを得ない。アーノルドがジョンスン博士の『詩人傳選』の序に於て、「コウルリヂが言つたやうに、詩は散文とは異なれる論理を有つて居る。卽ち、詩の格調は、散文のそれとは異なれる展開の法則に從ふ」"Poetry has a different logic, as Coleridge said, from prose; poetical style follows another law of evolution than the style of prose" (*Col.* XI. p. 433) と言へるは、這般の消息を說明するものであらう。詩と散文との區別は茲に生ずる。

斯くの如くにして、散文に於ては、專ら論理展開の樣式、敍述の精確、資料の整理、全體の統一結構等、すべて「知性」の活動に俟つものが重きを爲すに至り、韻律節奏の如きは、常に第二義的意義をしか與へられないのである。蓋し、若しこれらの要求によりて表現せらるるものが重要なる意義を有し、これらを缺く時は作者表現の目的が十分に達成されないといふが如き境地に達するならば、その作品は、もはや單なる散文の域を超え、詩の領域に踏込んで居るからである。「詩は散文の終る所に始まる」"Poetry begins where prose ends" (A. Symons: *The Romantic Movement in English Poetry*, p. 9) といふ言葉は、たしかに眞理を語つて居る。

以上述ぶる所によりて、詩と散文との區別は、既に、いはば母胎に於て決定されて居るものなる事が明にされた。　かくて、次に起つて來るのは、詩と散文との優劣如何といふ問題である。

「天才」と「知性」との性能が、既に述べたやうに、互に相異なつたものであるならば、これを其儘比較對照して優劣を斷ずるが如きは、むしろ當を得ざるものではあるまいか。

然るに、アーノルドの見る所を以てすれば、人間の精神活動の中、最高位に立つものは實に創造の活動であり、而もそれは確たる事實である。

It is undeniable that the exercise of a creative power, that a free creative activity, is the highest function of man; it is proved to be so by man's finding in it his true happiness. (*E. C. I.* p. 4).

「創造力を働かせる事、卽ち自由なる創造的活動をする事が、人間最高の行爲である事は否定出來ない。　その然る所以は、人がそこに眞の幸福を見出す事によつて證される。」

斯かる見地に立脚し、また批評力創造力を彼の如く解釋する限り、批評力は創造力よりも自ら下位に立たざるを得ない。　何となれば、創造の活動に參與するもの、これを營むものは、實に「知性」にあらずして「天才」だからである。從つて、また「天才」の發揮であり、創造力驅使の結果たる「詩」が、創造する事決して無き「知性」の活動にその全生命を負へる「散文」(E. C. I. p. 55) よりも、上位に置かれるのは當然である。

斯くの如く、アーノルドにとつて、詩は、その内容より見るも形式より見るも、散文より優れたるものとして映らざるを得なかつた。先に引用した "Poetry, no doubt, is more excellent in itself than prose" 「詩は言ふ迄も無くそれだけで散文よりも優れるものである」といふ彼の言葉は、上に述べたやうな理由から發せられたものとも解せられる。

〔註一〕 茲に引用されて居るジョンスンの言葉は、彼のポウプ論に見出ださるるもので、其處には次のやうにある。——

Of genius, that power which constitutes a poet; that quality without which judgement is cold and knowledge is inert; that energy which collects, combines, amplifies, and animates; the superiority must, with some hesitation, be allowed to Dryden. (*Lives of Poets*, II. pp. 323—324. *World Classics*.)

第三章　詩の機能

詩の有する特殊なる機能とは如何なるものであらうか。アーノルドは、モリス・ド・グラン論に於てこの點に就き、先づ次のやうに言ふ。

The grand power of poetry is its interpretative power. (*E. C. I.* p. 81).

「詩の偉力はその闡明的表現力にある。」

即ち、"interpretation" といふ活動に、詩獨得の使命が發揮されるのである。それでは、この場合 "interpretation" とは如何なる働きを意味して居るのであらうか。これを明にする時は、アーノルドの考へて居た、人生に於ける詩歌の位置使命の如何なるものなるかが明瞭になるであらう。

アーノルドは、右に引用した一行に直ぐ續けて次の如くこれを説明して居る。

By which I mean, not a power of drawing out in black and white an explanation of the mystery of the universe, but the power of so dealing with things as to awaken in us a wonderfully full, new, and intimate sense of them, and of our relations with them, (*E. C. I.* p.

81.)

これによつて見れば、詩の"interpretative power"とは、宇宙の神祕の意義を墨繪風に描き出す力にあらずして、事物並に事物に對する我等の關係を取扱ふに當り、これをば、我等の胸に驚くべく、充實した清新な親切なる事物感を起さしむるやう取扱ふ力を言ふのである。卽ち、これには、對象の生命本質を把握すると共に、これをば其儘、躍如たる實感を讀者の胸に移植傳染せしむるやうな力が含まれて居るのである。從つて、此場合の"interpret"は、我等が普通の語法に所謂「解釋」(understand, construe)の意でもなく、また單なる「說明」(explain)の意でもなく、むしろ「祕義の闡明」(reveal the hidden meaning of)などに近く、かつ其上に「表現」(express)の意をも併せ有するものと考へられる。アーノルドがこれら多くの類似的な語を敢へて採用せずして、特に此語を選び、更に說明をも附したるは、此一語がよくこれら兩者の意を併せ有するが故であつたらう。此事は、彼の全著作を通じ、文藝或は詩に關して此語が如何に用ゐられて居るかを見る時、一層明となる。(Cf. *E.* 458, 464, 467, 470; *E. C.* I. 5, 136, 177; *Do.* II. 2, 92). 故にこれを、彼が自然を取扱ふ場合に用ゐて居る語法を借りて說明すれば、"interpreting nature"とは、"finding words which incomparably render the subtlest ir pressions which nature makes upon us, which bring the intimate life of nature wonderfully near to us" (*E. C.* I. 126)の意であり、また更に簡單に言へば、"catching and rendering the charm of nature in a wonderfully near and vivid way" (*Celt.* p. 104) の謂である。

さて、詩は此力により二方面に活動する。

Poetry interprets in two ways; it interprets by expressing with magical felicity the physiognomy and movement of the outward world, and it interprets by expressing, with inspired conviction, the ideas and laws of the inward world of man's moral and spiritual nature. In other words, poetry is interpretative both by having *natural magic* in it, and by having *moral profundity*. In both ways it illuminates man; it gives him a satisfying sense of reality; it reconciles him with himself and the universe. (*E. C.* I. pp. 110—111).

「詩の闡明表現力には二種ある。一は、摩阿不可思議なる巧妙さを以て世界自然の相貌並に運行の姿をば表現し、他は、天與の確信を以て、人間祕奧の世界の思想と法則とを表現する。換言すれば、詩は、自然を潑剌と描寫する力と、深き心狀を描き出す力とを有する。而して、かかる二つの方法を以て、詩は人の心を遍照し彼に遺憾無き現實性を與へ、自己と森羅萬象との間を和合せしめる。

卽ち、詩人は、自然と人生とを對象とし、その獨得の直觀力を以てその本質を捉へ表現する。而して、詩を讀む事は、我等が詩人の體驗を分ち有《も》つ事であるから、我等は其處に描かれたる事物の本質に觸れて居る事を意識し、從つて、もはや是等によりて心を擾されたり壓へられたりする事無く、却つて彼等と融合歸一せるが如き氣持を經驗するに至る。而して、かかる感は、他の如何なるものによりても與へられざるが如き滿足感なのである。先に引用した文中、アーノルドの用ゐた "reconcile" といふ語の意味はこれである。

今ここに說明したのは、アーノルドによりて、詩の "a faculty of naturalistic interpretation" (*E. C. I.* 107) と呼ばるるものであるが、詩はこの獨得の表現力によりて「全人」"the whole man" (*Do.* 82) に訴ふるが故に、一局部の力、卽ち「知」に訴ふるに過ぎない科學に比すれば遙に如實適切に、對象の生命感を與へるのである。詩と科學とが人心に訴ふる力の相違に關するアーノルドの見解は、その後益〻發展して、晩年に於ける「文學と科學」"Literature and Science" (*Am.*) と題する亞米利加講演の立論の基礎ともなつたが、これはまた "genius" と "intelligence" と、ひいて詩と散文との優劣問題を解決する上にも一の側光を投ぐるものであらう。

さて、アーノルドは、曩に、詩が表現する所のものは物心二界であると言つた。詩の對象を斯く判然と二つに分つ事は、あまりに狹きに過ぎ、優れたる詩人、殊に神祕詩人を論ずる場合には適用し難いとは、ブラッドリーの批難する所である。(Cf. A. C. Bradley: *A Miscellany*, p. 149). 即ち、ブラッドリーによれば、シェリーやワーヅワースの如き詩人にとりては、「自然」も決して單なる「外界の自然」ではなく、一の靈的存在である。從つて、「自然」に內在する靈は、人間に內在する靈と一にして二ならざるものである。アーノルドはこの第三の場合を無視して居るが、斯くする事は、これら詩人の根本的なるものを全然排斥する事になるといふのである。アーノルドのかかる分類法は、もとより當時の素朴なる哲學乃至心理學の影響裡に試みられたるもの、今日の眼より見る時不完全の譏を免れない。ただ、然し、實際の場合に於ては、流石に彼も優れたる詩人であつただけに、自分の創作に於ても、他人を批評する際にも、ブラッドリーの指摘せる第三の場合を實證し確認して居るのである。從つて、彼の描ける「自然」は、必らずしも常に、單なる「外的自然」に止つては居ないのである。

それはさておき、アーノルドが此處に說いた詩の闡明的表現力、否なこれを中心とせる詩に對する考察は、その後如何に發展したか。彼のモリス・ド・ゲラン論が書かれたのは千八百六十三年の事であるが、彼は千八百七十九年ワーヅワース論を發表する迄、殆ど何等の重要なる詩論または詩人論をも公にして居ない。その間注意すべきものは『ケルト文學研究』(一八六九)一卷のみで、その他には、『試論雜纂』*Mixed Essays* (1879)に收められた數篇の文藝批評あるのみである。*Irish Essays* (1882)に收められて居る「ロンドンに於けるフランス劇」は、彼の詩論を窺ふ上に重要であるが、そのはじめて公にされたのは、千八百七十九年八月、卽ち、ワーヅワース論の發表より一個月後の事である。

斯くの如く、この中間期に發表された最も重要なる文學論は、『ケルト文學研究』なのであるが、この中に散見する詩論は、主として「自然の取扱方」“the way of handling nature” (*Celt.* p. 121) に關するもので、詩歌に關する一般論ではない。されば、われらは先づ「ワーヅワース論」に見らるるアーノルドの詩歌觀を見て、それと「モリス・ド・ゲラン」に見らるるものとの間に、如何なる關係連絡があるかを見なくてはならない。而して、この「ワーヅワース論」に於けるアーノルドの詩歌觀は、かの最も有名にして而も難解なる“criticism of life”といふ一語に集約されて居る。然らば、それは果して如何なる意味なのであらうか。

第四章　「人生の批評」

造語に巧なるアーノルドは、好んで警句的な言辭を吐いた。それらの言葉は、簡潔にして一見頗る含蓄に富めるが如きも、仔細にこれを檢察すれば、殆どその孰れとして意味曖昧ならざるはない。彼は詩人なるが故によく對象の本質を把握し得た事は否定出來ない。然し、それらは主として彼の直觀によるものなるが故に、その表現の悉くが非常に細心の用意を以て爲されて居るとは考へられない。むしろ、彼は、他人から指摘される事により、折にふれて吐いた自分の片言隻語に意外に深遠なる眞理の含まれて居る事に氣づき、爾後つとめてその內容を明確に限定し、屢これを反覆したのではないかと思はれる。從つてかかる場合彼自身にとつては、それらの語の有《も》つ焦點的意味が明瞭なのであらうが、餘人にとつては、依然として曖昧な事が多い。「人生の批評」の如きその最たるもので、彼の曖昧なる語法の中でも、この語ほど發言以來今日に至る迄、文藝批評家の間に問題とされたものは他に無いと言つてもよい。例へば、最近物故した英文學の一大權威Saintsbury《セインツベリー》教授の如きも、そのアーノルド評傳の中で、この言葉が昔から非難と辯護との渦中に在る事を指摘し彼自らも今日に至る迄斷然その反對者なる事を告白したる後「批評」といふ語に何等か新らしい意味を附與せざる限り、詩は到底「人生の批評」たり得ないと斷じて居る。(George Saintsbury: *Matthew Arnold*, pp. 190—191; *A History of English Criticism*, p. 485).

また現存の英文學の泰斗 Oliver《オリヴアー》 Elton《エルトン》 教授も亦その著書の中で、アーノルドの此言葉が如何に多くの人々の腦漿を絞らせたかを語つた後、これは我等の生活に於て、われらを最も啓發し鼓舞する何物かを意味せるならんと結んで居る。(Oliver Elton: *A Survey of English Literature* (1830—1880), Vol. I. pp. 258—369)。アーノルドのために辯護した人々の中、最も有名なるは Leslie《レズリー》 Stephen《スティーブン》 であるが、それとても「それを批難するは、警句を哲學的定義と誤解するものである」と言ふに止つて、アーノルドの眞意を解明するためには何の助けともならないのである。

The phrase 'criticism of life' gave great offence, and was much ridiculed by some writers, who were apparently unable to distinguish between an epigram and a philosophical dogma.—Leslie Stephen; *Studies of a Biographer*, II. p. 89.

さて、"Poetry is, at bottom, a criticism of life" といふ言葉がはじめて世人の注意

を引き論議を醸すやうになつたのは、アーノルドがはじめ千八百七十九年七月の Macmillan's Magazine に掲げたワーヅワース論をば、後『ワーヅワース詩選』*The Poems of Wordsworth* (Sept. 1879) の序として公にするに至つてからの事である。

この新刊の選集に對する批評は、Thomas Burnett Smart の *The Bibliography of Matthew Arnold* (1892) によると、大小すべて三篇あり、その最初のものは同年九月二十七日發行の *The Athenaeum*《アシニーアム》誌上に出たもので、匿名ではあつたが詩人 William Ernest Henley《ウイリアム・アーネスト・ヘンリー》の筆と稱せられた。これに次ぐものは同じく十一月の *The Fortnightly Review* に掲げられた **J. A.** Symonds と署名された長論文であり、最後に出たものは翌年一月發行の *The Modern* ***Review*** 誌上、ワーヅワース研究の大家 W. Knight 教授の筆になる斷片である。それらの中、最も重要視さるべきものは、中間に出たシモンズの批評一篇だけであるが、これは幸にも今日、彼の遺稿である *Essays Speculative and Suggestive* の中に収められて居るので觸目も容易である。而して、アーノルドが二年の後、卽ち千八百八十一年三月の *Macmillan's Magazine* に於て公にしたバイロン論の中で自己の立場を説明し、"I have seen it said that I allege poetry to have for its characteristic this: it is a criticism of life; and that I make it to be thereby distinguished from prose, which is something else" (Cf. *Poetry of Byron*. E. C. II. p. 186)「世人は余が、詩の特性はそれが人生の批評たるの點にありと主張し、またその點を以て、何等か他の別物なる——即ち「人生の批評」でない——散文より區別せしめんと主張せるかの如くに批評した」と言へる時、彼が眼中に置いて居たものは明にシモンズの言葉であつた事は、このシモンズの文中に、アーノルドの擧げて居るが如き非難が見られる事からでも容易に推知される。〔註〕

然しながら、「人生の批評」といふ言葉をアーノルドがはじめて用ゐたのは、今此處に引用した文章の直ぐ次に於て彼が説明して居るやうに、(Cf. E. C. II. p. 186) ワーヅワース論を溯る事十五年の昔に書かれたジューベール論に於てであり、其處では、特に詩歌に限つて斯く言つたのではなく、一般文藝を指して言つたのであつた。即ち、千八百六十四年一月の *The National Review* にこの "French Coleridge" を月旦した際、アーノルドは、"The end and aim of all literature is, if one considers it attentively, nothing but that, a criticism of life" (E. C. I. p. 303)「あらゆる文藝の極致目的とするところは仔細に觀察すれば、人生の批評に他ならぬ」と言つて居る。

而して、文藝に對するアーノルドのかかる見方は、それ以後晩年に至る迄十數年の長きに亘つて、本質的には何等の更改をも必要とするものでなかつた事は、先に擧げたバイロン論に於て、"And so it surely is: the main end and aim of all our utterance, whether in prose or in verse, is surely a criticism of life. We are not brought much on our way, I admit, towards an adequate definition of poetry as distinguished from prose by that truth; still a truth it is, and poetry can never prosper if it is forgotten" (E. C. II. pp. 186—187). 「たしかに左様だ。吾人の一切の言説は、散文たると韻文たるとを問はず、たしかに人生の批評である。ただこの事實によつては散文より區別されたる詩歌を十分に定義するには大して役に立たぬ事は余も認める。然し、上の事は依然として眞理であり、これが忘れられるならば詩は榮える事が出來ない」と斷言して居るのを見てもわかる。

さりながら、單にこれだけでは、たとひ彼自身一般文藝の本質と信ぜる所を説明する事にはなつても、彼自らも意識せるやうに、散文と詩との區別をはつきりと限定する事にはならないので、彼は、これを、次のやうに補訂した。——

In poetry, however, the criticism of life has to be made conformably to the laws of poetic truth and poetic beauty. Truth and seriousness of substance and matter, felicity and perfection of diction and manner, as these are exhibited in the best poets, are what constitute a criticism of life made in conformity with the laws of poetic truth and poetic beauty. (E. C. II. p. 187).

「とは言へ、詩歌に於ては、人生の批評は、詩的眞と詩的美との法則に從つて爲されなくてはならぬ。 大詩人の作品に見られるやうな、內容題材の嚴肅眞實、用語風格等の適切完全、これらのものが、詩的眞、詩的美の法則に從つてなされたる人生の批評を構成するものである。」

アーノルドの殘せる詩人論の中、その最も晩く書かれたるものは、彼歿年(一八八八)の筆になれる「ミルトン論」で、「シェリー論」はこれに先だつ事約半年であるが、その孰れにも詩歌に關する何等の定義も見出されない所を見ると、この「バイロン論」に於て示されたものが、彼の殘した詩の定義としては、まづ最後の形と言へようか。從つて、アーノルドの詩論を窺はんとするには、ここに述べられた言葉の眞意を明にする事が必要である。

「詩は人生の批評である」といふ場合の「詩」が、散文に對立する韻文藝術、卽ち狹義に用ゐられて居る事は、この定義が發言以來論議の的となつたといふ事其物が、既に明に證して居る。 何となれば、若し「詩」といふ語が廣義に文藝の意に用ゐられて居るのであるならば、一般の文藝、特に小說、劇の類は、元來「人生の批評」とも呼び得るものなるが故に、その廣き意味に於て「詩」を「人生の批評」と呼ぶ事は極めて當然であり、從つて、それが物議論爭の種となる筈もない。然るにもかかはらず、この定義が、あのやうに、今日に至る迄、たえず批評の對象とされ來つたのは、アーノルドが、それ迄他の批評家たちと略同じ意味に用ゐ來つた「詩」といふ語を說明するに當つて、批評家たちと同じ意義に用ゐられたと彼等の信じた「批評」といふ、一見異なれる範疇に屬する語を、これに結びつけたがために他ならぬ。而してまた、アーノルド自らこの場合、“poetry”といふ語を狹義の詩に解し用ゐて居た事は、さきに引用した二三の辯明に於て、“poetry”並に“prose”といふ語を區別して用ゐて居るのみならず、「ワーヅワース論」に僅か一個月後れて公にされた「ロンドンに於けるフランス劇」に於て、既に本研究の冒頭に示したる如く、二者を明に區別せる事實からも立證されるる。かくて、アーノルドが、「詩は人生の批評なり」と言つた時、「詩」といふ語を狹義の詩の意に用ゐて居る事は、最早疑ふの餘地なき迄に明である。何となれば、彼程の批評家が、殆ど同時に執筆したとも言ふべき二つの同種の論文に於て、その一方に一切の創作一切の文藝をば「詩」といふ語を以て呼んでおきながら、その舌の根も乾かぬに他方に全然これを批難し否定するが如き、矛盾、自殺的論法に、意識して陷らうなどとは到底考へられないからである。故に「詩は人生の批評なり」といふ場合の「詩」を廣義に解釋して一般の文藝を意味せるものと見る人は、一方「ジューベール論」と「ワーヅワース論」乃至「バイロン論」とを混同すると共に、他方「ロンドンに於けるフランス劇」を全然無視せるものと言ふべきである。そこで、今や再び問題となつて來るのは、かかる狹義の「詩」が、如何にしてアーノルドの主張するが如く「人生の批評」たり得るか、といふ一點である。それを明にするためには、まづ彼がこの場合「人生の批評」といふ言葉を如何なる意味に用ゐて居るかを究めなくてはならない。

アーノルドが「ジューベール論」（一八六四）以前に發表した多くの評論の中、彼一流の特殊の意味を含めて "criticism" といふ語を用ゐて居るのは、唯「ホウマー飜譯論」（一八六一）に以てのみであり（*E. I. C.* p. 243, p. 250）而も同じこの講演の中でも、例へば *Last Words on Translating Homer* (1862) に見らるる如く、彼は此語を在來通り、「批判」「批評」等普通の意味に用ゐて居る。（*Op. cit.* p. 340, p. 353, p. 362）、また「ジューベール論」の公にされた——書かれたのは前年の秋である（Cf. *Letters*, I. 201, 204, 207, 209, 212）——と同じ年なる千八百六十四年に發表された *The Function of Criticism at the Present Time* には、ホウマー論に見られた特殊な意味——「對象を本來あるが儘に見る」といふ意味の —— "criticism" が繰返されて居る事、人々の熟知せる通りであるが、而も此年に執筆された *Pagan and Mediæval Sentiment* に於ては、依然として、吾人の常用するが如き意味にこれを用ゐてある。更にまた、"criticism of life" といふ熟語のはじめて用ゐられた「ジューベール論」に就いて見るに、此處には "criticism" といふ語は單獨に用ゐらるる事無く、專らこの新らしい形の下に、屢繰返されて居るに過ぎない。而も、此熟語の用ゐられて居る個處を精讀して見るに、別に何等特殊の意味を以て用ゐられて居るとも思はれない。殊に、これに關する動詞に "pass upon" (*E. C.* I. p. 303) といふ語の使用されて居るのを見れば、この場合の "criticism" も亦、何等特殊の意味を帶びて居るとも考へられない。また「天才」"men of genius" が人生に對して下す "criticism" は永久に人類に適用することが出來るが、「才人」"men of ability" のそれは一時的のものであると斷せるあたりを見ると、(*Ibid.*) 此語が依然何等特殊の意味に用ゐられて居るのでないとの感を深くせざるを得ない。更にまた「人生の批評」といふ言葉の最も頻々と現はれて來る *The Study of Poetry* (1880) の中で、"his view of things and his criticism of life" (*E. C.* II. p. 33) の如く用ゐてあるのを見れば、この語は此場合さして特殊の意味を與へられて居るのではないと、自《オ》ら信せしめられるのである。

それでは、アーノルドは「人生の批評」といふ言葉を如何なる意味に用ゐて居るのであらうか。彼はこれを何處にも説明して居ないであらうか。

アーノルドは「ワーヅワース論」に於て、"Long ago, in speaking of Homer, I said that the noble and profound application of ideas to life is the most essential part of poetic greatness" (*E. C.* II. p. 140)と言つて、ワーヅワースの偉大性も亦此點に存する事を説き、更に Voltaire《ヴオルテール》の "no nation has treated in poetry moral ideas with more energy and depth than the English nation" といふ語を引いて、廣義の倫理的觀念を詩歌に取扱ふ點に英吉利詩歌の大なる長所の存する事を力説し、進んで、一般詩人の偉大性も亦「"life" に對し彼等が觀念を力強く深刻に適用する」點に在りと斷じ、最後に、

It is important, therefore, to hold fast to this: that poetry is at bottom a criticism of life; that the greatness of a poet lies in his powerful and beautiful application of ideas to life, to the question: How to live. (*E. C.* II. pp. 143 144.)

と結んで居る。

この一文と、彼が Burns《バーンズ》 の詩を論じて、"there is criticism of life for you, the admirers of Burns will say to us; there is the application of ideas to life!"(*E. C.* II. p. 47)と言へる一文とを併せ讀む時は、アーノルドが此處に"application of ideas to life"と言へるものは、畢竟"criticism of life"を言ひ換へたものゝ解說せるものではないかとの疑が起るであらう。セインツベリー敎授は流石に古今の批評學の大家だけあり、その烱眼よく、後者が前者の解說たる事を看破し、"gloss"(G. Saintsbury: *A History of English Criticism*, p. 485)といふ一語を以てこれを蔽ひ去つたが、惜しい事に二者の間に存在する關係を少しも究めようとせず、從つて、これらの言葉の內容をも明にしようとはしなかつた。爾餘凡百のアーノルド研究家乃至批評家に至つては、前者と後者との間に本質的な關係ある事にすら氣付いて居ないかの觀あるは、むしろ奇怪である。されば、われらは先づ、この"application of ideas to life"の眞意を明にし、而して後、これが"criticism of life"と稱するものに妥當するか否なかを見ることにしよう。

"Application of ideas to life"とは、抑も如何なる事を言つたものであるか。この難問は、然し、"life"を「人生」と譯すか、それとも、「生活」と解するかによつて、半《なかば》解決されるであらう。ここに「人生」と譯したものは、文藝に於ける取扱の對象となるものの事であり、「生活」と譯したのは「實際に生きる」事を言表さんとしたものである。而して、アーノルドは、實際、"application of ideas to life" に於ける "life" をば、右の如き二樣の意味に用ゐて居る事もあるのである。即ち、一は、人生に對し、作者が、彼獨得の思想を適用し、批評する意味に、一は、思想を實生活に取入れる事の意味に。後者、即ち、思想を生きる事、思想を實生活に取入れる意味の用例には、「ハイネ論」に見られる "the prompt, ardent, and practical application of an idea" (*E. C.* I. p. 174), "the practical application of her innumerable ideas" (*Ibid.*) 或はまた "her [Germany's] feeble and hesitating application of modern ideas to life" (*Ibid.* p. 178) の如きものがある。

それでは、先に引用した詩人論に於ける "life" とは如何なるものであるか。この場合の "life" は、詩の對象となるべき「人生」の意に解すべきである事、これと略《ほゞ》同じ語彙語法を以て同一趣意を述べたる次の文章から容易に察せられるであらう。

I have said that a great poet receives his distinctive character of superiority from his application, under the conditions immutably fixed by the laws of poetic beauty and poetic truth, from his application, I say, to his subject, whatever it may be, of the ideas

'On man, on nature, and on human life,'

which he has acquired for himself. (*E. C.* II. pp. 140—141.)

卽ち、前の文に於ける "life" は、此處に "subject" といふ文字に置換へられて居るのであるが、詩人によりて "ideas" を適用せらるるものが、彼の取扱ふ詩の題材である事は、今茲に引用せるものの原型たる次の一文に於て明に示されて居る通りである。卽ち、アーノルドは「ホウマー飜譯論」に於て次の如く言つて居る。——

Poets receive their distinctive character, not from their subject, but from their application to that subject of the ideas (to quote the *Excursion*)

On God, on nature, and on human life,

which they have acquired for themselves. (*E. L. C.* p. 375.)

詩人を論じて "application of ideas to life" と言へる場合の "life" を「題材」の意味で「人生」と解すべきである事は、以上述ぶる所で明になつたと思ふが、この解釋の正しき事は、"application of ideas" の意味を明にするにつれて、自ら分明するであらう。"Application of ideas" の意味が最初に明にされて居るのは、同じく「ホウマー飜譯論」に於てであつて、アーノルドは其處に次のやうに言つて居る。——

Even in later times of richly developed life and thought, poets appear who have what may be called a *balladist's mind*; in whom a fresh and lively curiosity for the outward spectacle of the world is much more strong than their sense of the inward significance of that spectacle. When they apply ideas to their narrative of human events, you feel that they are, so to speak, travelling out of their own province. (*E. L. C.* pp. 375–376.)

この一文は、かの「モリス・ド・ゲラン論」等に於て、詩人の"naturalistic and moral interpretation"を説けるに照應するものであるが、これによつて見れば、"application of ideas"とは、詩人が題材を取扱ふに當つて、彼自身の感想を表白する事の謂である。從つて、先に引用した文章に見える"the powerful and beautiful application of ideas to life, — to the question: How to live" (*E. C.* II. p. 144) といふ事も、畢竟「人生問題」に對し、詩人獨得の解釋を與へるといふ事に過ぎないのである。アーノルド自身が自らの創作に於て示せる例によりて窺へば、それは、時としては作中人物の口を通して語られる場合もあり、また單獨に、一種批評的註釋的な言葉となつて表される事もあらう。いづれにせよ、要するに、作者自身が彼獨得の人生觀自然觀等を以て對象に臨みたる結果を、何等かの形式によりて作中に洩らす事を言つたものである。故に、"application of ideas to life" の "life" は、正に、詩の題材たる「人生」たるべきであり、從つて、この一句は、*The Study of Poetry* の中にも見られるやうに、"application of ideas to life in verse" (*E. C.* II. p. 41) の意に解すべきである。この解釋は、更にまた、アーノルドの次の如き言葉によつて、一層明白に裏書されるであらう。——

By 'treating in poetry moral ideas' ... Voltaire means just the same thing as was meant when I spoke above 'the noble and profound application of ideas to life.' (*Ibid.* pp. 141–142.)

この場合、單に "application" と言はないで、特に "noble and profound" といふ二つの形容詞を冠したのは、上に "in poetry" とあるのに對應せしめんがためで、詩に於ける「觀念の適用」が、後に示すが如き二つの法則に從つて爲される事を指したものである。而して、アーノルドは、茲に、ヴォルテールの口を通して、"moral" といふ語を突如介入せしめて居るが、これは極めて廣義に用ゐられ、凡そ "how to live" といふ問題に關聯せるものは悉くこれに含まれて居る事、特に彼の註する通りである。從つて、"treating in poetry moral ideas" とは、詩に於て、人生の有する內面的意義を明にするといふ程の意であらう。

以上述べたるが如く、"application of ideas to life" とは、詩人が對象を取扱ふに當つて、彼獨得の人生觀世界觀をこれに適用する事、換言すれば、對象を精神的に解釋する事であるならば、それは結局 "criticism of life" であると言へまいか。何となれば、詩人が題材に對し彼自身の人生觀を以て臨み、いはばその光の下に照らされたる對象を描き出すといふ事は、畢竟彼が對象を批評する事に外ならないからである。勿論、この場合「批評」と言つたのは、單なる正邪善惡の批判裁斷などよりも遙に廣く深い意味を有《も》ち、むしろ對象に內在する內面的意義の認識評價とも言ふべきもので、アーノルドがモリス・ド・ゲラン論の中に用ゐたかの "interpretation" 乃至 "moral interpretation" といふ語に最も近いであらう。而して、詩人が對象の單なる外相の描寫に滿足せず、皮下深く透察した結果たる作品は、自《オ》ら彼の人生觀を通過せるもの、即ち、彼によりて「批評せられたる人生」に外ならない。此意味に於て、文藝または詩は「人生の批評」である。アーノルド曾てAristophanes《アリストファニーズ》を論じた時、"his penetrating comment" (E. p. 465) と言つて居るが、この場合の "comment" こそは、アリストファニーズの試みた "application of ideas to life" であり、また "criticism of life" なのではあるまいか。

斯く考へ來れば、"application of ideas to life" は實に "criticism of life" を說明註解したものであるが、その眞意は、恐らく、二者共に "moral interpretation of life" また

は"revelation and illumination of the inward significance of life"といふ程の意であらう。(此場合の"life"といふ語は、勿論廣義に、文藝の題材、對象となるものの一切を含めて用ゐたのである。)

"Criticism of life"の意義を斯くの如く解する時、それはアーノルドが「モリス・ド・ゲラン論」に於て說いた、詩歌の"interpretative power"にはじめて照應するものとなつて來るのである。そしてまた、實際アーノルド自ら"moral interpretation"(*E. C.* I. p. 111)或は"the poetic interpretation of the world"(*Ibid.* II. p. 92)の如き文字を用ゐて居る事もあるのである。

然しながら、以上の如き解釋は、能ふる限りアーノルドの立場に立ち、彼の根本的觀念を內側から究める時に於てのみはじめて可能となるのであつて、普通の用語例の範圍では、"criticism"と"interpretation"との間には相當の距離があり、一を以て直に他に代へる事は不可能であらう。アーノルド自ら、"interpretation"或は"moral interpretation"といふ語を詩歌に關して用ゐて居るのであるから、彼はむしろ此方を採用すべきではなかつたか。

"Criticism of life"の意義を如何に解しようとも、彼自らこれを註釋して"applica-

"tion of ideas to life" と言ふ以上、その內容は彼が他の個處(E. C. I.)に於て力說し主張する "criticism" の意義とは甚だ異なれるものたる事は否定出來ない。 即ち、"application of ideas to life" といふ事は主觀の優勢支配を肯定した言葉であるが、"to see the object as in itself it really is" (E. L. C. p. 249; E. C. I. p. 1) といふ事は、むしろ主觀の放逐と客觀の極度なる擁護とを意味するもので、兩者は正しく兩極端に立つべき態度ではないか。

更にまた、詩を以て「天才」の驅使に基づくものとなし、「知性」の活動に俟つ散文よりも上位に置いたアーノルドは、同樣に、余が後に明にするが如く、創造的才能の活動を以て批評よりも勝れたるものとなした。 然るにも拘はらず、彼は、自ら下位に置いた知力の活動を呼ぶ「批評」といふ語を以て、それよりも上位に在りと考へた「詩」を定義し說明せんとしたのである。 これは明に彼に於ける矛盾であつて、何と言つても辯護の出來無い點であり、この用語の混亂のために、普通の讀者は徒に昏迷に陷り、彼の眞意の捕捉に何時迄も苦しむのである。 それでは、彼のかかる矛盾は何から生じたのであるか。

アーノルドは恐らく「人生の批評」といふ言葉が頗る妙味あり便利なるが故に、而して唯そのためにのみこれに固執したのであらう。そしてまた、それらの理由のために、曾て一般文藝に對して用ゐたものを再び詩歌に適用し復活せしめんと欲したのであらう。而して、斯くの如きは、彼にありては、決して珍らしい事ではないのである。

とかく誤解を招き易い彼の語法に對する批難は姑く措き、彼の所謂「人生の批評」の眞義は上述の如くであると假定する時、――そして、アーノルドの提供する資料を根據として、彼自らをして内部より説明せしむる限り、これ以外の解釋は到底不可能なる事を余は確信するものであるが、――彼が、時に、一つの作品に就いて、それが「人生の批評に達せざる」"not rising to a criticism of life" (E. C. II. p. 52) と言ふやうな言ひ方をして居るのは如何なる意味であらうか。それは恐らく、作品の中に描き出されて居るものが、人生の永遠なるもの眞なるものに觸れて居ない事、換言すれば、次に説くが如き「詩的眞の法則」に從つて居ない事を言へるものであらう。從つて、對象の皮相的描寫には「人生の批評」はあり得ない事となる。

アーノルドは、「モリス・ド・ゲラン論」の中で、偉大なる詩人の特性を論じ、

The great poets unite in themselves the faculty of both kinds of interpretation, the naturalistic and moral. But it is observable that in the poets who unite both kinds, the latter (the moral) usually ends by making itself the master. (*E. C. I.* p. 111.)

と言つて居るが、この「モリス・ド・グラン論」や『ケルト文學研究』などでは、しきりと詩歌の"naturalistic interpretation"を說いたアーノルドが、晩年に至るに從つて、專ら詩歌の"moral interpretation"に力點を置くやうになつた事は今茲に引用した彼の語に對し、興味ある暗合一致と言はざるを得ない。即ち、彼自身に對しても亦、詩の"natural magic"（*E. C. I.* p. 111）よりも"moral profundity"（*Ibid.*）の方が遙に心を惹くやうになつたのである。

斯くの如にして、「モリス・ド・グラン論」に於ける彼の詩論は漸次に發展し、遂にその一面を高調して「人生の批評」說にまで高めらるるに至つた。

然しながら、曾て一度は一般文藝に對して與へたこの定義を、其儘詩歌に適用する時は、やがて彼の持論にも反して「詩」と「散文」との區別を無視する事になるであらう。そこで、アーノルドは、既に先にも說いたやうに、「詩歌の研究」「バイロン論」等に於て、聊かこれを補正する所あり、「人生の批評」が「詩」たるためには、それが詩的眞、詩的美、の法則に從つて爲さるべきである事を說くと共に、更にそれらの要求する嚴肅性と眞摯等の具備をば、眞に優秀なる詩歌の必要條件として數へたのである。されば、問題は自ら新らしい方面に展開して、彼が詩的美、詩的眞の法則と呼べるものは如何なるものであるかより、これに關聯して詩歌の題材論、詩形、用語、風格等の諸問題を生む事になるのである。

〔註〕アーノルドの定義に對する J. A. Symonds の批評の要旨は次の一節に見出される。

While substantially agreeing with Mr. Arnold, it may be possible to take exception to the form of his definition. He lays too great stress, perhaps, on the phrases, *application* of ideas, and *criticism*. The first might be qualified as misleading, because it seems to attribute an ulterior purpose to the poet; the second as tending to confound two separate faculties, the creative and the judicial. Plato's conception of poetry as an inspiration, a divine insight, may be nearer to the truth. The application of ideas should not be too conscious, else the poet sinks into the preacher. The criticism of life should not be too much his object, else the poet might as well have written essays.

—*Essays Speculative and Suggestive*, p. 319.

第五章　詩的眞の法則

（その一）「内容の眞」

アーノルドは、詩的眞の法則が如何なるものであるかに就いては、何處にも纒まつた説明を與へて居ないやうである。されば、在來のアーノルド研究家は、殆どすべて此問題に觸れず、またたとひ一二の人が此點に着眼したとしても、それを組織立てる事の到底不可能なるを知つて忽ち放棄したのであつた。卽ち、亞米利加に於ける熱心なアーノルド研究家たる Lewis《ルーイス》 E.《イー》 Gates《ゲイツ》 はその『アーノルド文選』(*Selections from the Prose Writings of Matthew Arnold*)の長序の中で、"As for any systematic or even incidental determination of the 'laws of poetic beauty and truth,' we search for it through his pages in vain" (xliii) と絶望し、同じく亞米利加のすぐれたる英文學研究家の一人なる Stanley《スタンリー》 T.《テイ》 Williams《ウイリアムズ》 はそのアーノルド論に於て、"But what are these laws ? Is Arnold hiding behind a generalization ? If one insists on a detailed explanation of the entire theory in any particular passage in Arnold's writings, he will be disappointed. This is not Arnold's way ” (S.T. Williams: *Studies in Victorian Literature*, p. 145) と警告して居る。そこで、われらは、彼の諸論に散見する斷片的な詩論を抽出蒐集し、それを能ふる限り系統的なものに組立てなくてはならない。

それでは、アーノルドが「詩的眞」と呼んだものは如何なるものであらうか。

アーノルドが「詩的眞」と呼んだものには、先づ、“poetic truth of substance” “poetic truth of style” (*E. C.* II. p. 32. Cf. *Ibid.* p. 50, p. 159) との二つがある事を看過してはならない。されば、私は、先づ、“poetic truth of substance” とは何であるかの問題から究めて行きたい。(Arnold は “substance and style” “matter and manner” を同意語的に用ゐて居る。即ち、“substance” といふ時には、必らず之に “style” といふ語を伴はせ、同様に、“matter” に對しては “manner” といふ語を配して居る。從つて、二者を嚴密に區別する必要を認めない。 Cf. *E. C.* II. p. 32, p. 41, p. 49, p. 50, p. 187.)

アーノルドが「ワーヅワース論」で、“*poetic* truth, the kind of truth which we require from a poet” (*Ibid.* p. 150) と言つて居るのを見れば、これは明に「科學的眞」、即ち、彼が「モリス・ド・ゲラン論」に於て區別した、かの「科學的眞」(*Op. Cit.* I. p. 82) 或はまた彼がワーヅワースの優越性を說く際に述べた「哲學的眞」“philosophic truth” (*E. C.* II. p. 191) 等に對立すべきもの、いはば、詩人の天才、綜合と表現との能力たる天才によりて直觀され把握されたる對象の本質でなくてはならぬ。何となれば、われらは、詩人から、科學者や哲學者の提供するが如き「眞」を要求しはしないし、また、「眞」は唯一のものであるかも知れないが、而もそれには種々の「面」(aspect)があり、科學者哲學者の示すものも「眞」なると同樣に、詩人のそれも亦「眞」たり得る事を信ずるからである。されは、若し一つの作品が、われらに對し、"the true sense of things" (*E. C. I.* p. 82) "the intimate sense of objects" (*Ibid.*) を與へ、"a satisfying sense of reality" (*Ibid.* p. 111) を與へるならば、其處には「詩的眞」があるといふ事が出來るであらう。

然しながら、苟も "truth" と呼ばれる以上、それには必らずや客觀的妥當性、卽ち普遍性が無くてはならない。アーノルドが「最高の詩的眞の特性」"the character of poetic truth of the best kind" (*Op. Cit.* II. p. 151) として力説せる "real solidity" (*Ibid.*) は、卽ちこの普遍性に外ならないので、それによりてのみ詩人の洞察または「詩的眞」は、單なる空想や氣まぐれの所産にあらずして、よくその名に恥ぢざるが如きものとなり得るのである。 かのワーヅワースの有名なる *Ode on Intimations of Immortality from Recollections of Early Childhood* がすぐれたる作品であるにもかかはらず、最上のものと言ひ難いのは、アーノルドの見る所を以てすれば、彼處に表されたる思想や哲學が、作者自身にとりてはたとひ如何程眞實なるものたるにもせよ、一般に適用し得べき眞實性を有して居ない事に基づく。(*Op. Cit.* II. p. 151.) 同樣の事は、シェリーの人生觀に就いても言ひ得べく、彼に對するアーノルドの酷評の由りて來る所亦玆に在りと考へられる。唯、アーノルドがワーヅワースを目して偉大なる詩人となす所以は、此詩人が多くの場合に於て、普遍性に根ざせる思想感情をよく捉へそれに適切なる表現を與へ得たがためである。

それでは、かかる「詩的眞」は何處より如何にして生ずるのであるか。

アーノルドはチョーサーを論ぜる際、

It is by a large, free, and sound representation of things, that poetry, this higher criticism of life, has truth of substance. (*E. C.* II. p. 28. Cf. *Ibid.* p. 50.)

と言つて居るが、此場合の "truth of substance" が "poetic truth" たる事は「バイロン論」中に於けるアーノルド自身の説明によりて明である。(*Ibid.* p. 187.) 而して、ここに所謂 "substance" を構成するものは、元來詩人の "view of things, criticism of life" に外ならないのであるから (Cf. *Ibid.* p. 33), 問題は、これらのものか如何なる場合に「眞」を有し得るかの一點にかかる事になる。然るに、アーノルドは、今引用した文に示す如く「詩的眞」は、人生または自然が、"large, free, sound" に表現せらるる時、その作品の中に自ら備はつて來る一の特性だと言ふのである。それでは、この "large, free, and sound representation of things" とは如何なるものなのであらうか。

ここにアーノルドが、"large, free, and sound representation of things" と呼べるものが、彼自身の語を借りて言へば、"a central, a truly human point of view" (*E. C.* II. p. 28) から對象を眺め、これを表現する事を意味して居る事は、その前後の文章によりて明である。何となれば、アーノルドは其處に、チョーサーの詩に "truth of substance" 有りとし、その由りて來る所は、對象の "large, free, and sound representation" なる事を說き、次いで、此詩人が世間をば、"a central, a truly human point of view" より見る力を有して居たと語つて居るからである。されば、この後者の投ぐる光によりて、われらは前者の各語の意味を、或程度迄明にする事が出來るであらう。

それでは、先づ、茲に "large" と言へるは何を指したのであらうか。"large" は、此場合、次の "free" と共に、"a central point of view" に照應すべきもの、卽ち、中心點より眺められた結果として表現の際に生ずる性質を指せるもの故、正しく人生に對する見方が局部的に　しないで全圓に及べる事を言つたものであるらしい。從つて、取材の範圍の如きも局限せらるる事無く、またその取扱方も自由で、科學哲學等の如く人間の一局部に訴ふるものでなく、全人に訴へ適用され得るが如き性質のものたる事を意味する。かくて、この場合の “large” は、“comprehensive” 即ち「一切包括的」などの如き語に置換へて見るべきものではないかと思はれる。この解釋の中らずと雖も餘り遠からざる事は、此際アーノルドの依據せる Dryden のチョーサー論 (Cf. “Preface to the Fables”. *Essays of John Dryden*, II. p. 262. Ed. Ker.) によりて知られると思ふ。

次に、“free” といふ語の眞意も亦、既に述べた如く、實は “contral” といふ語によりて説明されるべきもので、人生の觀察と表現とに當つて何物にも囚はれず、何物をも憚らない事を意味するのではあるまいか。

もとより、“free” といふ語の内容は頗る廣く複雜であるから、小は個人的な斑《むら》氣や性癖、「地方的根性」(provincialism)、稍進んでは、宗敎的政治的羈絆等に囚はれないで人生を觀察する事より、更にこれが表現に當つては、大膽に何の憚る所無く描き出す事に至る迄、それら一切を此一語によりて蔽はんとしたのではなかつたかと考へられる。何となれば、因はれたる眼を以てしては物の眞相は見られず、また遠慮する事は對象の眞を表現する所以でないからである。而して、この語が、"representation" といふ語に冠せられて居る以上、アーノルドの力點が、人生の觀察よりも、むしろその結果たる表現の自由大膽さの方に置かれて居た事は、一見して既に明であるが、更に此語の適用されて居る彼の「チョーサー論」(*E. C.* II. p. 28)「バーンズ論」(*Ibid.* p. 50)等に就いて見れば、彼の眞意の那邊に存して居たかが、一層明になるであらう。

それでは、最後に、彼が "sound representation" と呼んだものは如何なるものであらうか。"sound" といふ形容詞が、書物や書き物等に關して用ゐらるる時は、"accurate, correct, right" 等を意味するのが普通であり、(Cf. *N. E. D. s. v.*) また、アーノルド自身、千八百五十三年版詩集の序に於て詩歌の根本條件として "accurate representation (of things)" (Cf. *Poetry*, P. 2) を說いて居るのを見れば、此場合の "sound" も亦、"accurate" を意味するのではあるまいかとは、一應何人の念頭にも浮ぶ疑問であらう。然しながら、アーノルドが此場合、特に、曾て己の用ゐた "accurate representation" といふ語を用ゐないで、敢へて "sound representation" と言つて居るのを見れば、少くとも彼の腦裡には、"accurate" といふ語を以ては到底十分に表し得ざるが如き觀念、卽ち、必らずや"sound"といふ語を用ゐざるを得ざるが如き觀念が存して居た事と思はれる。

それでは、アーノルドは此場合、"sound"といふ語によつて如何なる性質を表さうとしたのであらうか。

この"sound"といふ語のはじめて見ゆる、先に掲げておいた一文の直前に、アーノルドはドライデンがチョーサーを評した"He is a perpetual fountain of good sense"(*E. C.* II. p. 28)といふ言葉を引用して居るが、此場合ドライデンが"good sense"といふ語によりて何を意味したかを*Preface to the Fables* (Cf. *Essays of John Dryden*, II. p. 258)によりて窺ひ、更にこれをアーノルドがバーンズを論じて次の如く言つて居るのと併せ考へると、アーノルドの眞意も略《ほゞ》明となつて來るやうに思はれる。卽ち、アーノルドは、バーンズの*Auld Lang Syne*の第四聯を引いて、"where he is as lovely as sound"と言ひ、更に語を繼いで、

But perhaps it is by the perfection of soundness of his lighter and archer masterpieces that he is poetically most wholesome for us. For the votary misled by a personal estimate of Shelley ...... no contact can be wholesomer than the contact with Burns at his archest and soundest. Side by side with the

'On the brink of the night and the morning, etc.'

of *Prometheus Unbound*, how salutary, how very salutary, to place this from *Tam Glen*" (E. C. II. pp. 52--53.)

と言つて "*Tam Glen*" の第四聯全部四行を引用して居る。

これらの言葉によつて見ると、アーノルドが "sound representation of things" と言つたものが、その必然的結果として、少くとも "wholesome" "salutary" といふ語の表す性質を伴ふが如きものであつた事は明である。唯、然し、それらの語を以て、直に "sound" の同意語と見做しこれに置替へる事に躊躇せざるを得ないのは、アーノルドがこの語によつて、單に "wholesome" "salutary" 以上の内容を表さんと欲したのではなかつたかといふ疑が、他の幾多の用例によつて生ずるからである。例へば、彼がバーンズの *The Holy Fair* を評して

There is something in it of bravado, something which makes us feel that we have not the man speaking to us with his real voice; something, therefore, poetically unsound. (*Op. cit.* p. 46.)

と言へる時、或はワーヅワースを論ずるに當り、彼の熱心なる崇拜家たちの無理解

なる賞讃を嗤つて、

The fervent Wordsworthian will ...... add that Wordsworth's poetry is precious because his philosophy is sound. (*Ibid.* p. 148)

と言ひ、更に Thomas Gray《トマス・グレイ》を論じて

While the evolution also of such a piece as his *Progress of Poesy* must be accounted not less noble and sound than its style. (*Ibid.* p. 99.)

と言へる時、彼が"sound" "unsound"等の語によりて表さんと欲したものは、決して單なる"wholesome" "salutary"の意にあらず、前後の文章より判ずれば、寧ろ"founded in truth" "having real solidity" 等の如き意ではなかつたかと考へられる。從つて、"poetically sound"と言へば、"having poetic truth"の如き意であり、反對に、"poetically unsound"と言へば"lacking in poetic truth"の如き意ではないかと思はれる。概して、アーノルドは、"sound"をかかる意味に用ゐて居るらしく、彼がシェリーを難じてその"the incurable want of sound subject-matter"(*E. C.* II. p. 165)を指摘せる時、彼の言はんと欲する所は、決してシェリーが*The Cenci* や *Laon and Cythna* の如き所謂「病的」な題材を取扱つた事にあるのではなく、シェリーの詩の"unsubstantiality"(*Ibid.* p. 165)に

あつた事は、彼を目して "the poet of clouds, the poet of sunsets" (*Ibid.*) となし、またその本領が一見、*Queen Mab, The Witch of Atlas, The Sensitive Plant* (*Ibid.* p. 196) 等の如き詩に存せしかの如き口吻を洩らせる所からでも容易に想像される。而して、彼が此處に "unsubstantiality" と言へるものは、少くとも彼の眼に映じたシェリーの詩が、單なる空想の所産にして、"real solidity" を缺けるものなる事を意味する。次に引く彼の言葉は、かかる解釋を裏書するものではあるまいか。

A poet with thorough truth of substance and an answering truth of style, giving us a poetry sound to the core. (*Op. cit.* p. 52.)

斯くの如く、以上引用したアーノルドの諸文例に見ゆる "sound" の根本意義を、"founded in truth"「眞理に基礎を置ける」の意に解するならば、"It is by a large, free, and sound representation of things that poetry, this higher criticism of life, has truth of substance" といふ文章の意味も自ら明となるであらう。

然しながら、唯これだけでは「眞」を基礎とせる表現なるが故に其作には「眞」が含まれて居るといふに止つて、「詩的眞」の本質は未だ十分明にされたとは言ひ難いであらう。故に、"sound" を假に "founded in truth" と解するならば、その根底たる "truth"

とは、此場合如何なるものであるか、これを明にしなくてはならない。而して、それの解釋に多大の光明を與へてくれるものは、先に引用し、今やその後半を殘せる"a truly human point of view" といふ言葉である。

"A truly human point of view" とは、それでは何であるか。それは、純眞なる人間性、環境その他によりて歪められ傷はれし事無き、本來の人間性を基礎とせる觀點の謂である。詩と科學との根本的相違も亦、實にこの人間性に對する兩者の態度の相違に於て見られるのである。即ち、科學は人間性を全く無視し、これを離脱する事によりて眞理に到達せんとし、詩は人間性の發揮の裡に普遍なるものを捉へんとする。故に、詩の根底を成すものは人間性である。されば、"sound representation of things" も亦詩の特性を論ぜるものなる故、"sound" といふ性質の根底を成すものとして、"truth" に代ふるに "humanity" (人間性)を以てすべきではあるまいか。斯く解する事によつて、はじめて、"a large, free, and sound representation of things" の所有するものが、「科學的眞」ならずして、よく「詩的眞」となり得るのではあるまいか。蓋し、"large" は視野の宏濶にして取材の廣汎なる事を意味せるものなる故、この二種の「眞」を區別する上に大して問題とならず、また、"free" は、觀察並に表現上の態度を指せるものなる故、科學者に就いても亦同様の適用を見得るのである。果して然らば、"sound" をば、"founded in humanity" と解する事によりてのみ「詩的眞」は「科學的眞」と根本的に區別されるのではあるまいか。

而して、凡そ純眞なる人間性の上に立つものは、すべて、それだけの理由で普遍性を有するのである。また本來、人間性は、自己保存の本能並に自己擴張の本能に從ふものなるを以て、純眞なる人間性に忠實なる表現は、自ら健全なる感化力を有せざるを得ない。「眞に人間的なる見地」に立つものは、その觀察に於ても、表現に於ても、人間性を無視したり、それに背いたりする事を許されざるが故に、一切のものに對し博大なる心を以て臨まざるを得ない。アーノルドがチョーサーを論じて

His superiority in substance is given by his large, free, simple, clear yet kindly view of human life. (*E. C. II.* p. 27.)

と言つたのは、彼がバーンズに就いて

His view is large, free, shrewd, benignant, —— truly poetic, therefore. (*Ibid.* p. 50.)

と言つたのに正しく照應するもので、彼が此處に "kindly view" と言ひ "benignant view" と稱するものは、畢竟「眞に人間的なる見地」より對象を眺める事、卽ち、今言つ

た博大なる心を以て人生に臨む事を言つたものであらう。而して、かかる態度が「眞に詩的なる」と呼ばれて居るのを見れば、詩に於ける對象の觀察並に表現の基礎となれるものとして、必らずや「人間性」を考へざるを得なくなるのである。

以上述ぶるが如く、"sound" といふ語は、その根本的意義として "founded in humanity" の意を有ち、それに必然的に附隨するものとして、"wholesome," "salutary" 等の意を帶び來るのである。故に、"sound" といふ語に對し、"wholesome" 或 "salutary" 等の語のみを以てするは、先にも一寸述べたやうに、十分でない。若し强ひて他に適當なる形容詞を求むるとせば、アーノルドがワーヅワースの「人生批評」を評する際に用ゐた "healthful and true" (Op. cit. p. 192) の語こそ正しくこれに當るものではあるまいか。此場合 "true" は、"true to humanity" の意に解すべきである事言ふ迄もない。かのチョーサーの作品が、單に "large, free representation of things" たるに止らず、よく "perpetual fountain of good sense" となり得たのは、彼の表現が、"sound" であつたがため、卽ち、不滅の人間性に深く根を下せるが故であらう。また、アーノルドがしきりにシェリーを貶するのも、彼の眼に映つた此詩人の作品が、徒に "otherreality" に墮して人間性に乏しきがためでもあつたかと思はれる。

かくの如く、「詩的眞」なるものは、確固たる人間性の基礎に立ちて人生を觀照し表現する時にのみ、よく所有し得らるる特性なのである。されば、詩人の大小、作品の生命の長短は、彼の人間性に即する程度、ひいて人生に對する態度如何によつて決定せらるる事となる。アーノルドが詩人乃至詩歌評價の標準も亦主として此一點に存する。從つて、人間性に冷淡であつたり、これに反逆したり、これを傷つけんとするが如き作品は、如何程整然たる形式美を備へて居らうとも、要するに眞劍なる文學とは言ひ難く、高き位置を與へらるる事は出來ないのである。Leopardi《レオパルディ》, Omar《オーマー》 Khayyam《カイヤーム》 等の如き高名なる詩人が、アーノルドによりて斥けらるる所以は實に此處に存するのである。(Cf. Op. cit. p. 144, p. 192.)

第六章　詩的眞の法則

（その二）「格調の眞」

以上述ぶるが如く、"poetic truth of substance"は、詩人がその對象たる人生を、(Cf. "Life and the world, the poet's necessary subjects" — *F. C. I.* p. 7) 廣く自由なる立場より眺め、而も之を純眞なる人間性に卽して表現する所に自ら備はる特性である。而して、此場合、對象を人間性に卽して眺めるといふ事、卽ち、人間性の本來よりして眺めるといふ事が最も重要なるは、これ亦既に說いた通りである。而して、人間性の本來より眺めるとは、一切の對象を、人間の本性たる「自己保存の本能」(instinct for self-preservation)に背く事無きやう取扱ふ事である。されば、自然に反するが如き行爲なり事件なりを、或は明白《あからさま》に賞讃したり、或は暗に奬勵したり同情したり等するが如きは、何れも本來の人間性に違反するものなるが故に、その點のみに於ても、最高の文藝とは言ひ得ないのである。かくて、作品の不朽性の根源を成すものは、一に此點に存すと言へる。

然しながら、一つの作品の人生表現に見らるる宏濶性、自由性、健全性等には、それぞれ程度がある。從つて、作品の偉大性は、それがこれら諸條件に適合する程度によりて定まると言へる。然し、これらの點に關しては、後段「詩の偉大性」「poetic greatness」を述べる際に詳述する事とし、ここには、「詩的眞」の半を構成せる「スタイル」の詩的眞」とは如何なるものなるかを明にしたいと思ふ。

然し、その前に、アーノルドに於けるスタイルの字義如何を一應明にしておく必要があると思ふ。

アーノルドは、例へば「詩の研究」(Cf. E. C. II. p. 20, p. 21, p. 22) 及び「バイロン論」(*Ibid.* p. 187) 等に見られるやうに、"matter and substance," "manner and style" の如く、時々、異なれる語を二つ重ねて用ゐて居るために、"matter" と "substance" とはその內容を異にし、"manner" と "style" とは互に意味を異にするが如くに考へ、强ひてこれらを區別せんとするが如き人も出て來るのであるが、然し、彼の用法を仔細に研究して見ると、二者はそれぞれ決して異なれる內容を有するものではなく、一種の修辭的用法として併用されて居るに過ぎない事がわかる。これは恰も、われらが "style" を譯して、「文體」「風格」と言ふのと同一である。此事は、「バイロン論」中の用法を見れば

直に明になるので、其處に、先にも引用した

Truth and seriousness of substance and matter, felicity and perfection of diction and manner, as these are exhibited in the best poets, are what constitute a criticism of life made in conformity with the laws of poetic truth and poetic beauty. (*Op. cit.* p. 187.)

といふ一節の直下に“The moment, however ...”に始まる一段があるが、その中に、“perfect truth and seriousness of matter ... perfect truth and felicity of manner”といふ句が見える。これは正しく前掲の文に對應するもので、即ち、先に“truth and seriousness of substance and matter”と二つ並べてあつたのが、此處では“perfect truth and seriousness of matter”と“matter”の一語に約められて居る。またこの二つの文を並べて見ると、前者に於ける“diction and manner”が、後者に於ては單に“manner”といふ一語に改められて居るため、“style”をば“manner”の同意語として用ゐて居るといふ例證にはならないかも知れないが、然し其方の適例としては、先に引用した“perfect truth and felicity of manner”に對應するものとして次の如き文例を發見する事が出來る。“Of such avail is poetic truth of substance, in its natural and necessary union with poetic truth of style.” (*Op. cit.* p. 32.)

元來、"style" は、羅甸語の "*stilus*: metal-pointed instrument with which the Romans wrote upon their waxen tablets" より出でて "the manner in which anything was written" を示す語となり、近代になるに從ひ、益廣き意義に用ゐられ、今日では、"mode of expression or presentation" と同意義に用ゐらるやうになつた語なのであるから、本來、"manner" と同一意義を有するものと見て差支無いのである。されば、"style" と言ひ "manner" と呼ぶものは、例へば、"their secret of consummate felicity in diction and movement" (*Op. cit.* p. 177) および、之に對應すべき "perfect truth and felicity of manner" (*Ibid.* p. 22) に見るが如く、"diction and movement" 兩者を包括するもので、その上に現はるる個性の「烙印」(stamp) (*Op. cit.* p. 22) がスタイルなのである。即ち、スタイルは、いはば作者の「歌ひぶり」の事なのであるから、"diction and manner" の代りに、單に "manner" 一語を用ゐても、(*Ibid.* p. 187) 結局同じ内容を表す事になるのである。

今少し詳しくこれを說明するならば、詩人が自然または人生に對する時、彼が心内に經驗するものの、これが彼の表現の對象となるもので、即ち、作品の "substance" 乃至 "matter" を構成するものである。而して、"style" または "manner" は、この "substance" 表現の仕方、樣式の謂である。然るに、この「内容《サブスタンス》」を構成するものは、詩人自身の思想と感情とであるから、スタイルはまた思想感情展開の樣式と呼んで差支無きものである。

さて、われらの思想感情が文藝の世界に現はるるに當つては、先づ何物よりも言語を必要とし、次にその言語の配列樣式を必要とする。何となれば、吾人は言語によりて思想や感情を表白せんとするのではあるけれども、吾人が其處に示さんとするものが、單一の觀念にあらざる限り、少くとも數語を必要とすべく、語數多くなるに從ひ各語はその置かるる位置によりて力點の所在を明にし、力點はまたそれぞれ內容の重要性を示す。かくして、旣に玆に、語彙排列の樣式が內容の性質に應じ、重大なる役割を演ずるものなる事が知らるるのであるが、更に此排列樣式が、詩歌又は詩歌に接近する散文にありては、思想感情の起伏狀態を示すものとなるのである。卽ち、語彙は相集りて、その「意味」(sense)の方面に於ては思想感情の性質を示し「聲音」(sound)の方面に於ては之に伴ふ感情の狀態を示す。詩の詩たる所以、韻律の重要性は、この點に存するのである。故に、韻律《リズム》、卽ち、アーノルドの所謂 "movement" (律動)は、自ら思想展開の樣式と相一致呼應する事になる。アーノルドが「ホウマー飜譯論」に於て

In each case, the movement, the metrical cast, corresponds with the mode of evolution of the thought, with the syntactical cast, and is indeed determined by it. (*E. L. C.* p. 254.)

と言へる所以である。

斯くの如く思想感情が言語を通して展開する時、そこには必らずや"diction"と、"movement"とが見られざるを得ない。今少しく嚴密に言へば、"diction"を必要とし、その必然的結果として"movement"を生ぜざるを得ない。而して、この「律動《ムーヴメント》」は、内なるものが完全に自己表現を爲すためには、必らずや採らざるを得ざる必須なる形式なのである。

それでは、これら「用語《ディクション》」と「律動《ムーヴメント》」の上に現はるる「個性の烙印」とは、何を意味するのであらうか。

"Diction"は"word"(語)を意味すると共に"selection of words"(措辭)をも意味する。而して、各語はそれぞれ詩人の體驗を表示または象徴するものであるが、詩人の天分素質により、また彼の表現せんとするものの性質如何により、其處に選擇されたる用語の上に、自ら他人のそれとは異なれる特色を帶ぶるに至る。例へば、ジョンソン博士は莊重なる羅甸系の語彙を喜び、カーライルは獨逸語式の造語を好み、スヰンバーンはまた音吐朗々たる多綴語を愛したるが如き、その最も顯著なる例である。これと同様に、語法口調にも、各人それぞれ特徴あるわけで、或人はしきりと倒句法を好み、また或者は反對に平明自然なる様式を尙ぶ。口語體文語體の區別の如きも亦同一原因に發する。

斯くの如く、用語律動は、それぞれ內容たる個人特有の生活または體驗よりして、必然的に固有の特性を帶ぶるに至るものである。而して、更に、人によりては、自らの趣味嗜好よりして殊更に特殊なる言詞語法を愛用し反覆するものもありなどして、各人の用語律動は、益特色あるものとなつて來る。斯くして、個人獨得の語彙語法確定せらるるに至る時、はじめて其處に「スタイル」を見るのである。この意味に於て「文《スタイル》」は、たしかに、「人」である。

さて、用語はそれぞれ思想感情を表はし語法はこれら思想感情が一つの纏まれる世界の創造にと向つて展開する様式を如實に語るものであるが、この展開の様式は、單語排列の順序、思想感情展開の徑路、並に大小の段落を示すべき「詩句の構成」(structura of verse)「行《ライン》」の分ち方等となつてあらはれる。

而して、言葉の聲音的方面の排列様式は、韻律聲調を構成するものであるが、これは一括して「律動《ムーヴメント》」と呼ぶも差支無きものである。されば「スタイル」は"diction"と"movement"とを包括するが、その"movement"の中には、"rhythm," "cadence" "structure of verse" 等が含まれる事となる。

然るに、アーノルドは、時として、"manner and movement"(*E. C.* II. p. 35)"diction and manner" (*Ibid.* p. 187), "style and diction" (*E. L. C.* p. 215)等の如き語法を往々用ゐて居るが、これは如何に說明さるべきであらうか。これは、やはり、上述の範圍より、その構成分子を適宜取捨する事によりて明瞭簡單に解決されるであらう。卽ち、"manner and movement"と言ふ時は、"manner"の中に diction, structure of verse, cadence 等を取入れ、"diction and manner"の時には、"manner"の中に"diction"を除ける他の一切のもの、卽ち、cadence, rhythm, structure of verse 等を含ませ、"style and diction"の場合にも同樣の解釋を施すとせば、少しの矛盾も支障をも來さないのである。

斯くの如く、「スタイル」は、一言以て蔽へば、「歌ひぶり」の事であり、一つの作品の用語律動を通じてあらはるる——或はそれ等の上に現はるる作者の個性を言へるものに外ならない。

それでは、「スタイルの詩的眞」とは如何なるものを言つたのであらうか。

「スタイルの詩的眞」とは、一つの作品の「内容《サブスタンス》」に對し、表現様式の有する「眞實性」(fidelity)を指せるもの、一言で言へば、「眞摯なる歌ひぶり」の事なのである。これは、作者が「完全なる眞實」(entire fidelity)を以て、「内容《サブスタンス》」を表現する時にはじめて見らるる特性である。而して、今玆に「完全なる眞實を以て」"with entire fidelity"(*E. C.* II. p. 158)と言つたのは、作者がその體驗を表現せんとする時、强き效果を獲得せんがために、他より何等かの援助を招致し要求するが如き事無く、全く内容其物の有する力を以て讀者に訴ふるやうに表現する事を謂つたもので、アーノルド自身の言葉を以てすれば「その效果をば、作者が言表すものの有する力にのみ依賴する」"to rely for effect solely on the weight and force of that which ... it utters"(*Op. cit.* p. 158)ことに外ならない。

而して、此場合「完全なる眞實を以て」表現に當るといふ事は、表現の媒體となるものを、能ふる限り無色透明なるものとし、その色彩によりて幾分でも表現の對象を歪めるが如き事無きやうにし、斯くする事によりて、「内容」が内側から發する力によりて效果を獲得せしむるやうに努力する事を言つたものである。されば、言語を媒體とする場合に於ては、言語の存在が内容の如實なる表現に少しも障碍となる事無きやうに努める事を意味する。故に、苟も表現の對象から讀者の注意を他に轉向せしむるが如き語句語法を用ゐる事は、絶對に愼しまねばならぬ。同様に、本來の目的に無關係な要素の侵入に對しては飽迄も警戒すべきである。アーノルドがたえず「むらき」「氣まぐれ」を忌むのは、これによりて表現が毒せらるる事を自國羅曼派詩人の作品によりて熟知せるが故である。

私は今茲に、表現の目的物から讀者の注意を外部に轉向せしむるが如き辭句や語法を愼まねばならぬ、と言つたが、その中には、例へば、次の如き場合が數へられるであらう。即ち、筆者が筆の勢に驅られて思はずも横道に外れるが如き、或は特殊異様なる語彙を使用し、讀者の平明直接なる理解を妨げ、從つて傳達作用の進展に頓挫を來さしむるが如き、或はまた曖昧糢糊たる表現法を使用するが如き、何れも羅曼派詩人に顯著なる通有性であつて、アーノルドの常に同情し得ざるところ、斯くの如きはすべて、スタイルの上の詩的眞を缺けるものと言はざるを得ない。アーノルドの見る所を以てすれば、古來の大作家中、ホウマーはその用語の直截平明なる點に於て最高位に居るもの、從つてその辭句には變奇古風(quaint and antiquated)なるもの無きに反し、沙翁は、その最善なるものに於ては用語簡明(simple and intelligible)にして、吾人と長き時間を隔てたる人とは思はれぬ程完全に單純明瞭であるが、往々にして變奇古風なる事あり、またその英語は、屢拗捩曲折して一回の通讀を以てしては理解容易ならず、再三精讀の後はじめて意味相通ずるが如きものもある。彼の傑作と言はるる「リア王」の如きその代表的なるものである。(Cf. *Poetry*, pp. 16—17.)

然るに「内容」に對する「完全なる眞實」を宗として試みられたる表現にありては、形式は内容其物の直接の自己顯現とも見られ、人をして形式としての存在を忘れしむるに至るもので、これこそ表現の極致に達せるものと言ふべく、從つて、かかる表現は、「最高の而して最も雄辯なる表現」"expression of the highest and most truly expressive kind" (*E. C.* II. p. 158) なのである。而して、かかる表現には何等作爲の痕は見られず、その特色は「最も平明にして直接的に、殆ど嚴肅ともいふべき自然さ」"the most plain, firsthand, almost austere naturalness" (*Ibid.* p. 159) を有する事で、好適の例はワーヅワースの物語詩 *Michael*《マイケル》 に於ける

And never lifted up a single stone

の如き詩句《ライン》に見られる。(*Ibid.* p. 157.) これによつて見れば、「スタイルの詩的眞」を得んがためには、その用語は平明にして直截、卽ち簡明で無くてはならない事がわかる。

斯くの如く「スタイルの詩的眞」は「完全なる眞實を以て」「内容《サブスタンス》」を表現する所に得らるる特性である。故に、其處に必要なるものは、作者の側に於ける "sincerity" の存在である。卽ち、詩人は、自らの體驗を表現するに當り、何等の常套的手法にも囚はれず、流行にも支配されず、また單なる個人的奇癖偏好にも動かさるる事無く、ひたすら内容其物からの必然的要求に從ふべきである。それは、換言すれば、詩人が「彼自らの聲を以て語る事」"to speak with his real voice" (*Op. cit.* p. 46) の謂である。

斯く考へれば、風格文體の上の「詩的眞」は、詩人が題材に對する關係より生ずるものにあらずして、彼が「題材を感じ」(to feel the subject) たる結果である所の内容《サブスタンス》に對する態度より生ずるものなる事がわかる。アーノルドはワーヅワースの獨自性《ユニークネス》を論ずる時「彼が題材を感ずる深刻なる眞劍さ」"the profound seriousness with which Wordsworth feels his subject" と共に「題材其物の深刻にして眞摯かつ自然なる性質」"profoundly sincere and natural character of his subject itself" (*op. cit.* p. 159) を説いて居るが、この題材其物の性質と、これの感じ方との間に於ける區別は重要なるもので、決して見落してならないものである。何となれば、物の感じ方は、題材其物の性質如何に關係無きもので、所謂「不健全なる」題材をも、深刻なる眞劍さを以て感ずる事可能なるは、恰も、所謂「健全なる」題材をも、或は「不健全なる」或は輕浮なる態度を以て取扱ひ得ると同樣である。　唯、かかる場合には、いづれにしても、アーノルドの所謂「內容の詩的眞」は見られないわけであり、從つて、不健全なる題材を取扱へる限り、その作品は、彼によりて高き位置は決して與へられない事になる。

斯くの如く、格調《スタイル》の「詩的眞」は、詩人の「內容」に對する眞摯性眞實性より生ずるものとせば、對象を常套的な陳腐な言葉で表現する事は、全くこの理に反するものなるが故に、かかる作品には「眞摯なるしらべ」"accent of sincerity"は無く、從つて格調の詩的眞は見られない。　かの第十八世紀の擬古派に屬する英詩人たちは太陽をば常に"Phoebus"と呼び、果物をば、その林檎たると梨たるとを問はず、"Pomona"と呼び、また魚を"scaly breed,"羊を"fleecy breed,"鳥を"feathered quiros"等の如き概括的な名稱を以て表したが、これらは全く、詩人が、自己の聲を以て歌はず、先人または他人の口を通して語つたに過ぎなかつた事を示すもの、從つて其處に「詩的眞」は在り得ないのである。

アーノルドが「ホウマー飜譯論」に引用せる所によれば、(E. L. C. p. 264) ポウプはホウマーを譯すに當り、"woman"をば常に"fair,""father"をば"sire,""old man"をば

"reverend sage" の如き語を以て表して居るとの事である。而も、ポウプが眞に表さんと欲したものは、"sire" にあらずして "father," "fair" にあらずして "woman," "reverend sage" にあらずして "old man" だつたのである。然らば何故にポウプはこれらを直言しなかつたのであるか。これは彼が、ワーヅワースが『物語的抒情詩集』*Lyrical Ballads* 再版の序に指摘したるが如き、誤れる詩人的意識にとらはれて、"spade" を "spade" と呼ぶ事を欲しなかつた事に基づくもので、同時にまた、彼が彼の時代を風靡して居た好尚並に常套から全然脱却する事を得なかつた事を語るものである。かくて、彼の描き出すものは何れも個性を失つて全く類型的のものと墮さざるを得なかつた。

アーノルドは曾て、これら擬古派の詩と、純正なる詩との相違をば、その發生の母胎、發展の様相、並に用語の上に見んとして次の如く言つた。——

The difference between genuine poetry and the poetry of Dryden, Pope, and all their school, is briefly this: their poetry is conceived and composed in their wits, genuine poetry is conceived and composed in the soul. The difference between the two kinds of poetry is immense. They duter profoundly in their modes o language, they differ profoundly in their modes of evolution. The poetic language of our eighteenth century in general is the language of men composing *without their eye on the object*, as Wordsworth excellently said of Dryden; language merely recalling the object, as the common language of prose does, and then dressing it out with a certain smartness and brilliancy for the fancy and understanding. This is called 'splendid diction.' The evolution of the poetry of our eighteenth century is likewise intellectual; it proceeds by ratiocination, antithesis, ingenious turns and conceits. This poetry is often eloquent, and always, in the hands of such masters as Dryden and Pope, clever; but it does not take us much below the surface of things, it does not give us the emotion of seeing things in their truth and beauty. The language of genuine poetry, on the other hand, is the language of one composing with his eye on the object; its evolution is that of a thing which has been plunged in the poet's soul until it comes forth naturally and necessarily. This sort of evolution is infinitely simpler than the other, and infinitely more satisfying; the same thing is true of the genuine poetic language likewise. But they are both of them also infinitely harder of attainment; they come only from those who, as Emerson says, 'live from a great depth of being.' (*E. C.* II. pp. 95–97).

ドライデン、ボウプ一派の詩は機智に胚胎せるに反し、純眞の詩は靈に發するといふ事は、既に前章「内容の詩的眞」に關し説ける所を別の言葉で巧妙に喝破したもので、彼等擬古派の詩が純眞なる人間性に根ざして居ない事を指摘せるに外ならぬ。 また語法と詩想展開の樣式とに見らるる相違は、格調の詩的眞に關し彼の説ける所を要約せるものに過ぎない。 而して、彼等擬古派の詩が、知的論理的に、而も巧妙なる語法や奇想を用ゐる事によりて雄辯に展開するも、遂に人をして對象の皮下深く立入りその本質を目見せしむるの力無しと斷ぜるは、これ即ち、彼等の詩が、眞の詩の根源たる「天才」によらずして、散文の基礎を成す「知性」の發動に俟てる事を明言したものと言へる。

更に最後の一段に於て彼の説ける所は、これ亦、「格調に於ける詩的眞」の本質を再説したもので、かかる「眞」は、唯詩人が靈の奥處に於て體驗する場合にのみよく見らるるものにして、共に内的必然性を以て迸り出づるものなるがゆゑに、"rhetorical, ornate" (E. C. H. p. 97) たるの餘裕無く、勢ひ、極めて簡素直截ならざるを得ざる事を繰返して居る。

以上述ぶる所よりして、格調に關するアーノルドの二つの定義が自ら生ずる。

即ち、最惡の格調とは、氣取つた格調の事で、(The worst of all styles, the affected stlye) 最上至高の格調とは純一にして澄明なるものをいふ。(The perfectly simple, limpid style, which is the supreme style of all).

さて、今迄說き來つた所は、はじめスタイルを、用語律動の二方面に分ちて考察せんとしたるに反し、あまりにも、或は專ら、用語に關してのみ、多くの言を費し、律動に就いては殆ど何等語る所無かつたかの觀があるかも知れない。

これは、既に最初明にしておいたやうに、"style" とか "manner" と呼ばるるものは、要するに「歌ひぶり」の事なので、「歌ひぶり」は何物よりも用語の選擇と用法とにあらはるるものなる事、詩が言語藝術たる以上、已むを得ざる所なるべく、從つて、用語がとかく注意の焦點になり易いがために外ならぬ。

然しながら、たとひ詩人の思想感情を表示するものは言語なりとは言へ、その展開の樣相を示すものは律動に外ならぬ。　而して、この律動、即ち、思想感情展開の樣式にこそ、却つて詩人の個性は現はれるものである。　アーノルドが、"To the style and manner of the best poetry their special character, their accent, is given by their diction, and, even yet more, by their movement." (*E. C.* II. p. 22) と言つたのは、たとひ此際「最善の詩」に關して述べた言葉であるにしても、一般に通じて謬無きものである。これ、同じ無韻詩《ブランク・ヴアース》で書かれた作品であつても、マーロウ、沙翁、ミルトン各人にはそれぞれ特有の律動あり、彼等の詩に通せる人には直にそれが正確なる判斷を以て鑑別さるる所以である。

而して、先に、「格調の眞」なるものは、詩人がその表現の對象に對する眞摯なる態度より生ずる特性であると言つておいたが、この事は、律動に就いても亦同様に眞なのである。故に、他人の格調を模ねたるもの、よし模倣ならずとするも、内容《サブスタンス》より縁遠き人工的なる調子を用ゐるとか、要するに「彼自身の聲を以て」歌はざる「しらべ」には、自ら“false note”が響かざるを得ない。かかるものこそ「律動の眞」を有せざるものと言ふべきである。

故に「律動の眞」とは、韻律節奏の中に響く、或は感せらるる「個性」の謂、作者の靈の奥處より響き來る、やみ難き而して何人と雖も模し難き叫び(the inevitable and inimitable cry of the soul)と言ふ事が出來る。

以上述ぶる所によりて、「詩的眞の法則」とは、詩の内容が、嚴として深刻に、純眞なる人間性を基礎とすべき事、またその表現は、あく迄も眞摯なる態度を以て、ひたすら内容に忠實に爲されなければならない事を言へるものなる事が明にされた。故に、この法則に從つて爲されたる創作は、その内容自ら健全にして深刻、その表現は簡素にして平明ならざるを得ない。アーノルドが優秀なる詩歌の必須條件として第一に擧げたるものは、卽ちこれらの特性である。

第七章　詩的美の法則

（その一）「内容論」

それでは、次に、アーノルドが「詩的美の法則」と呼べるものは、如何なるものであらうか。曩にわれらは、彼が「詩的眞」と呼べるものに、内容と格調との二種ある事を見たが、此區別は此處に於ても亦見られないであらうか。

抑もアーノルドが「詩的美の法則」といふ言葉をはじめて用ゐたのは、千八百七十九年七月の「ワーヅワース論」に於てであり、其處に彼は、"his applications, under the conditions immutably fixed by the laws of poetic beauty and poetic truth ... of ideas" (*E. C.* II. p. 141) 云々と言つて居り、その數行後にも、(*Ibid.* p. 142) 略《ほゞ》同一文字を繰返して居るが、越えて八月公にされた「倫敦に於けるフランス劇」には、「詩的美の法則」といふ文字は見えないけれども、韻律と節奏とに關して "adequacy and beauty" (*Irish.* p. 155) といふ言葉が用ゐられて居り、また "the wondrous beauty of style" (*Ibid.* p. 163) といふ語が再三使用されて居る。また、これより二年後なる千八百八十一年執筆の「バイロン論」には「詩的美の法則」といふ言葉が再度 (*E. C.* II. p. 188) 見られるが、これらは何れも「ワーヅワース論」に於て説ける所を、或は反覆し、或は敷衍せるものたるに過ぎず、「詩的美」の如何なるものなるかに關しては、何ら新に説明するところ無く、唯、“felicity and perfection of diction and manner” (*Ibid.* p. 190) と言ひ換へて居るに止る。

而して、この「バイロン論」中、伊太利亞の厭世詩人レオパルディを論じて、“He has the sense for form and style, the passion for just expression, the sure and firm touch of the artist” (*E. C.* II. p. 188) と言ひ、その「純粹にして確實なる筆致」 “pure and sure touch” (*Ibid.* p. 190) を讃へ、或はバイロンの平凡未熟なる詩人的技巧 “the faults of commonness, of want of art, in his workmanship as a poet” (*Ibid.* p. 178) を指摘し、或は更に沙翁とミルトンとに就いて、“Shakespeare and Milton, with their secret and consummate felicity in diction and manner” (*Ibid.* p. 177) と言へるなど見れば、これらは何れも、先に引用した “felicity and perfection of diction and manner” 卽ち格調の方面に關するものの如く思はれる。

それでは、アーノルドは「詩的美」といふ時、唯、格調の美のみを考へ、内容の美といふ事は全然問題にしなかつたのであらうか。決して然うではない。

彼が千八百六十二年二月十九日母に寄せて同時代の詩人テニスンを論じた手

紙には次のやうにある。——

You ask me about Tennyson's lines [On Prince Consort]. I cannot say I think they have much *poetical* value. They are, as you say, very just, but so was one of the *Times* leaders about the same subject, and above the merit of just remark and proper feeling these lines do not appear to me to rise; but to arrive at the merit of *poetical beauty* you must rise a long way above these. Read, in connection with this piece of Tennyson's, Manzoni's *Cinque Maggio* (on the death of Napoleon), and you will see what I mean. (*Letters*, I. pp. 158—159.)

彼が此處に"poetical value"と言へるものは、その數行下に、"the merit of poetical beauty"と呼べるものに相當する事、殆ど疑ふ餘地が無い。而して、此場合、彼が單に"poetical beauty"と言へるものは、決して單なる措辭聲調の美ではなく、むしろその內容たる思想感情の非凡秀拔なる事を意味せるものの如く思はれる。

單に此一例からでも、彼が「詩的美」といふ時、內容の美をも考へて居た事は知られるのであるが、彼のかかる見方は晩年にも、極めて斷片的ながら繰返されて居るのを發見する。卽ち「ワーヅワース論」に於て、その有名なる"Immortality Ode"の中心思想となれるものに就き"This idea, of undeniable beauty as a play of fancy" (*E. C.* II.

p. 151) と言ひ、また「詩の研究」に於ては、"The substance and matter on the one hand, the style and manner on the other, have a mark, an accent, of high beauty, and power." (*Ibid.* p. 21) と言つて居るが、それを見れば、彼はたしかに詩に於ける「內容の美」といふ事を考へて居た事がわかる。 然し、これらにもまして遙に雄辯なる證據となるものは、ちやうど如上二篇の中間期に執筆された「詩歌論」"Poetry" (*The Hundred Greatest Men*, Vol. I, Introduction) に見ゆる次の一行である。——

Poetry gives the idea, but it gives it touched with beauty, heightened by emotion. (Cf. *Poetry*, p. 29.)

この詩歌論は極めて短いものではあるけれども、詩に對する彼の意見を甚だ明快に要約したものとして、彼の詩論中最も重要なる位置を占むべきものである。從つて、この中に現はれたる彼の詩歌觀は、そのまま彼の根本觀念を示せるものとして取上げて差支無きものである。

斯くの如くにして、アーノルドが、詩の「內容美」を重要視して居た事は、もはや疑ふ餘地が無い。 それにもかかはらず、彼は「詩的美の法則」に關して說明する際、恰もこれが唯單に用語格調の方面のみに關するものなるかの如く、「內容美」に就いて一言も觸るる所無かつた。而も「ワーヅワース論」(一八七九)、「詩歌論」(一八七九)、「詩の研究」(一八八〇)、「バイロン論」(一八八一)等は、上の年代の示す如く、短日月間に相次いで執筆されたもので、その根本に橫たはる思想は同一のものであり、相互の間には同一文字同一章句の使用反覆を見る事さへ、決して珍らしくない。

果して然らば、アーノルドが「詩的美の法則」を口にした時、措辭律動の美のみを說いて內容美に觸れなかつたのは、必らずしも彼の迂濶不用意にのみ原因するのではなく、何等か他の理由に基づくものと考ふべきではあるまいか。即ち、われらは、彼の理論展開の形式上の不備を責め、思想的不統一を非難する前に、今一度彼の根本的立場をふり返つて見る必要は無いであらうか。

アーノルドは、「モリス・ド・ゲラン論」に於て、詩が人に訴ふる力と科學のそれとを比較し、

It is not Linnæus or Cavendish or Cuvier who gives us the true sense of animals, or water, or plants, who seizes their secret for us, who makes us participate in their life. (E. C. I. p. 82)

と言ひ、沙翁、ワーヅワース、キーツの詩から、それぞれ有名な美しい章句を引用して居るが、その中、キーツから拔けるものは次の二行である。——

"moving waters at their priestlike task
Of cold ablution round Earth's human shore."

キーツは此處に、大海の岸邊を洗ふ波浪をば、僧侶が施す垢離の業にたとへて居る。岸邊を洗ふ海波と信者を洗ひ淨める僧侶との間には、「水」從つて「洗ふ」といふ動作の類似以外に何等共通の觀念も見られない。而も、この一見無關係なるものの間に微妙なる精神的連關を見出したものは、詩人の直觀ではないか。斯く、無生物に生命を與へ、靈的意義を附與するといふ事は、對象に潛める精神的意義の發見乃至對象の精神的解釋に外ならない。

而して、對象のかかる精神的解釋によりて吾人に示されるものは科學によりて示される對象の本質とは全く趣を異にせるものである。而も、我等は、對象が斯くの如く表現さるる時、科學によりては到底與へられざるが如き對象の生命感を味ひ、併せて自己の內的生命の擴大充實を經驗せざるを得ない。而して、對象に於けるかかる新しき生命の發見と表現とは、アーノルドが詩歌の闡明的表現力 "interpretative power" として說いた所のものではないか。

Leigh Hunt《リイ・ハント》は曾て、その "What is Poetry?" (1844)と題する論文の中で、詩と科學と

を對照し

Poetry begins where matter of fact or of science ceases to be merely such, and to exhibit a further truth, that is to say, the connection it has with the world of emotion and its power to produce imaginative pleasure. (Leigh Hunt: *What is Poetry?* p. 4. Ed. by A. Cook.)

と言ひ、更にこれを具體的に説明して次の如く言つて居る。卽ち、其處に在る花は何かと園丁にたづねると、彼は單に「百合」と答へる。これは、單なる「事實」"matter of fact" に過ぎない。植物學者はこれを "Hexandria monogynia" (一雌蘂六雄蘂)科に屬するものと答へる。これは「科學的事實」"matter of science" である。ところが、詩人エドマンド・スペンサーはこれを「花園の麗人」"lady of the garden" と呼ぶ。ここに至れば、旣に、百合の有《も》てる優美に對する詩感といふものがあらはれて居る。ベン・ジョンスンに至つては更にそれを

The plant and flower of *light*

と言つて居るが、斯うなると、詩は、神祕と光彩とに包まれたるこの花の美をわれらに遺憾無く示せるものと言へる。

ハントが此處に述べて居るところは、まさしくアーノルドが詩の "interpretative

power”として例證せるものと一致しては居ないであらうか。更に、ハントが、先に引用せる言葉の中で、詩は科學よりも、一歩奧に潛める眞“a further truth”を示すものだと言ひ、この「眞」を説明して、「單なる事實または科學的事實が、情緒の世界と、想像的感興の喚起力とに對する關係」だと言つて居るのを見れば、この“further truth”こそ、アーノルドの所謂「詩的眞」に相當せるものではないかと思はれる。

ハントは今、アーノルドの「詩的眞」に相當すべき“a further truth”をば「單なる事實または科學的事實が、情緒の世界と想像的感興の喚起力とに對する關係」だと言つた。而して、かかる“a further truth”が、對象を美の姿に於て示すものなる事、また彼自らの例證するところである。

さすれば、“further truth”とは、科學的眞などが全然人間的な立場を無視せる所に見らるるものなるに反し、對象をば想像と情緒とを通して見る所に生ずるものであり、更に、かかる意味の「眞」は、それが新しき生命を啓示するが故にわれらに想像的感興を與へるもの、卽ち美であると言へる。されば、想像が「眞」なりとして捉ふるものは、また同時に美なりと言ひ得る。(Cf. “What the Imagination seizes as Beauty must be truth.”—Keats, letter to Benjamin Bailey, dated 22, November 1817.) 恐らく、キーツの有

名なる "Beauty is truth, truth beauty" (Keats, *Ode on a Grecian Urn*) といふ言葉に暗示されたものに相違無いのであるが、アーノルドが『批評論集』第一卷(一八六五)の序に於て、"beauty, in a word, which is only truth seen from another side" (*Op. cit.* xi.)と言ひ、更に十五年の後に書いた「キーツ論」(一八八〇)に於て、"To see things in their beauty is to see things in their truth" (*Ibid.* II. p. 116) と言つたのは、たしかに這般の理を説明せるものと言へる。卽ち、アーノルドにとつても亦、キーツに於けると同様、美卽眞、眞卽美なのであつた。從つて「詩的眞」を基礎とせざるものは、彼にとつては嚴密なる意味の「美」では無く、單に空想の戯れ、または内容無き裝飾に過ぎなかつたのである。

故に、アーノルドとしては、詩的美の法則を論ずるに當り、既に「詩的眞」に就いて説いた以上、別に「内容の美」に關し説明するの必要を感じなかつたのではあるまいか。斯くの如く解する時、一見不統一乃至矛盾せるかの觀ある彼の「詩的美」論は、實は「眞卽美」といふ彼の根本的觀念から發して居るので、決して矛盾でも不統一でも無いといふ事がわかつて來るのである。

第八章　詩的美の法則

（その二）格調論

以上で、アーノルドが詩の内容美を如何に考へて居たかといふ事は分つた。それでは彼が"felicity and perfection of diction and manner"と呼べるものは如何であるか。一つの作品の用語風格が、剴切にして完全であるならば、それはその表現が、詩的美の法則に從つて爲されて居るが故であらう。然らば、逆に、用語風格の剴切完全とは如何なるものを言ふかを調べる時は、この法則も自ら明となつて來るであらう。

"Felicity of diction"とは、コウルリヂが詩を定義した言葉を用ゐれば、"the best words in the best order"（最適の語を最適の位置に置く）事であり、またフローベールの有名なる語を借れば、「固有の語」"le mot propre"の發見と適用との謂ではあるまいか。即ち、詩人が内容《サブスタンス》を表現するに當り、彼は自分の自由に驅使し得る語彙韻律等を幾種も所有して居るであらうが、表現の對象となれるものの側から言へば、それが完全に表現されるためには、其處には常に、唯一一定の語句語法詩形のみが存する筈である。この事は、表現の對象たる內容《サブスタンス》を嚴密に觀察すればする程明になり、また、內容自らが完全なる自己表現を內部から要求する力が强ければ强い程、はつきりと感ぜられるであらう。かかる場合、語句の選擇は、その含有する思想(idea)及び聲音的效果、或は一言で言へば語の有する表現力如何によりて爲さるべきである。アーノルドが『亞米利加講演集』に引用せる例によりて、これを說明せんに、例へば、『マクベス』の中に

Can'st thou not minister to a mind diseased?

といふ一行があるがその通常の意味は、

"Can you not wait upon the lunatic?"

といふにあらうともこれを斯く義解《パラフレイズ》する時は、原作の有する力、美、含蓄性は悉く失はれて、後に殘るものは血肉の無い骨骼のみとなる。また、これはアーノルドが擧げて居る例ではないが、同じくマクベス劇中、有名なマクベスの言葉に

No, this my hand will rather
The multitudinous seas incarnadine,

Making the green one red. (*Macbeth*, II. ii. ll. 61–63.)

といふのがある。この“multitudinous”は“vast”、“incarnadine”は“make red”の意であるが、これら原作の語を他の語に改める事は絶對に許されぬ。それは單に、音節《シラブル》が短くなつて韻律を破壞するがためのみではない。この“multitudinous”といふ語の中に響いて居る大海の唸り、轟き、うねりの姿は、“vast”などの如き音量少き語を持ち來るとき、全く失はれてしまふからである。また、“incarnadine”の如きもその堂々たる聲調のゆゑに、よく大洋をも「からくれなゐに染めなして」と言へるので、“make red”などと言つたのでは、規模あまりに貧弱にして、全體の效果を失つてしまふのである。

なる程、“multitudinous”を“vast”と義解し、また“incarnadine”を“make red”と意譯する事は、文法的に、また論理的には、正しいかも知れない。然し、文法的の意味と、藝術的意味とは、その內容を異にする事を忘れてはならない。

今、此處に示せる例に見るが如きものが、アーノルドの所謂“felicity and perfection of diction”と言ふべきで、それは、彼の用例に從へば、“perfect felicity”或は“perfect adequacy”の意と考へて差支あるまい。要するに、“felicity”は、剴切妥當の謂にして、“perfection”は、表現に寸分の隙も無き事を言へるものと解してよからう。而して、用語措辭の上に働く法則は、律動の上にも、同様の重要性を以て働きかけるのである。

詩に於ては、言葉の聲音が内容表現の上に如何に重大なる役割を演ずるかは、先に示した二つの例によりても明に知らるる所である。而して、語の聲音的方面がある特定の形式の下に連續する時見らるるもの、卽ち韻律節奏である。而して、聲音排列の様式は、本來、内容展開に從ふべきものなるを以て、意味としての言葉の排列の順序に當然支配されざるを得ず、從つて、律動の美も亦、自らそれに左右せらるるわけであるが、律動を構成する要素たるものは單語なるが故に、律動美の基礎を成すものは單語の聲音的方面であるとも言へる。從つて、律動の美を得んがためには聲音美しき語を選ばねばならないことになる。

言語の聲音的方面に於てアーノルドの特筆せるものは、その「流暢性」“liquidness”といふ事である。勿論聲調の美を助くるものは、この他にも種々あるべきであらうが、アーノルドが用語の美に關して說けるは唯この一點のみである。卽ち、彼は、チョーサーを論じてその用語の“divine liquidness”(*E. C.* II. p. 25)を賞揚し、更にその「流暢なる用語」"liquid diction" (*Ibid.* p. 29) が英國一流の詩人に傳統的なる事を說き、これをば「流暢なる律動」"fluid movement" (*Ibid.*) と並べ、チョーサーよりスペンサー、シェイクスピア、ミルトンを經てキーツに至る迄、連綿として見らるる事を指摘して居る。

さて、律動の流暢拮屈、緩漫急速等は、それぞれ內容の氣韻曲折よりして自ら生ずるものなるが故に、一概にこれを規定する事は困難なるべきも、單に聲調の美といふ點より見る時は、その範圍も自ら限定されるであらう。而して、たとひ內容の如實なる表現たるにもせよ、若しもそれが詩としての美、卽ち韻律聲調の美を缺く時は、その程度に比例して散文に近づくべく、また、詩形を採用せる事の無意義なるを證するに至るであらう。此點より言ふ時、韻律の美は、その「流暢なる律動」に存する事、論を俟たない。

それでは、かかる「流暢なる律動」は、如何にして生ずるか。それは、一面に於ては、律動を構成する單語の聲音的方面から、他方に於てはこれら單語の排列さるる順序様式からである。

故に、律動が美なるためには、各語の聲音的側面が美なると共に、これら聲音の結合狀態が美なる事を必要とする。而して、第一の條件に叶へるものは、アーノルドの所謂「流暢なる用語」、卽ち、音聲滑かなる言葉たるべき事、先に說いた通りである。從つて「流暢なる用語」を先づ得るなくんば、「流暢なる律動」は到底望み難い。

次に、第二の條件たる、聲音の結合狀態の美は、言葉が「律格」(metre)に從つて排列さるる所に生ずる。これは、律格其物の性質、卽ち聲音の韻律的運動 (rhythmical movement)が美の法則に從つて自ら形成せるものが律格であるといふ事實より當然生ずる結果なのである。

而して、律格は詩と散文とを區別すべき唯一の外面的標識なる事、既に述べた通りである。卽ち、律格を有せざる文學は、散文か、自由詩かであるが、アーノルドの處女作 *The Strayed Reveller* は、多くの詩論家によりて、自由詩の先驅をなせるものと考へらるるにもかかはらず、彼自身は、理論の上では、自由詩を認めなかつた。(散文詩といふ特殊の形式を彼がいち早く認めて居た事實は、既に指摘しておいた)。自由詩と雖も、一篇を支配する律格が唯一特定のものでなく、種々樣々の律格が自由に併用されて居るといふに止まるべきで、全然律格を認めざる時は、散文と區別し難きものとなるであらう。

されば、形式の方面から言へば、「律格」は、正統的な詩に於ける不可缺の要素であり、而もそれは一般の美の原則に基づけるものなりとせば「格調の美の法則」の一つに「律格」は當然數へられて居るべきである。アーノルドが、詩を人生の批評であると定義し、更にこれを散文より區別せんとして、人生の批評が詩たるためには、それが詩的美の法則に從つて爲さるる事を必要とすと說いた時、彼の念頭には必らずや、この「律格」が存して居た事と思はれる。

而して韻文の韻文たるはそれが律格を所有せる所に存するのであるから、律格の必要を認めるといふ事は、やがて、既成詩形の存在を肯定する事となる。

アーノルドは「モリス・ド・ゲラン論」に於て、詩と散文とを形式の方面から比較考察し

In prose, the character of the vehicle for the composer's thoughts is not determined beforehand; every composer has to make his own vehicle ... But in verse the composer has (with comparatively narrow liberty of modification) to accept his vehicle ready-made; it is therefore of vital importance to him that he should find at his disposal a vehicle adequate to convey the highest matters of poetry. (*E. C. I.* p. 83.)

と言つて居るが、これによつて見れば、詩形に關し詩人の與へられたる自由は、新らしき詩形の創造では無く、唯、既成詩形の選擇と、その選擇されたる詩形に對し、律格

の存在を脅かさざる程度に於て變化を施し得るといふ事のみである。而して、彼が茲に說ける所は、十有六年の後、「倫敦に於けるフランス劇」に於ても亦繰返されて居るのである。而して、これは彼が、劇詩『メロオピー』の序に於て、散文の自由に對するものとして擧げて居る韻文の「制限」(limit)(*Poems.* p. 304) の意味なのである。

然るに、アーノルドは、嘗て、詩形は內にありて創作を司る力、卽ち「天才」の要求によりて採用されたるものだと言つた。(*Irish.* p. 156.) 斯く、內面的要求を認める事は、先に說いた既成詩形の肯定と矛盾しはしないであらうか。

然しながら「倫敦に於ける佛蘭西劇」の中でアーノルドの說ける所は、要するに、詩はその內容たるものの性質上詩形を必要とする事、卽ち、詩形は決して偶然的任意的な裝飾物ではないといふ事を言へるに止まり、既成詩形に對する否定の意志を洩らしたものではない。否な、彼は其處に、多くの既成詩形の特徵を比較し、如何なる詩形が如何なる內容の表現、または文學の種類に適せるかを考究して居る程である。ゆゑに、アーノルドは、詩人が新しい詩形を創造するといふ事などは、全然考へても見ず、唯、詩人がその表現せんとする內容に遺憾無く適應するが如き形式を發見採用すべき事を說いたに過ぎない。內容と形式との內面的結合は、かかる場合にのみ見らるる現象である。

勿論、何れの詩形にしても、最初にその原型を創造した人あるべきは疑を容れないが、それは他の藝術に對する本能と同樣、人間性の深き根底より發し、それぞれの國民の生理的心理的必然性と國語の精神(the genius of the language)とに影響され、幾多の變化を蒙りながら、いつしか遂に固定するに至つたもの、これ、それぞれの國民文學には、それぞれ固有の詩形ある所以である。

而して、新しき詩人のほとんどすべてが、自ら新しき詩形を創造せんともせず、在來の詩形を借りながら遺憾無く自己表現を營むのは、恰も彼が、在來の言葉をさまで不便とも感せざるものの如く、これを採用せるに似て居る。要するに、用語にせよ、詩形にせよ、これに新しき生命を吹込んで伸縮自在なるものと爲し、以て自己表現に最適の媒體たらしむるものは、唯その使用者の才能と手腕とである。されば、眞にすぐれたる詩人は、既成詩形を毫も束縛と感ずるが如き事無きのみか、却つてその特性を利して詩美を一層發揚せしむるの助けとする。舊き詩形を扱ひかね、その桎梏の下に徒に喘ぐものは、唯劣材凡庸の徒のみである。

されば、詩人として何物よりも必要なる事は、詩形の研究といふ事、卽ち如何なる内容には如何なる詩形が適するかといふ事に通曉し、自由に之を操縱する手腕を有《も》つ事である。

以上述ぶる所は、アーノルドが「詩的美の法則」と呼んだものを、大體用語並に律動に關するものとして說明したのであるが、彼は今一つ、廣義の技巧或は風格に必要なるものとして、作品の "architectonics" といふ事を說いて居る。これは「詩的美の法則」の中に當然含まるべきものであつて、彼が既に千八百五十三年の詩集の序に於て力說し、(千九百三十二年に刊行されたクラフ宛の手紙を見ると、やはり同じ年に此思想が語られて居る)、晩年に至る迄一貫して渝らざりし所、彼が文藝批評に際して標準の一と爲したものである。されば、たとひ彼がこれを敢へて明示しなかつたとしても、彼の念頭には當然の事として斷えず存して居たものなるべく、從つて此處に詩美の法則中に加へて考ふるも毫も差支無きものである。(註一)

"Architectonics" を、アーノルドは說明して、"that power of execution, which creates, forms, and constitutes" (*Poetry*. p. 14) と言つて居るが、これは「全體の精神」(the spirit of the whole) に對する明確な認識と、製作裡に於てこれを最高の原理として之に從ふ事の謂で、作品の統一はこれによりてのみよく確保されるのである。故に、作品にして若しこの理法に從はざる時、或は之に從ふ事少き時、その作の構造は自ら散漫に流れ、纒まつた印象は得難い。

概して言ふ時、古典または古典的風味豐なる作品は、秩序を重んずるが故に、構成美結構美を有つて居るが、近代の作品特にロマンティックなものは之に乏しきを以てその特色とする。　即ち、古代に於ては、主題たるものが表現よりも遙に重要視され(*Poetry.* p. 8)形式は飽迄も從屬的な位置に置かれ、以て全體の印象を重んじ統一を尙んだのであるが、近代に至つてはそれがちやうど逆になり、形式が内容を凌駕し、全體よりも部分を重視する傾が甚しくなつた。　換言すれば、ロマンティックな傾向を有する者は「表現のための表現、孤立的な美辭麗章を喜ぶ」"the modern delight in expression for its own sake, the passion for isolated passages of beauty." (*Op. cit.* p. 11.)つまり、個々の思想や形容語に重きを置いたり、部分的な表現にいたく心を引かれたりするので、全體としての完成統一に意を用ゐる事尠い。　ために、"formless" といふ批難を受け易い。

故に、正確な表現を得んと欲すれば、一切は、表現の對象となれるもの"that which it is designed to express"(*Ibid.* p. 16)に對し從屬的な位置に立たなくてはならない。　主目的に必要ならざるものは、進んで割愛する事、これが構成美を獲得する唯一の方法である。故に、眞の古典的風格に達する要路の一は、矮小なる然し捨て難き多くの美を犧牲にする事にありと言へる。挿話の如き、それ自らとしては如何に美しく如何に興味あるものであらうとも、本筋に關係無き限り、一切これを挿入しない事、その他すべて讀者の注意を他に向はしむるが如きものは一切斥ける事――斯くする事によりてのみ、よく作の統一は保たれ、全體としての印象は、誤無く明瞭に讀者の腦裡に刻まれるのである。

アーノルドが既に夙く千八百五十三年版詩集の序に說き、翌年その再版の新序に重ねて說いた如上の architectonics 尊重論は、後年(一八八五)『亞米利加講演集』の「文學と科學」に於て力說された、古代希臘の文學藝術に見ゆる"symmetria prisca"〔註二〕に正しく照應するものであり、從つて、藝術的自己抑制を附隨條件として、文藝に於けるクラシシズム鼓吹の基礎的一面をなすものである。

〔註一〕但しクラフ宛の書簡では"Composition"といふ語を用ゐてある。Cf. *The Letters of Matthew Arnold to Arthur Hugh Clough*, p. 139.

〔註二〕"Symmetria prisca"は"the antique symmetry"の義。Cf. *Am.* pp. 132—134.

第九章　詩と觀念

(附)「詩の特性」

アーノルドはその「ホウマー飜譯論」の中で詩人の特性を論じ次のやうに言つて居る。——

Poets receive their distinctive character, not from their subject, but from their application to that subject of ideas (to quote the *Excursion*)

On god, on nature, and on human life,

which they have acquired for themselves. (*E. L. C.* p. 375.)

これによりて見ると、詩歌成立の要素は、

1. Subject.
2. Ideas.
3. The manner of the application of ideas to that subject.

の三つとなるが、この中最も重要なるは第三の條件である。何となれば、單に題材に對する觀念の適用のみでは詩とは言はれず、一の作品が詩たるためには、從つて作者が詩人と呼ばれるためには、その適用が詩の法則に從つて爲されねばならないからである。(Cf. E. C. II. p. 187.) 而して、アーノルドの所謂「詩の法則」が如何なるものであるかは、上來相當詳しく說いたので、今や殘れる問題は、題材論と觀念論との二つとなつた。而して、詩に於ける觀念は、詩の特性を構成するものとして詩の法則に次ぐ、或は寧ろそれ以上に重要なるものと考へられるので、先づ此問題より考察する事とする。〔註一〕

觀念或は思想を中心とするアーノルドの詩歌觀は、『名流百家傳』中「詩人篇」の序に最も明瞭に現はれて居る。これは、先にも一寸言つたやうに、極めて短いものではあるが、彼の年來抱懷せる詩歌觀を簡潔に而も力强く要約せるもの、よく詩歌が他の藝術、哲學、宗敎、科學等に對する位置關係を明快に斷じ去つて餘す所が無い。今その要旨を解說しよう。

詩歌を藝術に比すれば遙に知的闡明的(more intellectual, more interpretative)であるが、その獨得の領域も亦實に此點に在る。これは、詩歌が、表現の媒體として用ゐるものが、言語である以上、當然の事で、言語の生命は、本來聲音に存せずして意味に在り、その意味は觀念であり、思想である。故に、言語本來の使命を一層有效に發揮させんとする事は、その思想的內容を一層有效に用ゐる事であり、從つて詩歌に於てはその闡明力を益活躍させる事である。

例へば、繪畫彫刻等に於ては、悲哀を表さんがためには、其處に點出させる人物の表情乃至姿態によるより他に致方無く、またその悲哀の動機內容に至つては、他の景物の添加——例へば、死して横たはれる戀人を側に描くが如き——によりて暗示せざるを得ず、而もそれが明瞭適確に傳達されざる惧がある。

然るに、言語を媒體とせる詩歌にありては、其處に面を掩ひ或は眼を俯せて佇める女性の相貌表情を寫す點に於ては美術に劣る(less artistic)かも知れない。而も作中人物の心理狀態を細かな點に至る迄表す事にかけては、到底比較にならない程精確かつ明瞭で、殆ど誤解を招く憂無き程である。この思想的內容をよく表し得る點に、詩と他の藝術との顯著なる相違が見られる。つまり、詩は思考力を有するが藝術にはそれが無い。"Poetry thinks, and the arts do not." (*Poetry*. p. 29.) 詩の强味は、單に彫塑的再現(plastic representation)に止まる事を得ずして、物語り思考せざるを得ない所にある。

然しながら、若し單に思考するのみならば、詩は科學や哲學と何の擇ぶ所無いかも知れない。然るに、詩は「感情的に思考する」"to think emotionally"〔註二〕といふ點でこれらとは異なる。即ち、詩は觀念を與へるけれども、その觀念は美に觸れられ、情緒によりて高められたものである。つまり、詩の與ふるものは「美と情緒とを纒へる思想」"thought invested with beauty, with emotion"（Poetry. p. 2?.）である。

故に詩は美術に比すれば一層説明的"more explicative"（Ibid. p. 30）であり、科學に比すればこれに無き情緒を所有して居る。

斯くの如く、詩は觀念の存在によりてはじめて闡明的表現となり得るのであるが、その觀念は何物よりも情緒によりて觸れられて居なくてはならない。情緒によりて觸れらるるとは、觀念が單なる知識的存在として止まる事無く、生命を與へらるる（animate）こと、換言すれば、それが生活され體驗さるることである。かくてこそ、その表現たる詩が"interpretative"なるものと感ぜらるるのである。（Poetry. p. 29.）

以上は、アーノルドが「詩歌論」に於て説ける骨子を敷衍解説せるものであるが、彼がここに説ける「詩と科學」との相違は、モリス・ド・グラン論」に於けるそれにはじまり、晩年の「文學と科學」(1885)に力説されたる所に呼應するもの、殊に、文中特に“interpretative”といふ語を重視せるは、グラン論の所説に照らし合せて頗る興味深きを覺える。

それはさておき、アーノルドが此處に説ける主旨は、「詩の研究」に於て、“Poetry… is thought and art in one”(E. C. II. p. 4)と言へる一行に相當するもので、詩は思想を有する點に於て他の藝術と異なり、かつその點に獨自の境地ある事を力説せるものである。從つて、單なる外物の描寫敍述に傾かんとするものは、その本領を忘れて塑造的藝術と力を競はんとするものであり、また單なる情緒情調の表現に終らんとするものは、これ亦その本領を忘れて音樂と力を競はんとするもの、いづれも自らの長所を忘れその短所を以て、及ばざる事を敢へて企てんとするものである。誤れるも亦甚しと言はざるを得ない。故に、情緒の存在は、もとより詩と科學とを分つ標識ではあるが、他の藝術に對する場合には、觀念の存在といふ事が最も重要なる役目をつとめて居る事になる。

斯く考へれば、“For poetry idea is everything”(*Poetry.* p. 31; *E. C.* II. p. 1)といふ難解な言葉の意味も自ら明になつて來ると共に、詩歌に於ては觀念を取扱ふこと、“application of ideas to life" といふ事が、根本問題であるといふ結論も自ら生ずるのである。アーノルドが、あれ程その美を激賞せるにもかかはらず、ケルトの詩歌を最大の詩歌と目し得ざる理由も亦、實にこの民族が情緒の表現にのみ急にして、思想的内容を疎にせるがために他ならない。(*Cf. Celt.* pp. 82—83.)

觀念が詩の中軸を成せるものなる事は、以上述べ來つた所で明となつた。それでは、詩に於て取扱はるべき觀念は、如何なる性質のものたるべきであらうか。

詩人がその作中に取扱ふ觀念は、要するに詩人の人生觀自然觀に他ならざる事、先に引用せる「ホウマー飜譯論」(*E. L. C.* p. 375)並にその反覆なる「ワーヅワース論」(*E. C.* II. p. 141)中の言葉の明に示せる通りであるが、これに對する彼の意見は夙く既に千八百四十八九年頃に書かれたクラフ宛の書簡にも見られる。——"They [poets] must begin with an Idea of the world in order not to be prevailed over by the world's multitudinousness: or if they cannot get that, at least with isolated ideas: and all other things shall (perhaps) be added unto them." 從つてその觀念には何等の制限もあるべきではない。唯、然し作品の價値、從つて詩人の大小を決定する場合には、自らその思想觀念の性質が大に考慮されなければならなくなつて來るのである。それでは、アーノルドは「眞面目」(serious) なる詩に於て取扱はるべき觀念の性質を如何に考へて居たか。

アーノルドは眞面目なる詩歌に取扱はるべき觀念を "moral ideas" と呼んだ。此場合の "moral" の意味が極めて廣義に解すべきものなる事、またこれが「人生の批評」に對し、如何に重要なる關係を有するものなるかは、先に簡單ながら觸れて置いたが、(第四章「人生の批評」參照。)唯彼の主張する "moral" の意義に關しては、今少し詳しく説明する必要がある。

アーノルドは「ワーヅワース論」に於て言ふ。——

Moral ideas are really so main a part of human life. The question, *how to live*, is itself a moral idea; and it is the question which most interests every man, and which, in some way or other, he is perpetually occupied. (*F. C.* II. p. 142).

即ち、彼の意味する「倫理的觀念」とは、萬人が最も關心を有《も》ち、何等かの形に於て斷えず念頭に置いて居る所の「如何にして生くべきか」といふ問題に關係あるものの一切を指せるものである。 もとより彼が狹義の倫理的詩歌即ち教訓詩(didactic poetry)の如きものを奬勵するのでない事は、彼自ら大に辯明せる通りであるが、(*Ibid.* p. 141.)

彼の意味するものが、美のための美を歌へるが如き詩を吾人が讀んで經驗する、あの一種の解脫解放感の如き作品の齎らす後果《アフタエフェクト》としての"moral or edifying influence"を含めるものでなく、我等に直接訴ふるものが倫理的な力を有せるが如きものである事は、特に注意すべきである。 即ち、彼の主張する詩歌は「人生のための詩」であつて、徒に形式の彫琢に凝り、唯、美のために美を求め歌ふ「Théophile Gautier《テオフィル・ゴーティエ》の如きは、當然アーノルドによりて斥けられざるを得ないのである。 (*Poetry*. p. 15).

これは、文學を單なる興味の對象とは見ずして知的生活に對する生命ある手段"not as an object of mere literary interest but as a living intellectual instrument" (*E. L. C.* p. 249) として眺めんとする彼の立場より當然生ずる結果である。

唯、然し、一般に、人生のための藝術を奉ずる人が動もすれば功利主義に傾き、敎訓癖(didacticism)に陷り易いやうに、詩歌の倫理性を主張する事は、たとひ如何程「倫理性」の意味を廣く高く解釋するにしても、結局自繩自縛的に敎訓主義說敎癖にと傾かざるを得ない。 これ、アーノルドの詩論が、詩歌の感興を輕く見て、功用の方を重視したと非難さるる所以であり、 (H. W. Garrod: *Poetry and the Criticism of Life*, p. 76, p. 82. Cf. T. S. Eliot: *John Dryden*, p. 62) また彼自らの創作が、たとへば有名なる *Dover Beach* の後半に見らるる如く、教訓に墮さざるを得ない根本的理由である。

アーノルドが、詩に於ける思想をあまりに重んじ、またその思想は、たとひ廣義に解すべきものではあるにもせよ「倫理的」たるべしと說いた事は、彼が屢非難したゴーティエあたりに發し世紀の終に近づくに從ひ愈優勢となつた藝術至上主義、特に詩壇に於ける唯美的傾向と全然背馳するものである。從つて、かかる耽美派の立場より見れば、アーノルドの說は藝術を道德に從屬せしむるものであり、また詩歌をして、他の文藝の爲すべきものを爲さしむるが如き觀があつたのは已むを得ない。

然しながら、詩歌文藝をその倫理的效果にたえず結びつけて見ようとする事、卽ち、詩歌の思想的內容を重んずる事こそ、實は古來連綿たる傳統的立場なのであつて、詩歌を思想と隔離し、倫理的感化力と絕緣せんとするが如き見方こそ、極めて近代的な產物なのである。(H. W. Garrod: *Poetry and the Criticism of Life*, p. 10).

されば、世紀末耽美の風潮一過するや、忽ちこれに對する反動として、在來の唯感覺のみを尊重せる詩風に對し、知的內容豐なる詩歌の擡頭と隆盛とを見るに至り、唯美的色彩は影を潛め、詩歌は倫理的傾向に富めるものとなるに至つた。

かくて、アーノルドも亦自ら再評價され、批評界の王位への復辟の呼聲も高まつたのであるが、詩歌の現代的趨勢に關聯して彼の詩論中特筆すべきものは、彼が詩人をして時代の聲、集團的精神の代辨者たらしめんと力說した事である。

私は今迄、便宜上、詩人が題材に對し適用すべきものを、すべての場合に、「詩人自身の人生觀」とか「彼獨得の自然觀」とか呼んで來た。然しながら、これは必らずしも、「詩人の獨創にかかる」「彼の發見せる」といふ意味に用ゐたのではなかつた。アーノルドは、題材に對する觀念の適用を說いた時、一度も "his own ideas" と言つて居らず、常に "ideas which he has acquired for himself" (E. C. II. p. 141) とか、或は複數形を用ゐ "ideas which they have acquired for themselves" (E. L. C. p. 375) と言ふか、然もなくんば、"ideas." に何等の修飾語をも用ゐて居ない。(Cf. E. L. C. p. 376, p. 377; E. C. II. p. 41, p. 47, p. 48, p. 140, p. 142, p. 143.)

この事は特に注意すべきであつて、既に「天才」に關して說いたやうに、文學的天才の活動は彼の周圍に在る思想觀念の綜合と表現とにあつて、新しい觀念の發見には存しないといふ、彼の持論に完全に合致するものである。而して、詩人の取扱ふべきかかる觀念は、その時代のあらゆる方面に流通せる觀念の最上のものにして、これを詩人に提供するのは批評家の役目である。(*E. C. I.* p. 5, p. 6.) 従つて、詩は自らその時代の精神を最もよく表現せるものとならざるを得ない。我等が過去の或る時代の姿を見んと欲する時、その時代の詩歌に向はねばならないのはかかる理由に基づく。(*E.* p. 458.)

彼が時潮の訪れをいち早く感じ、これを藝術的に表現する事を以て詩人の主要なる使命と感じ、自らこれを實現せんとした事は、千八百六十九年六月九日その母に寄せた手紙に於て

My poems represent, on the whole, the main movement of mind of the last quarter of a century, and thus they will probably have their day as people become conscious to themselves of what that movement of mind is, and interested in the literary productions which reflect it.
(*Letters.* II. p. 9.)

と言へるに見るも明であり、後人亦この故に彼の詩に向はんとするに至つた事は次の手紙によつて知られるが、アーノルドの得意想ふべしである。

My poems are making their way, I think, though slowly, and perhaps never to make way very far. There must always be some people, however, to whom the literalness and sincerity of them has a charm. ... It seems to me strange sometimes to hear of people taking pleasure in this or that poem which was written years ago, which then nobody took pleasure in but you, which I then perhaps wondered that nobody took pleasure in, but since had made up my mind that nobody was likely to. The fact is, however, that the state of mind expressed in many of the poems is one that is becoming more common, and you see that even the Obermann stanzas are taken up with interest by some. (*Letters*, I. pp. 51—52. Addressed to his elder sister, dated Apl. 1856).

これによつて見る時、アーノルドは、詩人が取扱ふ資料(materials)たる觀念の時代性といふものを餘りに重く見た嫌は無いであらうか。また、詩人と時代との關係を重く見んとするのあまり、詩人の個性とその創造力とを餘りに低く評價した嫌はあるまいか。彼は結局詩人は、他の人と同樣に、環境、人種、時勢の産物に過ぎずと考へて居たのであらうか。彼がテエヌと交遊のあつた事は事實であり、またその「現代に於ける批評の任務」が書かれたのは、テエヌの『英文學史』第一卷が公にされた翌年(一八六四)の事なるを見れば、アーノルドのかかる見方は、此フランスの批評家の説に暗示されたものであらうか。(Cf. F. C. Roe: *Taine et l'Angleterre*; Mrs. Humphrey Ward: A

Writer's Recollections; M. Arnold: *Letters*, II. p. 110.)

孰れにせよ、詩人の資料たる觀念が他より提供さるるものであるならば、題材も亦彼の外部に存するものなるが故に、詩人獨得の才能は、結局、その觀念適用の手腕にのみ見られる事になる。アーノルドが事實左樣考へて居たらしい事は、例へば、「ホウマー飜譯論」中の次の如き言葉からでも推測出來る。

The noble and profound application of ideas to life is the most essential part of poetic greatness. (*E. L. C.* p. 377. Cf. p. 375.)

そして、それは、先に述べた彼の文學的天才の活動を目して綜合と表現との二つとなす彼の見方より當然生ずべき歸結であり、觀念の上に「個人的空想」“individual fancy” (*Ibid.* p. 250) の侵入する事を極端に排斥する彼年來の主張とも一致するものである。

されば、彼が「批評の任務」の中で「文學の傑作を創造するためには、人の力と時勢の力とが相合致しなくてはならない」“for the creation of a master-work of literature two powers must concur, the power of the man and the power of the moment” (*E. C.* I. p. 5) と言へる時、「人」といふ語を以て假に個性を意味したとしても、それは、決して創造の才では無く、綜合と表現との才を意味せるに外ならぬ。

時代思想を意識的に作品の中に取入れ、その詩をして「時代の聲」たらしめんとしたのは、英吉利に於ては特にヴィクトーリア朝の文學に著しい特色であり、就中アーノルドの如き、その代表的なるものと言つて差支無い事は、曩に彼の書簡を引用して示した通りである。斯くの如く、詩人が個人的生活を中心とする藝術を去つて集團的なるものに向はんとする事は、現代英文學の主要なる特性の一つであるが、詩人の獨創力をばその思想感情の特異性に見ず、多樣なる精神生活を綜合的に表現するの才能に見ようとするアーノルドの立場は、ティー・エス・エリオットによつて遺憾無く繼承力說されて居るのである。

〔註一〕Cf. "In poetry, however, the criticism of life has to be made conformably to the laws of poetic truth and poetic beauty,"

〔註二〕Cf. "Poetry attaches its emotion to the idea." *E. C. II.* p. 1; *Poetry.* p. 31.)

第十章　題材論

アーノルドが、既出「ホウマー飜譯論」に於て"Poets receive their distinctive character, not from their subject, but from their application to that subject of the ideas, etc." (*E. L. C.* p. 375.) と言つて居るのを見れば、詩に於ける題材の如何は、此時、殆ど問題とされて居ないやうであり、この印象は更に「ワーヅワース論」に於て上記の文の反覆とも言ふべきものの中に、

I have said that a great poet receives his distinctive character of superiority from his application ...... to his subject, whatever it may be, of the ideas, etc. (*E. C*, II. p. 141).

と言へるのを見る事によりて一層强められる。勿論詩の詩たるは、適用さるる觀念或は之を受ける題材の性質如何によらずして、唯その適用の樣式如何によるものである事、既に述べた通りである。つまり觀念、題材が如何なるものなるにもせよ、それが詩的美、詩的眞の法則の定むる條件に從つて取扱はれないならば、それは嚴密な意味の詩とは言はれないのである。

それでは題材に關し、アーノルドは全然自由選擇を認め、何等の制限をも設けなかつたのであらうか。少くとも上記二文に見ゆる限り、題材は冷淡に取扱はれて居るやうであるが、彼の眞意は如何であらうか。

題材に關するアーノルドの意見の最も明瞭かつ詳細に表されて居るのは、彼が千八百五十三年刊行の詩集に附した長序である。今、題材に關する意見を中心としてその所說を要約すると、大體次のやうである。

「事物の正確な再現はすべて吾人にとりて興味あるものであるけれども、それが詩に於ける場合には、單に正確にして興味深きものたるに止まらず、吾人を鼓舞し歡喜せしむるものたる事を要する。而して、最も悲劇的な狀態に接する時と雖も、それより興味を引出し得るものである。」――

然らば詩的興味を引出す事不可能なるが如き境地とは如何なるものであるか。それは苦惱が行爲となりて現はるる事無きが如き境地、つまり精神の苦惱狀態がいつ迄もつづき、これが事件《インシデント》、希望、抗拒《レジスタンス》などによりて緩和さるる事無きもの、一言以て蔽へば、一切がいつ迄も堪へ忍ばれ何物も行爲に表す事の出來ないやうな心狀である。

かかる境地には何等か病的なものがあり、その再現は單調を免れない。（行爲、希望、抗拒等の介入に基づく變化が無いからである。）また、それが實人生に於て起る時は、唯苦痛なる感を與ふるのみで、悲劇的ではない。同樣にその詩的表現も亦苦痛に滿てるものとなる。而して、斯くの如きは詩歌本來の目的の一たる興味快感を與へざるが故に、その點を以て斥けねばならない。

然し、かかる題材を除く他は、詩歌に於ては如何なる題材を取扱つても差支無い。たとへば、批評家たちは、しきりと「過去」を棄てて現代的意義ある題材のみを選べよと言ふが、かかる議論は誤である。何となれば、詩歌の永遠の對象は行爲、人間の行爲である。而して、それは本來興味深く或は優秀なものでなくてはいけない。若し然らずして、凡庸の行爲を材として組立てんか、そは、たとひその藝術的取扱の點に於て吾人を感心させる事があるにしても、その內容に如何とも し難き缺陷を藏せざるを得ざるが故に、吾人を強く深く永く動かす力は無いのである。從つて、平凡な題材の上に費したる藝術的苦心は、結局徒勞に歸する事となるのである。故に、詩人は、優れたる題材を選ばなくてはならない。

それでは、如何なる題材が最も優秀なものであるか。それは、人間の根本的な感情に訴へるもの「時」にかかはり無く人間の心の底に永久に存在する根本的な感情に訴へるものである。而して、かかるものは、偉大にして熱情的な行爲以外に無い。斯くの如きものは、我等に、その偉大性と熱情性とを以て強く訴へる。故に、千年以前の偉大なる「人間の行爲」は、現代の一層弱小なる人間的行爲よりも遙に興味深いといふ事になる。これ、前者の方が吾人の根本的感情を動かす力が強いからである。

而して、古代に於て偉大なる行爲を示せる人は、口碑たると傳說たるとを問はず、史上に殘る程の人であるから、自ら偉大なる人間ならざるを得ない。そこで、Achilles《アキリーズ》, Prometheus《プロミーシユース》, Clytemnestra《クライテムネストラ》, Dido《ダイドー》等を取扱つたものの方が、これらよりも遙に弱小な人物を扱へる「ヘルマンとドロテア」「チャイルド・ハロルド」「エキスカーション」等よりも一層面白いといふ事になるのである。蓋し、詩の興味の根底を成せるものは偉大なる行爲、高貴なる人物、熱切《インテンス》なる境地の三つであるが、前に擧げた古代的題材を扱へるものは後に列擧せるものよりも、これらの條件を充たす事遙に大だからである。

故に、詩歌の題材には近古新舊の區別は無く、唯その吾人の根本的感情に訴へる強さによりて選定すべきである。されば詩的に効果を擧げんと欲せば、卓越せる行爲《アクシヨン》、つまり優秀なる題材を選ばなければならない。かくて、偉大なる行爲を選べよ、"choose great actions" (*Poetry*, p. 25) といふ事になるのである。

以上が、アーノルドの説ける題材論の要旨である。即ち、詩に於ける題材は、唯苦痛な印象のみを與ふるが如きものは、詩本來の目的に叶はざる故、拒否せねばならないが、その他のものに至つては無制限で、新古の區別などもとより無用である。唯、詩的成功を得んと欲するならば、即ち詩的效果を大ならしめんと欲するならば、優れたる行爲を題材に擇ばなくてはならない。然もないと折角の苦心が水の泡となる惧があるからである。

されば、アーノルドが茲に説ける所は、偉大なる詩歌(poetic greatness)を得んと欲するものに對する忠告なのであつて、必らずしも題材を制限せんとするものではないと考へられるのであるが、唯この一點は詩の價値に直接關係するものなるが故に、アーノルドの考へて居た批評の標準を研究する際、重大なる意義を有ち來るものなる事に注意しなくてはならない。(Cf. E. C. II p. 165.)

彼に從へば、詩的作品の興味の眞の根底を成すものは、「偉大なる行爲、高貴なる人物、熱切なる境地」の三つであり唯これのみである。 果して然らば、如何なる題材にもせよ、この三者を包含せる限り、その屬する時代の新舊は全然問題にならない筈である。 故に、若し大なる詩的效果を狙へる作家が、古代に題材を求めずして、近代に之を求めたとすれば、それは彼が、如上三個の條件を具備せるものを近代的題材の中に見出だしたがために外ならず、同様に、彼が古代に題材を求めたりとせば、其處にこれら條件に叶へる題材を見出だしたが故に過ぎないと解すべきであらう。 "There are so few actions which unite in themselves, in the highest degree, the conditions of excellence" (*Poetry*, p. 8). されば、「ヘルマンとドロテア」「チャイルド・ハロルド」Lamartine《ラマルテイヌ》の「ジョスラン」*Jocelyn* 等がアキリーズ、プロミーシュース等を取扱へるものに劣るのは、何も前者が近代的題材なるが故に劣るのではなく、偶アーノルドの擧げたる三條件に叶ふ事少なきが故であると解すべきではあるまいか。

それでは、アーノルドは、「漁りつくされたる過去」 "exhausted past" (*Poetry*, p. 4.) を去りて現代的意義を有せるものを取扱へよと叫ぶ批評家を反駁せんがために、「過去」の題材の決して漁り盡くされて居らぬのみか、其處には、吾人の根本的な感情に大に訴ふるものの多き事を力說せるに止まり、別に近代的題材が古代のそれに劣れる事を指摘し、人々をして古代に題材を求めよと敎へたのでは無いのであらうか。

なる程、彼が「過去」を棄てて「現在」に就けよと主張する當時の批評家を攻撃するに急なるの餘、近代的作品と古典とを對照させ、前者よりも後者の優れたるを說ける所より、彼は唯過去にのみ材を求めよと言つて居るのではないかといふやうな印象を與へ易い事は否定出來ない。然しながら、彼が「行爲の時代」("the date of action")は全然問題にならざる事を說き、

All depends upon the subject; choose a fitting action, penetrate yourself with the feeling of its situations; this done, everything will follow. (*Poetry*, p. 10).

と言つて居るのを見れば、彼の眞意は、唯題材價値(題材に內在する價値)といふ一點にのみ存して居たやうに見える。然し、實際彼の眞意は、現代的題材よりも古代的題材の方を重く見ようとしたのではなかつたか。これが問題である。

藝術の價値はその仕上げ(accomplishment)如何の點に存するので、題材の如何に何等關する所無きものであるといふ立場から見れば、アーノルドが今迄說き來つた所は題材に關する限り――彼が別に正確なる表現と結構の統一とを力說せる事

を忘れてはならない――彼は所謂内容尊重論者――むしろ過重論者であつて、その所論は、眞の藝術批評とは言ひ難いものであるかも知れない。

然しながら、一方また、作家の着手以前から存する題材に、それ自身人を動かす力、性質の內在せる事も否定出來ないであらう。それが其儘で藝術的價値が有るとか無いとか言ふのではなく、人の永遠的な感情に訴へるだけの力を有つて居る事は事實である。

故に、若し適切なる藝術的表現さへ與へられるならば、人を動かす力大なる題材を取扱へる作品の方が、然らざるものよりも一層大なる詩的效果を擧げる事、となるであらう。何となれば詩的效果とは、結局、人を感動させる力の謂であるが、人を動かす力少き題材が取扱はれたる時、吾人の感ずる興味は、主として、その題材の取扱方、仕上げ、卽ち"How"に對する反應より普通生ずるものだからである。而して、藝術的稟質を有し、對象を常に藝術的に見ようとする傾向の人は"What"よりも"How"の方に重きを置き易く、然らざる人は反對の態度を取りがちである。これは異なれる二種の立場を示すものであるが、小なる題材に就いては如何に數千萬言を費しても、大なるものに關して書かれたるものよりも、その與ふる效果は弱いであらう。「凡庸なる題材の上に費したる藝術的苦心は徒勞に終る」といふアーノルドの言葉、また恐らくその原型ではなかつたかと思はれるゲーテの "All talent is thrown away when the subject itself is worthless" (*Gleams from Goethe*, p. 30. Ed. by Henry Atwell)といふ言葉は、這般の理を指せるものであらう。斯くして、此處に、自ら、作品の「うまみ」と「深み」、または「優劣」(或は「完全」"perfection")と大小 "greatness" との區別が生ずるのではあるまいか。問題を紛糾させるものは、この二者間の區別を無視する所にある。

然しながら、作品の藝術的價値は、題材其物に存するにあらずして、作家がこれを如何に活かして居るかの點に存する。それは、この題材を通して營まれたる作家の生活であり、それがやがて作品の內容を成すのである。されば、たとひ如何なる大事件、大人物を捉へ來ようとも、若し作家にして自ら之を貫くといふ事をしないならば、題材其物の有する意義價値は藝術としての作品の外に存するものとなり、何等の寄與をも爲さないであらう。從つて最も必要な事は、題材を通して、或はその中に、作家が完全に生きる事である。アーノルドが、"Penetrate yourself with the feeling of its situations" と言つたのは、これを言つたのである。

故に、作家其物の全部を包容し得ないやうな題材を取上げる事は、作家としては自分の才能を十分に發揮し得ざる事となり、また、自分の手に餘るやうな題材を取上げる時は、徒に題材の重みに堪へかねて喘ぐのみか、題材其物の價値をも損傷する事とならう。

斯く考へ來れば、題材の選擇はもとより自由であるけれども、詩的效果の大を期せんと欲する限り、或點迄の選擇は必要であると言はざるを得ない。

さて、題材たる「行爲」は、それが內面的行爲として心理的葛藤に終るにしても、或はまた外部に現はるるにしても、共に詩的興味の眞の根底たる事更めて言ふ迄も無い。唯、それが偉大なるものならざる限り、吾人を強く動かす事能はざるは、境地が熱切《インテンス》ならざる限り吾人を強く動かす事能はざると同樣である。然しながら、其處に現はるる人物は、何故に高貴なる人物で無くてはいけないのであるか。

高貴なる人物を點出し、それを熱切なる境地に立たしむる事は、常凡の人物をかかる境地に配するよりも、詩的效果の上から見て、遙に有效である事勿論である。蓋し、かかる人物の方が一層浮彫的に明瞭に表され易く、從つて讀者の注意をも一層喚起し易いからである。

然しながら、作中人物を高貴なる人物に限る事は、題材選擇の上に一層大なる制限を加ふる事となるのみならず、また、讀者(或は觀衆)の知的同感を促す力を弱めるものではあるまいか。つまり生活態度の相違が、作中人物に對する共鳴同感の度を減少せしむる事は無いであらうか。更にまた、社會的地位身分等といふものは、寧ろ偶然的地方的なものであつて、人間の永遠的なるものに對し訴へる力の案外弱いものではあるまいか。アーノルドは此點に全然氣づかなかつたのであらうか。

高貴なる人物を選ぶと言ふ事は、自ら、行爲並に境地を創り出す人物や環境を、すべて高貴なる世界に屬するものとするから、藝術的には一層大なる效果を擧げ得ると言へるであらう。されば、人物の制限は自ら題材を制限する事にはなるが、その不自由は、效果の方に於て遙に償はれる事となりはしないか。常に「詩的成功」(poetical success)を說くアーノルドの事ゆゑ、彼が作中人物を高貴なるものに限つた動機は、如上の點に存したのではないかと思はれる。それと、今一つの理由は、彼が此處に說けるものは、實は、專ら敍事詩並に悲劇に關するものであつて、他の輕文學に關するものではなかつたといふ事である。

アーノルドが此題材論に於て說けるものが專ら悲劇、敍事詩に關するもので、喜劇または彼の所謂「家庭敍事詩」"domestic epic" 及び、特に抒情詩に對し適用出來ないものである事は、彼自身も明に認めて居た所であるから、(Cf. *Poetry*, p. 24.) この上に思想と感情とを添加せざれば、詩の領域の全部を蔽ふものとならないといふセインツベリー敎授の批難は、(Saintsbury: *M. A.*, p. 34.) 敢へて引用するの必要を認めない。ここには、唯、彼が眞面目なる詩と考へて居たものが敍事詩と悲劇とであつた事、並に、此序文執筆の抑もの動機が、彼の史劇『エトナ山上のエムペドクリーズ』*Empedocles on Etna* を、詩集の再版から削除した理由を說明する事に存したといふ事實を告げれば、それで十分であらう。

それでは、次に、アーノルドは、現代的興味に富めるものをば如何に考へて居たのであらうか。彼は、題材の選擇は自由であると言ひながら、先にも引用せる如く、

A great human action of a thousand years ago is more interesting to it than a smaller human action of to-day. (Preface to *Poems*. 1853).

と言つて居るが、今日の我等の見方よりすれば、むしろその逆の方が眞だとは考へられないか。つまり、古代の英雄偉人の壯絕なる死よりも、無名の勞働者の陋巷に

於ける淋しい死の方が我等の心を一層强く打ちはしないか。前者に於ける時代の相違、環境の相違等は、「彼」と「我」との間に「距離」を置いて實感に訴ふる力を殺ぐのであるが、更に其處に現はるる人物の身分階級、思考様式の相違、事件其物の有する現實性の程度、これらのものの加入は、更に「距離」を大ならしめはしないであらうか。コウルリヂは、その『文學的傳記』*Biographia Literaria* の第一章に於て、

The great works of past ages seem to a young man things of another race, in respect to which his faculties must remain passive and submiss, even as to the stars and mountains. But the writings of a contemporary, perhaps not many years older than himself, surrounded by the same circumstances, and disciplined by the same manners, possess a reality for him, and inspire an actual friendship as of a man for a man. (*Op. cit.* I. p. 7. Ed. Shawcross).

と言つて居るが、その中には多分の眞理が含まれて居ないであらうか。小作家の作品と雖も、その表す所のものが現代的なるが故に過去を寫せる大作家の作品よりも、一層親しみを感ずる事は事實であり、そのために我等の受くる印象も亦一層深いといふ事は事實ではあるまいか。

人は題材の有する現代的價値——現代的なるが故に人に訴ふる力の一層强き

事を說く。然しながら、題材の有する現代性とは如何なるものであらうか。

アーノルドが此處に說いて居る題材は人間の行爲であり、その中でも彼の推薦せるは人間の根本的な大なる感情に訴ふるが如きものである。而して、この大いなる根本的感情は永遠的なものである。然らば、これに訴ふるものは、その中に何等か永遠的なるものを含める事を意味する。古典が何時迄も讀者に訴へるのは、その中に潛める此永遠性によりてであらう。さすれば「新」と言ひ「舊」と呼ぶも、畢竟この永遠なる何者かが身に纏へる「衣」に過ぎないのではあるまいか。而して、その「衣」は「時代」によりて直に脫ぎ捨て取更へられるものである。從つて、極めて一時的なもの、滅び易きもの(temporary and perishable)なのである。されば、「現代的行爲」が我等に訴へる場合には、それがその一時的なるものによりて、我等の中の一時的なものに訴へて居る事が極めて多いのであつて、これよりも更に奧にある「永遠的なるもの」によりて「永遠的なるもの」に訴へて居る事は却つて少いのである。

然し、我等が眞に、全人格の根本から動かされるのは、我等の中なる永遠的のものが動かされる場合のみである。淋しい勞働者の死は、それが現代的なるが故に我等を動かすのではなく、それが嚴として存する人生の悲慘なる事實なるがためにあり、またその故に我等の同情を或は義憤を強く喚起するのである。それでは、かかる表面的なるもの、外衣に過ぎざる「現代性」は、本質的に何等か、永遠なるものに關係があるであらうか。

かの肉彈三勇士を例に取つて見る。その內容を成せる壯烈無比の行爲は時代に關係無く我等の胸を打つのではあるまいか。成程、これは、我等の眼前に起つた事件なるが故に、一層强き現實感を以て迫るといふ事は、少くとも今は事實であらう。然し、日露戰爭當時に於ても亦我等はこれと大同小異の壯烈なる行爲を見、激しい感動を受けたのである。而も、今日では、それが「過去」の如く感ぜられる。そしてこの事は、三勇士に關しても亦、遠からず眞なる事が感ぜられるであらう。つまり、現代的なるものの訴ふる力は一時的のものに過ぎず、變らざるものはその底に流れて居るものなのである。されば「現代的」といふ事と「行爲の偉大」との間には何等本質的の關係は無く、現代性の生命は極めて短い事が知られる。それは唯、親近性(familiarity)を有するが故に、接近理解を一層容易ならしむる力は持つて居るが、その人に訴ふる力さへも極めて速に失はれ易いのである。アーノルドが「現代の弱小なる行爲の有する近代的な言葉、見馴れた習俗、現代的事件への言及等は、我等の一時的な興味と感情とに訴ふるに過ぎない」(*Poetry*, p. 6.) と言つたのは確に事實である。單に同時代的事件への言及を例にとつて見ても、如何にそれが一時的生命をしか有し得ざるものなる事は、ポウプの諷刺詩 *Dunciad*, バイロンの *English Bards and Scotch Reviewers* 等が最も雄辯に語つて居る。現代的なるものは、直に「過去」の中に飛び去り、單に歴史的意義を有するに過ぎざるものとなり易い。若し、かかる作品が何等か藝術的意味に於て後世迄残るとしたならば、それは結構の妙、韻語の美、言ひまはし方の巧等の如き、主として形式的な方面を以て人に迫るのであつて、内容には關係が無い事が多い。

それでは、アーノルドは「現代の弱小なる行爲」"a smaller human action of to-day" は、單に一時的なる感情や興味に訴ふるに過ぎずとして、文學の世界から全然斥けたのであらうか。決して然うでない。唯、かかる一時的な感情や興味に對する滿足は詩歌に求むべきで無く、他の世界に求めよ、と說くのである。何となれば、詩歌の領域は、永遠的な感情に存するものだからである。而して、アーノルドが此處に他の世界と呼んだのは、小說や喜劇等の如きもので、彼の所謂 "serious poetry" に屬せざるものの事である。つまり、アーノルドは、高級なる、眞面目なる詩歌の領域を明確に限定し、其處に入り來るものは人間の永遠的な感情に訴ふるもののみに制限しようとしたのであるが、それは彼が、詩歌の使命を非常に崇高嚴肅なものと考へて居た所から自ら發したものと思はれる。

斯くの如く「現代性」といふものは、詩にとつて本質的に何等永遠の價値を有せざるものである以上、題材は自由無限であると言ひながら、自ら現代の弱小なる行爲よりも過去の偉大なる行爲にと、人の注意を向はしめんとする――これが、アーノルドが詩集の序に於て力說する所の要旨であり主意である。

勿論、現代的なるものを取扱つて惡い筈はなく、また、それが現代的なるが故に價値が無いとか乏しいとか言ふのでは無い。問題は、それが、古代の題材に優に比肩し得るだけの偉大なる行爲であるか、否かといふ點にある。從つて、題材に新古の別は無いといふ事、卽ち、題材の超時代性といふ事に關する限り、彼の議論は正しい。唯、彼の古代的題材に對する一層大なる關心が、現代物なるが故にその作を低く評價せしめようとする傾向の見ゆる事を、聊か遺憾とする。

然しながら、アーノルドが古代に題材を求むる事の可なるを說くには、まだ他の理由がある。彼は、その「ダンテとベアトリーチェ」論に於て次の如く言つて居る。

Art requires a basis of fact but it also desires to treat this basis of fact with the utmost freedom; and this desire for the freest handling of its object is even thwarted when its object is too near, and too real. (*E.* p. 447.)

即ち詩人が或る題材を擇び、これを藝術的に取扱はんとする時、若し此題材が、その發生の時期新らしくして今尚讀者の腦裡に生々しいとか、または一の確たる史實として一般に信ぜられて居るが如き事あらば、作家がこれを彼獨得の解釋に基づき全然新らしいものとして讀者の前に提示する事は、頗る危險である。何となれば、かかる史實または記憶によりて讀者の腦裡に生じたる理想的な性格なり事件なりと、作家の示すものとの間に甚しい相違ある時、讀者は之に對しとかく不滿を感じ、ひいては作者に對する不信輕侮の念を起し易いからである。從つて作家は所期の效果を擧げる事が出來無い。かくて彼は、あまりに近接せる事實を題材としたために、思はざる失敗を招かざるを得ないのである。同樣にまた、事實にあまりに即する事は、史的正確は保ち得るけれども、そのために作家としての自由なる飛躍を束縛されるが故に、作品は甚だ萎縮して生氣乏しきものとならざるを得ない。ベン・ジョンスンの史劇*Sejanus*《セジエイナス》の如き、その適例である。

また、事實があまりに近い時は、人は却つてその全相及び眞相を見得ざるものである。殊に、その中に含まれたる一時的なものと永遠的なるものとの區別に至つては、その正しき鑑識を得る迄には、相當の時日の經過を必要とする。アーノルドが上掲の詩集の序に於て、希臘人が現代物を取扱はざりし理由の一として擧げたるものは、卽ち此點である。(*Poetry*, p. 10.)

斯く考へ來れば、詩人は創作の基礎として「事實」を必要とするものではあるが、それは彼が自由に取扱ひ得るものでなくてはならない。而してその爲には、時代的に相當な距離あるものを擇ぶ事が必要である。アーノルドが傳說をば、詩の題材として優れたるものなりとする見方は、かかる立場よりして當然の歸結と考へられる。

The tradition is a great matter to a poet; it is an unspeakable support; it gives him the feeling that he is treading on solid ground. Aristotle tells the tragic poet that he must not destroy the received stories. (Preface to *Merope*. *Poems of M. A.*, p. 298.)

されば、先に「ホウマー飜譯論」や「ワーヅワース論」から引用せる言葉の中に、彼が一見題材を輕視せるが如く見えるのは、彼が單に詩人の特性を題材に對する觀念の適用にありと主張せんがために自ら生じた結果たるに過ぎないので、題材輕視は決して彼の本意ではない。この事は、彼が、その「ワーヅワース論」に於て、彼の偉大性のよりて生ずる所として、此詩人の取扱へる題材の嚴肅なる事――“the profoundly sincere and natural character of his subject itself”――を說けるのみか「バイロン論」に於て、詩の傑作に於ける「内容の眞實性と眞劍性」“the truth and seriousness of substance and matter”(E. C. II. p. 189)を擧げて居る事實からでも說明されるであらう。

それでは、最後に、古代的題材を取扱へる作品は、單にその根底に在る根本的な人間的感情に訴ふる性質によりてのみ吾人に興味があるのに止まり、現代味は何處にも見出だす事が出來ないのであらうか。否な、然らず、如何に古い題材を取扱へるものからでも、所謂現代味を感ずる事は可能なのである。そして、作品にこの新味を與ふるものは、題材に適用さるる觀念、換言すれば、詩人の新しい解釋に外ならぬ。されば こそ、同一題材が千年二千年の間に幾度となく取扱はれながら、それぞれ獨得の新味を以てその時代時代に訴へ得るのである。

第十一章　詩の偉大性

以上述ぶる所によりて、アーノルドの意味する「人生の批評」の意義、卽ち、「題材に對する觀念の適用」に於ける題材、觀念、また適用の準據すべき詩的美、詩的眞の法則の如何なるものなるかが明瞭にされたと思ふ。されば、詩の大小は、題材、觀念の性質、並にその適用が那邊迄それらの法則に從つて爲されて居るかによりて定まると言へる。卽ち、その題材が偉大に、觀念は卓拔優秀に、適用の樣式またそれら二法則の定むる條件を完全に滿たすならば、その詩歌は自ら古今に卓絕せる傑作たらざるを得ず、反對に、以上諸條件のいづれかを缺けるものは、自ら最上の詩歌の仲間に入る事を許されないであらう。

今、これらの原則を實際に適用して見よう。

アーノルドはチョーサーの詩を賞めて、彼の作はその內容格調兩方面に於てロマンス文學 (Romance-poetry) に遙に優れたる事を說き、其處には內容の眞と共に用語の流暢律動の流麗ありと言ひ、更に「チョーサーは壯麗なるわが英詩の父である」

"Chaucer is the father of our splendid English poetry" (*E. C.* II. p. 29) とまで讃へて居る。然し、彼は、それにもかかはらず、チョーサーを古典の中に數へようとしなかつたのである。"And yet Chaucer is not one of the great classics." (*Ibid.* p. 31.)

それは何故であらうか。

チョーサーの詩をば、アーノルドが列擧せる諸條件に照らして見ると、そこには「眞劍さ」"seriousness" といふものが無い。卽ち、アリストトルが "one of the grand virtues of poetry" と言つた "σπουδαιότης" 卽ち "high and excellent seriousness" (*Op. cit.* p. 33) が無い。彼の詩に於ける「人生の批評」には、宏濶性、自由、慧敏 (shrewdness)、博大なる心 (benignity) があり、また之に對應すべき精妙なる格調美 "an exquisite virtue of style and manner" (*Ibid.*) も備はつて居るのであるが、唯一つ、この「崇高なる嚴肅性」が缺けて居る。そのために、唯それだけの理由のために、アーノルドはチョーサーを古典の仲間に入れようとしないのである。

この一事は、アーノルドが偉大なる詩歌卽ち古典と見做すものの必要條件が、「崇高なる嚴肅性」であつた事を明に示すものである。

それでは、その崇高なる眞劍さ又は嚴肅性は如何なる場合に見られるものであるか。アーノルドはこれを「絶對的なる眞摯性」"absolute sincerity"—"the accent of high seriousness, born of absolute sincerity" (E.C.II. p. 48)より生ずるものとした。故に、かかる絶對的眞摯性を以て取扱へるものには、自ら「純眞なる詩人の最も秘奥の靈より迸る聲」"a voice from the very inmost soul of the genuine poet" (*ibid.*)が響いて居るのを感ぜざるを得ない。さすれば、それは要するに、詩人の心構へ、態度より來る特性だと言つて差支無い。

然しながら、この「崇高なる眞劍さ」を有しさへすれば、如何なる場合にも偉大なる詩人とか詩歌とか呼び得るであらうか。

かの佛蘭西の第十五世紀の詩人 François Villon《フランソワ・ギヨン》の詩の、最も優れたるものは、チョーサーの如何なる作品よりも、遙に眞劍性に富んで居ると、アーノルドは言ふ。(*Op. cit.* II. 33—34.) 而も彼は、此フランス詩人をば最大の詩人の中に數へようとはしないのである。それは何故か。

蓋し、ギヨンの詩に於ける、かかる眞劍性の現はれは、單に間歇的である。然るに、偉大なる詩人の偉大性は、この眞劍性が持續的なる點に存する。(*Op. cit.* p. 34.)既に崇高なる眞劍性を有する詩人少く、更にこれを持續的に保てる者に至つては一層少い。これ世上大詩人と呼ばるるものの極めて稀なる所以である。

それでは、かくも他の方面に於ては優秀なる才能手腕の持主であつたチョーサーは、何故に眞劍味を缺いて居たのであらうか。

アーノルドはこれに就いて何等說明して居ない。然し、惟ふにそれは、チョーサーの態度が、單に嚴肅を缺いて居た事のみに起因するのではなく、彼の取扱つた題材其物が眞劍味嚴肅性に乏しかつた事にも因るのではあるまいか。卽ち、彼は、アーノルドが常に推賞して已まないダンテ、ミルトン等の如く嚴肅(austere)なる態度を取らず、非常に親しみのある人間的な態度を取つたが、更に彼の取扱つた題材も亦極めて廣汎に亙り、隨分如何はしい點迄、如何にも興味ありげな筆致で描かれて居る。卽ち、人間性の點には觸れながら、これを表現する態度に遊戲的な所が見える。而して、既に題材に眞劍味を缺くとせば、その格調も自らそれに從はざるを得ない。チョーサーが主として用ゐたる律格 heroic couplet が、アーノルドの說く所によれば、元來二流所の格調 "a sensibly lower style" (*E. L. C.* p. 253) であるのは、決して偶然でない。

斯くの如くにして、最高級の詩歌(classics)に於ては、單に詩人の態度に絕對的眞摯、崇高なる眞劍さを必要とするのみならず、その題材も亦眞劍味に富めるものでなければならない事がわかる。それでは、かかる詩歌の格調の特性は如何なるものであらうか。

アーノルドは格調の上乘なるものを"grand style"「崇高體」と名づけ、これを説明して次の如く言つた。――

The grand style arises in poetry, *when a noble nature, poetically gifted,* **treats with simplicity or** *with severity a serious subject.* (*E. L. C.* p. 356).

尤も、これは"grand style" (Cf. *Op. cit.* p. 355) の本質を説明したといふよりも、むしろこれを構成する基礎的條件を列擧せるに過ぎざるかの觀が無いでも無い。唯しかし、これによつて見ても、題材の眞劍さといふ事が、偉大なる文藝を産むに如何に必要なるかは、明である。されば、アーノルドが千八百五十三年に力説した、題材選擇必要論は、晩年に至る迄決して放棄されては居なかつたのである。

第二篇　批評論

第一章　批評的活動の發生

我等の心には、時として、唯知らんがために物を知らうとする本能的活動が姿を現はす事がある。或る事、或る物を知つて、それを如何しようなどといふ目的が何等他に存するのではなく、ただ知りたいために知らうとする願望、卽ち自己目的的(selbstzweckmässig)な願望がある。これは "curiosity" と呼ばるるものに外ならないので、アーノルドはこれを定義して、

"the disinterested love of a free play of the mind on all subjects, for its own sake" (*E. C.* I. p. 16.)

と言ひ、また *Culture and Anarchy* の中では、

"a desire after the things of the mind simply for their own sakes and for the pleasure of seeing them as they are" (*Cult.* p. 7.)

とも言つて居る。　これはまた、同書に於て、彼が "the genuine scientific passion" (*ibid.* 4) とか "the desire to see things as they are" (*ibid.* 5) とか言へるもので、要するに「知識本能」"instinct for knowledge" (*Am.*) の事である。

斯くの如く「求知心」は —— アーノルドは "curiosity" が吾人の普通口にするが如き、多少卑しまれた意味の「好奇心」と同一視せらるる事を甚だしく厭へるがゆゑに、(*E. C. I.* p. 16.) 以後敢へてこれを「求知心」と假譯する事にする —— 知識の追求獲得を目的とする知的活動の根源を成すものであるから、アーノルドはこれを批評の基礎に置き、批評はその本質に於てこの本能の活動であると考へ "Criticism, real criticism, is essentially the exercise of this quality" (*ibid.* p. 16.) と言つた。　蓋し、彼の意味する批評の任務が「此世に於て知られ考へられた最善の事を知り、今度はこれを世に知らしめ、以て眞實にして新鮮なる觀念の流れを創造する」"to know the best that is known and thought in the world, and by in its turn making this known, to create a current of true and fresh ideas" (*E. C. I.* p. 18) ことにある以上、批評にその資料たる觀念を供給するものは、求知心に外ならないからである(註)。

もとより、嚴密に言ふ時は、エリオットも指摘して居るやうに、(T. S. Eliot: *The Sacred Wood*, p.

38.)「最善のものを知る」といふ努力は、決して批評といふ知的活動に屬するものではなく、むしろ批評の準備行爲となるべきもの、つまり批評的活動の開始以前に用意せらるべき先要條件(prerequisite)なのであるから、これを批評の任務としてその定義の中に數へる事は、たとひ誤ではないとしても、相當大なる缺點たる事を免れない。然し、これを以て批評の任務職能と見做すアーノルドの立場を認むる限り、彼の「眞の批評は求知心の活動であるといふ言葉は、一見奇異に聞こえ曖昧に見ゆるにもかかはらず、誤とは言ひ難い。何となれば、求知心が旺盛ならざる時は、その追求の對象たる事實や觀念等を、未だ完全に把握せざるに早くも知的活動の休止を見たり、さも無い場合でも、何等か他の外部的な不純な動機に基づく考慮の侵入に妨げられ、遂に對象の本質を見得ざるに終るであらうから。もとより、對象を觀るに當り、何がその本質であるか、何れがあるが儘の對象の姿であるかといふ事は、求知心によりて判別され認識されるので無く、何等か他の知的能力の協力援助を必要とするものなる事、更めて言ふ迄もない。唯、然し、かかる知的活動の中心または根底にありて、他の知力を刺戟鼓舞し、對象の本質追求に向はしむるものは、「純粹なる知識愛」"the genuine scientific passion"たる求知心だといつて差支あるまい。

「批評は求知心の活動である」といふ彼の言葉は、されば、批評的精神とは「對象を本來あるが儘に見ん」とするの努力」“the endeavour to see the object as in itself it really is” (*E. I. C.* p. 249 *E. C.* I. p. 1.) といふ彼の批評に對する定義と何等矛盾するものでない。されば、先に引用した “Criticism, real criticism, is essentially the exercise of this quality” と言ふ一行に於て、“essentially” といふ語は、その直前の “real” といふ語と共に、アーノルドの立場を理解する上に重要なる意義を有せるものである。そこで、彼は、この一行につづけて次のやうに語る。——

It obeys an instinct prompting it to try to know the best that is known and thought in the world, irrespectively of practice, politics, and everything of the kind and to value knowledge and thought as they approach this best, without the intrusion of any other considerations whatever. (*E. C.* I. p. 16.)

この一文に於ける最初の “It” は、その前に在る “criticism, real criticism” を指示せるものであり、次の “an instinct” は “curiosity” を表すものである。一體此場合アーノルドが何故 “*the* instinct” と言はずして “an instinct” と言つたか不明であり、その爲に文意を幾分曖昧にして居る事は否定出來ないのであるが、此處の「本能」

が「求知心」を意味せる事は、少くとも次の二つの理由よりして明である。　即ち、先づ、「批評は、自らを驅りて最善なるものを知らんと試ましむる本能に從ふ」と言ふ事は、換言すれば、「批評は最善なるものを知らうとする本能に從つて活動する」と言ふ事に過ぎない。　而して、この活動に際し「何等實際上の問題を顧慮する所無い」といふ事は、此場合の知的活動が、唯知らんがために知らうとする本能に發せるものなる事を指摘せるものであるが、こは正しく、先に述べた求知心の本質特性と合致するものである。　從つて、ここに「批評」(ib) を鼓舞して、他の一切に關り無く、純粹の知識愛を滿足せしめんがなめに活動させて居る本能は求知心だといふ事が出來る。

次に、今引用した一節の直次に "This is an instinct for which there is, I think, little original sympathy in the practical English nature, etc." (*E. C. I.* p. 17) とあるが、この "this instinct" が前文の "an instinct" である事は、これら二つの文章を續けて讀むならば、何等の説明をも要せざる迄に明である。　それでは、この英國民間に本來同情を見出だす事難き「本能」とは何であるか。　之を別の文によりて明にせんに、アーノルドは先に引用せる「批評は本來求知心の活動である」といふあの文の直前に次のやうな事を言つて居る。　即ち、あらゆる方面の知識を、知らんがために知る事の、如何に

樂しくかつ必要なるかを說いた後に、

It is noticeable that the word *curiosity*, which in other languages is used in a good sense, to mean, as a high and fine quality of man's nature, just this disinterested love of a free play of the mind on all subjects, for its own sake,——it is noticeable, I say, that this word has in our language no sense of the kind, no sense but a rather bad and disparaging one. (*E. C.* I. p. 16.)

と言ひ、次いで例の "But real criticism, etc," と轉じ、それから、"It obeys an instinct, etc," と續けて居るのであるから、此場合、"an instinct" を "curiosity" と解して決して誤は無いと信ずる。

さて、今の "It obeys" に始まる一節は、その後半に於て、批評の標準となるものは批評家が今學べる「最善のもの」なる事を示すとともに、新しく批評の對象となるものは、この既知の「最善なるもの」に比較さるる事によりて、その價値が評價される事を說けるものなるが故に、アーノルド批評論の本質的なるものの大半を言ひ盡くせるものと言つて差支無い。　されば、「最善のもの」を知るといふ努力は、批評の任務にあらずしてその先要條件であるといふ批難を、たとひ其儘容認したところで、この後半に現はれて居る批評の任務に關するアーノルドの言葉に對しては、何等批點の打ち處が無いであらうと思はれる。唯、然し、たとひ其處に「他の如何なる顧慮にも侵入さるる事無く」と言つては居るものの、而して此言葉により依然として求知心の參與とその演ずべき重大なる役割とを示しては居るものの、批評をして、評價の如き任務を遂行せしむるものが、同じ本能卽ち求知心であるといふ事は、果して容易に承認出來る所であらうか。若しこれが承認さるるとせば、それは如何なる意味に解すべきであらうか。

新しく批評の對象となつた知識や思想をば、既知の「最善なるもの」卽ち確立せる標準に對し、それらが果して如何程迄に接近して居るか、その程度を明にするといふ事、卽ち、新しき對象を單獨に見ないで、これを標準に對する關係に於て見るといふことは、實は、最善なるものを標準として、新しき物を評價する事の謂である。而して、評價とは價値の認識をいふのであるから、ここに "value" といふ動詞を用ゐてあつても、必ずしもこれに拘泥するの必要は無く、寧ろ "know," "find," "see" 等の如き語に置換へて見たら、却つて言者の眞意を明にする事になりはしないか。

新しく獲得されたる、卽ち今度批評の對象となれる思想や知識が、實際的意義、效用等の見地から見ては如何にもあれ、唯純粹に一の新しき思想乃至知識として、その價値を評價さるべきである。ならば、それらは「最善なるもの」に比較さるる事によりてのみはじめてその價値が決定されるのであるから、二者を比較して見よう、卽ち新しきものの價値を知らうと希ふ心は、やはり求知心だと考へて差支あるまい。されば、批評の職能の一つである「評價」といふ知的活動の背後に求知心を置いたのは、一見曖昧に見えるが、熟考して見ると、十分肯定もされ巧妙なる着眼とも言へるのである。

以上述ぶる所によつて、「眞の批評は本來求知心の活動である」といふアーノルドの言葉は、彼の立場より見る時、決して誤で無い事が明にされたと思ふ。

さてアーノルド批評論の本質精髓とも言ふべき「對象を本來あるがままに見ようとする努力」の背後或は根柢に存するものも亦求知心である事は、先にも一寸述べておいた通りである。然しながら、求知心は、元來「對象を如實に見んとする純粹な願望」“the sheer desire to see things as they are” (*Cult.* p. 7) であり、「純粹なる知識愛」であるから、その儘では寧ろ盲目的衝動的といふべく、これを其儘放任して置いたのでは、對象の眞を捉へることも出來ねば、何れが最善であるといふことさへも知る事は出來ないであらう。そこには、必らずや、この本能を導いて、何が對象の本質であるか、何が最善であるかを示すものが無くてはならない。この別個の指導者とは如何なるものであらうか。

アーノルドは、「ホーマー飜譯論」第二講の終に於て、批評的努力を定義して、"the endeavour, in all branches of knowledge, theology, philosophy, history, art, science, —— to see the object as in itself it really is"(*E. L. C.* p. 240)と言つて居る。この對象をあるが儘に見んとする努力が批評的努力であるといふ彼の言葉は、彼の批評論を理解するに相當重要である。何となれば、對象をあるが儘に見ようとする心は求知心であつても、それが實行には努力を必要とし、此努力は、對象をあるが儘に見る事を妨ぐるが如き一切のものを斥け、何が眞にして何が僞なるかを批判するものでなければならないからである。卽ち、「對象を見んとする努力」が「對象を本來あるが儘に見んとする努力」となる時、この努力は、はじめて「批評的」になつたと言へるのである。故に、單なる求知心の存在のみでは批評は成立し得ない。批評の成立には、必らずや批評的精神の發動を待たねばならぬ。而して、批評的精神とは、"intelligence"が"reason"の支配下に活動する時生ずる**精神狀態の謂である**。故に、知性の缺乏は自ら批評的精神、從つて批評の缺如を意味する。此事は、次に示すアーノルドの語を對照する事によりて自ら明白になるであらう。——

例へば、千八百五十九年の春、姉なるMrs. Forsterに宛てた手紙に於て、彼は英國民に最も缺けたるものは「知性」であると言つて居るが、(*Letters*, I p. 111.)一年間《あひだ》を置いた千八百六十一年の「ホウマー飜譯論」に於ては、

"Owing to the presence in English literature of this eccentric and arbitrary spirit, owing to the strong tendency of English writers to bring to the consideration of their object some individual fancy, almost the last thing for which one would come to English literature is just that very thing which now Europe most desires —— *criticism*." (*E. L. C.* pp. 249—250.)

と言つて居る。前の手紙は五十九年とは言へ十二月二十四日に執筆されたものであり、後の講義は、出版されたのは六十一年であつても、牛津の學堂に於てはじめて講ぜられたのは六十年秋の事であるから、實は前後相隔たる事僅かに一年に過ぎない。然るにもかかはらず、英國民最大の缺陷として、全然相異なるものを擧げ示す事は、餘程特別の事情無き限り、有り得ざる事である。假に若し、知性と批評的精神とが全然別物であり、二者が英國民に最も缺けたるものとして彼の眼に映じ

て居たならば、アーノルドは必らずやその意味の事を、何處かに暗示したに相違無いと思はれる。然るに、事實は、孰れの場合に於ても、唯一つの缺點をば最大のものとして擧げ、指摘し、而もこれを極めて短期間を隔てて爲して居るのを見れば、名稱こそ異なれ、彼は結局同一物を意味して居るのではないかと思はれる。つまり、アーノルドは、一つの知力を全體として見たる場合これを「知性」と呼び、唯その寧ろ積極的能動的なる側面を呼ぶ時に「批評的精神」といふ語を以てしたのではあるまいか。

それでは、批評的精神とは如何なるものであるか。

これに對するアーノルドの最も要領を得たる説明は、千八百五十七年牛津大學に於ける講演「文學の近代的要素」の中に見出される。即ち、彼はそこに「批評的精神」を説明して、“the endeavour after a rational arrangement and appreciation of facts”(*E.* p. 461)と言つて居る。ここに“rational”と呼ばれたものが、最も重要な役目を帶びて居るのであるが、「合理的な整理」とは、彼に從へば、「偏見や斑氣《むらき》の衝動によらず、理性の定むる法則に從つて判斷する事」“to judge by the rule of reason, not by the impulse of prejudice or caprice”(*ibid.* p. 457)である。されば、批評的精神を以て事實を觀察するは、理性に從つて批判するといふ事なのである。故に、批評に於て最高の權威となるものは理性である。蓋し、理性の命ずる所は絶對的不變的かつ普遍妥當的なるが故である。"The prescriptions of reason are absolute, unchanging, of universal validity"（E. C. I. p. 10.）從つて、此事がわかれば、アーノルド批評論の中心たる「對象を本來あるがままに見る」といふ言葉の意味も自ら分明するのであらう。

然し、「對象を如實に見る」とは如何なる事を意味したのであらうか。吾人は果して對象を如實に見得るであらうか。個性の色彩を全然脱却して、對象をあるが儘に、卽ち本來の姿に於て見る事が可能であらうか。かの文藝に科學的手法を最も多く取入れた寫實派の代表的作家ゾラさへも、曾て「藝術とは氣質を通じて見たる自然の一角なり」"une oeuvre d'art est un coin de la création vu à travers un tempérament"（E. Zola: *Le Naturalisme au théâtre.*）と言つて居るが、これは藝術家が物を見るに當つて到底個性を脱却し得ざる事を告白せるもの、否な、寧ろ之を肯定せるものではないか。而して、此事は、批評家の場合に於ても亦、或程度迄眞なのではあるまいか。

斯うした疑問は今迄にも當然起るべきであつたにもかかはらず、恰も殆ど問題とされなかつたかの觀がある。ペイターの如き批評家でさへも、その名著 *The Re-*

naisance の序に於て、

“To see the object as in itself it really is,” has been justly said to be the aim of all true criticism whatever (*op. cit.* x.)

と言つて、之を以て自らの批評的活動の出發點として居るかに見える。

然しながら、冷靜に考へるならば、「對象をそれが本來あるが儘に見る」とは、抑も如何なる事を意味して居るのか、當然再吟味さるべきものである。私の知れる限りでは、アーノルドの此言葉に對し疑を挾み、異議を唱へたるものは、前に「批評の科學的方法」を唱導せる J. M. Robertson あり、後に W. H. Hudson 出でてこれに呼應せるを見るに過ない。ロバートスンは言ふ——

We can but know the thing as it is to our mind — to given orders of mind; and what happens in science is the gradual agreement among given orders of mind that on investigation things are so and so. What the critic may hope to do is similarly to persuade given orders of mind, by comparison and reasoning, that things are so and so, and to explain to them why it is that to other orders of mind they are otherwise. Doubtless Mr. Arnold did this to a considerable extent, his gift of persuasion indeed outrunning his gift of demonstration; but he was too little given to scrutinizing and comparing his own impressions ever to realize aright the relativity of notions, or, consequently, to make good the coherence of his own. (J. M. Robertson: *Essays towards a Critical Method* (1889), pp. 43—44.

ハドスンが、その『文學概論』の中でアーノルドに對して加へて居る批評も亦、ロバートスンのそれと大同小異で、要するに、對象を如實に見るといふ事は不可能にして、吾人は個性を通してこれを眺め得るに過ぎないと言つて居る。(W. H. Hudson: *Introduction to the Study of Literature* (1910), p. 420.)

ロバートスン、或はハドスンの批難異議はもとより當然の事なので、寧ろ今日迄のアーノルド研究家が、何故にこれを問題にしなかつたか奇怪にさへ感ぜられる程である。然しながら、アーノルドがこの言葉によつて言はんと欲した所は、決して科學的眞や哲學的眞の探究では無く、唯、對象を曇り無き心を以て見る事、純粋なる知識愛以外の實際的動機に胚胎する事情に囚はるるが如き事無き事、或はまた、對象の半面のみを見てその全體を見たりと誤信するが如き事無きやうにする事、斯うした態度をば、批評の根底を成すものとして主張するにあつたと思はれる。

この事は、アーノルドが、Roebuck《ロウバツク》の英吉利並に英國民に對する過褒の辭と、社會の裏面に起れるWragg《ラッグ》の悲慘事とを對照させる事により、"There is profit for the spirit in such contrasts as this; criticism serves the cause of perfection by establishing them" (*E. C.* I. p. 24.) と言つたり、或は、"The mass of mankind will never have any ardent zeal for seeing things as they are; very inadequate ideas will always satisfy them." (*Ibid.* p. 25) と言つて居るのを見てもわかる。要するに、アーノルドは、批評家はその取扱ふ對象を何等の成心なく虚心坦懐に觀察する事を以て第一の任務とすべき事を説いたのに過ぎまい。そこで、此處に態度としての"disinterestedness"と言ふ事が自ら問題となつて來る。

〔註〕 The notion of the free play of the mind upon all subjects being a pleasure in itself, being an object of desire, being an *essential provider of elements* without which a nation's spirit, whatever compensations it may have for them, must, in the long run, die of inanition, hardly enters an Englishman's thoughts.—*E. C.* I. p. 16.

第二章　批評の態度

アーノルドは「現代に於ける批評の任務」と題する有名なる論文の中で、

It is of the last importance that English criticism should clearly discern what rule for its course, in order to avail itself of the field now opening to it, and to produce fruit for the future, it ought to take. The rule may be summed up in one word,—*disinterestedness*. (*E. C. I.* p. 18.)

と言ひ、直に語を繼いで、"And how is criticism to show disinterestedness" と自ら問ひ、これに對する答として次の如く述べて居る。——

By keeping aloof from what is called "the practical view of things"; by resolutely following the law of its own nature, which is to be a free play of the mind on all subjects which it touches. By steadily refusing to lend itself to any of those ulterior, political, practical considerations about ideas, which plenty of people will be sure to attach to them, which perhaps ought often to be attached to them, which in this country at any rate are certain to be attached to them quite sufficiently, but which criticism has really nothing to do with. (*Ibid.* p. 18.)

アーノルドが茲に語つて居るのは、批評は如何にして ‘disinterestedness” を示すべきかといふ事であつて、それが如何なるものであるかを、直接說明して居るのではない。然しながら、如何にして “disinterestedness” を示すべきかが此處に述べられて居るのであるから、批評が斯くの如き態度を取る時、其處に見らるる結果より、“disinterestedness” の如何なるものなるかを逆に推測することは可能であらう。

さて、今引用した、批評は如何にして “disinterestedness” を示すべきかといふ、問に對する答によりて窺ふ時は、“disinterestedness” とは、アーノルドによれば、批評が求知心の活動に從つて、あらゆる對象の本質を知り、或は最善なるものを知らんと努力する時、そこに事物の實用的な見方の侵入する事を斥け拒む事を意味するやうに思はれる。而して、アーノルドが此處に述べた趣意は、同じく「批評の任務」の中の

I say, the critic must keep out of the region of immediate practice in the political, social, humanitarian sphere, if he wants to make a beginning for that more free speculative treatment of things, which may perhaps one day make its benefits felt even in this sphere, but in a natural and thence irresistible manner. (*Ib*. pp. 26—7.)

といふ一節にも繰返されて居るので、たとひ其處に "disinterestedness" といふ言葉は見えないにしても、それに就いて述べたものである事は、彼此對照する時一見明瞭となるのみならず、同じ論文の他の箇處に於ても亦その「實用的精神と目的とからの獨立」Its independence of the practical spirit and its aims (*ib*. p. 34) を主張し、或はまた、Everything was long seen in inseparable connection with politics and practical life …… Let us try a more disinterested mode of seeing them. (*ib*. p. 36) と言つて居るのを見ても十分に知れるのである。

されば、アーノルドが「批評の任務」の中で意味せる "disinterestedness" とは、批評家が對象を取扱ふ際に實踐的價値に關する考慮等の侵入する事を能ふる限り避ける事、對象を外的目的と結びつけて考察する事を極力斥け、對象それ自身としての獨自の價値を考察しようとする態度を言つたもので、少くとも此一文に關する限りでは、個人的好惡とか個人的斑氣等によりて妨げらるる事無きを言つたのではない。　果して然らば、Orlo《オーロー》・Williams《ヰリアムズ》 が *Contemporary Criticism of Literature* の中で、

Matthew Arnold rightly insisted that the critic should be disinterested, and few critical virtues have greater value, for the breath of vanity and the taint of spite are fatal infections; even too strong a gust of ambition may nip a promising growth. (*Op. cit.* p. 32.)

と言つて、恰もアーノルドが "disinterestedness" といふ語により、惡意虚榮心等の無き事を意味せるが如く言つて居るが、これは言者の眞意を理解せざるものと言ふべきではあるまいか。

かの「英文人傳叢書」中の一篇なるアーノルド傳の筆者 Herbert《ハーバート》 Paul《ポール》 の如きも、アーノルドはこの "disinterestedness" の教《ドクトリン》を Sainte-Beuve《サント・ブーブ》 より學べるものとして、後者の *Causeries du Lundi* の中、千八百五十年五月二十日、Mlle de l'Espinasse を論ぜる一文から次の一節を引用して居る。〔註〕

Le critique ne doit point avoir de partialité et n'est d'aucune côterie. Il n'épouse les gens que par un temps, et ne fait que traverser les groupes divers sans s'y enchaîner jamais. Il passe résolument d'un camp à l'autre; et de ce qu'il a rendu justice d'un côté ce ne lui est jamais une raison de la refuser à ce qui est vis-à-vis. Ainsi tour à tour, il est à Rome ou à Carthage, tantôt pour Argos et tantôt pour Ilion.

ポールの所説は、(H. Paul: *Matthew Arnold*, p. 82.) 後、(1918.) アーノルドの『批評論集』第一

卷の牛津註釋版の註者 Leonard L. Smith《レナード・エル・スミス》 の踏襲する所となれるのみか、『アーノルドの批評に及ぼせるサント=ブーヴの影響』の著者 Paul Furrer《パウル・フレル》 も亦これを裏書するものの如く、次の如く言つて居るのである。

Wo anders als im Werk Sainte-Beuves sieht er zu Beginn seiner kritischen Wirksamkeit das Vorbild vielseitiger, vorurteilsloser Forschung, ——"the disinterestedness of criticism,"——als Grundlage eines freien Spiels geistiger Kräfte. (Paul Furrer: *Der Einfluss Sainte-Beuves auf die Kritik Matthew Arnolds*, s. 53).

然しながら、若し今迄縷說した通り「批評の任務」に於てアーノルドが"disinterestedness" といふ語によりて表さんと欲したものが、事物の實用的な見方の侵入を避け斥くる事にあるならば、それは、サント・ブーヴが此處に說ける趣旨とは殆ど關係無きものなので、從つて此フランス批評家の用語をば、アーノルドの言葉の原型として引用する事は、——(Arnold が Sainte-Beuve より "curiosity" "urbanity" "provinciality" 等の語を借りて居る事は事實であるが)——アーノルドの語の眞意を理解せざるに因るものと言はねばならない。何となれば、其處に引用せられて居るサント・ブーヴの語は、單に批評家が飽迄も公平無私、毫も私情に囚はるる所ある可らざるを說けるに過ぎずして、實用的觀念の侵入を排斥する意味の"disinterestedness"とは何等關係無きものだからである。故に、度々繰返したる如く、少くともアーノルドが「批評の任務」に於て力說せる批評の任務法則を解說する限りに於ては、"disinterestedness"とは、「實用的價値の考慮に左右せらるる事無き」の意にのみ解すべきである。

して見れば、アーノルドは、「批評の任務」執筆當時(一八六四)に於ては、"disinterested"といふ事と、個人的好惡を避けるといふ事とを、別物として考へ、"disinterested"の方は、文字通りに"interests"(利害問題)の侵入を避ける事を意味したものと解すべきではあるまいか。されぱこそ、批評を定義して、"disinterested endeavour to learn and propagate the best that is known and thought in the world" (*E. C. I.* p. 37) といふ彼の言葉が生れて來るのではないか。斯く考へ來れば、Scott-James が *The Making of Literature* に於て、

The "interests" from which he (Arnold) would have us be free are those which militate against intellectual and moral perfection, etc. (*Op. cit.* p. 270) と言へるは、アーノルドの眞意を比較的正解せるものと言ふべきであらう。

それでは、アーノルドは、批評に個人的好惡の侵入する事等に對し、何等言及して居ないかといふに、決して然うでない。先に「文藝の近代的要素」から引用した"To judge by the rule of reason, not by the impulse of prejudice or caprice" (*E.* p. 459) といふ言葉はその最も早き例であり、晩年に於けるものとしては「詩の研究」(一八七九)の中で「個人的評價」"personal estimate" (*E. C.* II. p. 6) と言へるものを擧げる事が出來る。而して、觀察批評に際して、かかる斑氣、偏見等、凡そ個人的なるものに感染する事無きかる態度こそ、"disinterested" といふ語の本來の意義ではあるまいか。アーノルドは、かかる意味に "disinterested" といふ文字を用ゐた事は無いのであらうか。若し「批評の任務」に見ゆるが如き「實際的問題に左右される事無き」といふ義にのみ之を限つて使用して居るとせば、それは餘りに狹く、かつ餘りに特殊的なる用語と言はざるを得ない。

然しながら、實際にはアーノルドは、「偏見無き」、「先入主見に囚はれざる」等の意味に、この語を用ゐて居る事もあるのである。その例は主として、かの「批評の任務」より十有三年の後に書かれた「フランスに於けるミルトン批評家」*A French Critic on Milton* の中に見られるのであるが、此處に見出だされるものは、單に "disinterested"

の用法を示すのみならず、アーノルドの考へて居た批評家の資格をも併せ示すものであるから、特に引用する價値がある。卽ち、彼は、ジョンスン博士を批評して、

He was neither sufficiently disinterested, nor sufficiently flexible, nor sufficiently receptive, to be a satisfying critic of a poet like Milton. (*Mixed*, p. 252.)

と言ひ、また、ミルトン論の筆者 Edmond Scherer《エドモン・シエレル》 を評して、

Well-informed, intelligent, disinterested, open-minded, sympathetic, M. Scherer has much in common with the admirable critic whom France has lost, —— Sainte-Bouve. (*Ib.* p.253).

と言つて居る。

而して、この *A French Critic on Milton* に於ける "disinterested" は、たしかに「個人的好惡に毒されざる」「何等の偏見先入主觀も無き」等の意に用ゐられ「批評の任務」の中に彼が說けるが如き "free from the intrusion of practical considerations of things" の意にあらざるは、同文中に見出ださるる他の用例よりしても明である。卽ち、

A completely disinterested judgment about a man like Milton is easier to a foreign critic than to an Englishman. From conventional obligation to admire 'our great epic poet' a foreigner is free. Nor has he any bias for or against Milton because he was a Puritan, —— in his political and ecclesiastical doctrines to one of our great English parties a delight, to the other a bugbear. (*Ib.* p.253.)

或は、

The advice to study the character of an author and the circumstances in which he has lived, in order to account to oneself for his work, is excellent. But it is a perilous doctrine, that from such a study the right understanding of his work will 'spontaneously issue.' In a mind qualified in a certain manner it will, not in all minds. And it will be that mind's 'personal sensation.' It cannot be said that Macaulay had not studied the character of Milton, and the history of the times in which he lived. But a right understanding of Milton did not 'spontaneously issue' therefrom in the mind of Macaulay, because Macaulay's mind was that of a rhetorician, not of a disinterested critic. (*Ib.* p. 255).

或は更に

He yet well and fairly reports the real impression made by these great men and their works on a modern mind disinterested, intelligent, and sincere. (*Ib.* p. 273)

とあるのを見れば、ここに用ゐられて居る所の "disinterested" の意はすべて明に「偏見無き、先入主見無き」である。

さすれば、アーノルドは、同一語を、少くとも二個所に於て、異なれる意味に用ゐて居る事となる。斯くの如きは、彼にありては往々にして見らるるところ、ために連絡統一を缺き文意の不明を招くに至る主因ともなるのである。

それでは、アーノルドは何故に、「批評の任務」に於ては、個人的好惡の問題に觸れずして、專ら對象をその實用的價値に結びつけて觀る事勿れとのみ說いたのであるか。それは、「フランスに於けるミルトン批評家」の方が純然たる文藝論なるに反し、「批評の任務」の方は一般論で、あらゆる方面に考察をめぐらせるのみか、その最も中心となれるものは、その表題の既に明に示すが如く、「現代に於ける」批評の任務だつたからである。次に引く彼の言葉は這般の理を最もよく說明するであらう。——

What is at present the bane of criticism in this country? It is that practical considerations cling to it and stifle it. (*E. C. I.* p. 19).

以上述ぶる所によりて、アーノルドが、批評にとりて第一に遵守すべき法則として說ける "disinterestedness" が如何なる性質のものであるかは明白になつたと思ふ。それでは、此語は果して何と譯すべきであらうか。「公平無私」では十分でなく、況んや「無關心」では、精々自己の利害に關心せざる程度を示すに過ぎざるのみか、時としては「冷淡」と同樣にも響くのである。然らば、此語は、むしろ、アーノルドが「ワーヅワース論」に於て、詩のために詩を愛する人の事を "the disinterested lover of poetry" (*E. C.* II. p. 149, p. 161) と呼べるその眞意を酌みて、「純粹なる態度」とでも譯すべきか。若し、然《さ》にあらずんば、思ひ切つて「游離的態度」とでも譯すべきであらう。實際、アーノルドは、"detachment" といふ語を、「批評の任務」中に用ゐて居るのである。(*Ibid.* I. p. 25. Cf. Gates: *Studies and Appreciations*, p. 223.)

さて、かかる純粹なる態度は、批評の目的なる、對象を本來あるが儘に觀んとするに必要なる根本的態度である。然しながら、批評家がその職務を全うせんがためには、彼が唯單に純粹なる態度を取るだけでは未だ十分でない。千差萬別の對象にそれぞれ直面して、各の本質を識別し評價するだけの力量と技能とが無くてはならない。アーノルドは批評家の資格として如何なるものを考へて居たのであらう。

先に引用したフランスの批評家シェレル論 "*A French Critic on Milton,*" 中の言葉は、これに對する最も有力なる回答を與ふるものである。

今それによつて、アーノルドが批評家の資格として述べ立てて居るものを見るに、そこには、disinterested, flexible, open-minded, sympathetic, receptive, well-informed, intelligent 等の諸性質が擧げられて居る。

この中、"disinterested" は既に說き來つた通りであるが、"open-minded" は之に隣るもの「先入主見無き」を意味する事によりて、之と通ずると共に「新思想を受容れ易き」"accessible to new ideas" をも意味する事によりて、"receptive" とも相通ずる。"flexible" は例へば、

It must be flexible, and know how to attach itself to things and how to withdraw from them. (*Ib.* p. 34)

といふ一行に見らるる如く、一物一處に固着して求知心驚異心を失ふに至る事無く、いつ迄も彈力に富める感受性を保つ事を意味する。また "well-informed" は "intelligent" に對してその消極的受動的狀態を示せるものと言ふべく、"intelligent" が生得的な性質であるに對し、習得的なるもの、後天的なる性質を示す。而して、批評家にして若し "well-informed" ならざらんか、彼の認識と理解とは不十分にその

批判は偏頗となり、徒に彼の無知無識を示すのみで到底信頼する事を得ざるものとなるであらう。元來 "well-informed" は、1) "having full information on a subject" と、2) "having information on a wide variety of subjects" と、この二つの意味を有つて居るが、孰れにしても對象の理解とその價値の批判とに多大の助力となるべきものたる事、言ふ迄もない。これは、アーノルドが、"A critic must have the requisite knowledge of the man and the works he is to judge" (*Mixed.* p. 253) と言へるに照應すべきものであらう。

最後に、"sympathetic" といふのは、批評家が、對象を、或は相手の立場を理解しようとする態度に出る時、最も必要なる條件であつて、若しこれ無くんば、批評家は、おのれの性に合はざるものは、それが實際如何に優れたるものであらうとも、努力を惜んで顧みざるに至るか、或はたとひ批評の對象として取上げても、その本質を十分明にせざるに早くも捨つるに至るであらう。故に "sympathetic" といふ事は理解に導くの門なのであるから、批評家の資格としては、寧ろ最も根本的なるものの一とこそ言ふべきである。

以上列擧せるものは、必ずしもアーノルドが批評家に必須なる資格として正面から說いたものではないが、而も、事實是等が如何に必要なるかは、次に引く彼の言葉によつても窺はれよう。

The critic of poetry should have the finest tact, the nicest moderation, the most free, flexible, and elastic spirit imaginable; he should be indeed the **"ondoyant et divers,"** the *undulating and diverse* being of Montaigne. (*E. L. C.* p. 343).

此場合の"tact"は、批評家が對象を取扱ふ時の手際、手腕を指したものであるが、次の"moderation"は、この引用文の前後より判ずるに、學識や氣質等に累さるる事無きやう、よく適度を保つ事を言へるもの、"free"は先に擧げた"open-minded"に當り、"flexible, elastic"は既に述べたる如く、生鮮潑剌たる感受性を常に失はざる事で、まさしく下の"ondoyant"に相當する。 而して、"diverse"といふのは、あらゆる新しい印象や、觀念に對し、融通無碍の態度を持して應ずるが故に、極めて多方面なる人格を其處に創造する事になるが、その多角的な才、受容性を有せる人を言へるものと解してよからう。

而して、以上は、「最も變化し易く、捉へ難く、また消え易き」"the most volatile, elusive, and evanescent" (*E. L. C.* p. 342)「詩的眞」の「批評的理解」"critical perception" (*ibid.*)に必要なる條件なのであるが、これらは、いづれも、その程度に多少深淺の別こそあれ、苟も批評家たる者にとつて必要缺く可らざるものと言ふべく、然らずんば、彼は、常人の見得ざる境地をよく見て之を説明する事は、到底不可能であらう。

それでは、批評家の任務、批評の機能とは如何なるものであらうか。これが當然次に起つて來る問題である。

(註) Herbert Paul はこれを次の如く譯して居る。——

The critic ought not to be partial, and has no set. He takes up people only for a time, and does no more than pass through different groups without ever chaining himself down. He passes firmly from one camp to the other; and never, because he has done justice to one side, refuses the same to the opposite party. Thus, turn by turn, he is at Rome and at Carthage, sometimes for Argos, and sometimes for Troy.

第三章　批評の任務（その一）

アーノルドは批評を定義して

"a disinterested endeavour to learn and propagate the best that is known and thought in the world, and thus to establish a current of fresh and true ideas" (*E. C.* I. p. 37. Cf. *Ibid.* pp. 18—19.)

と言つた。「眞にして清新なる觀念の流れ」を創造して如何するかといふ事は第二段の問題として後廻はしにし、まづその習得宣傳の對象たる「此世」に於て知られ考へられたる最善のもの」とは如何なるものであり、それが最善である事は如何にして知られるか。この問題から明にして行かねばならない。今迄アーノルドの論じ來つた所は、たとひその間「フランスに於けるミルトン批評家」の如き文藝論を持出したにもせよ、要は批評に關する一般論であつた。しかしながら、アーノルド自身も「批評の任務」論の第二段に於ては、(*Ibid.* pp. 37 *ff.*)これを文藝批評に限りて論じて居るのであるから、これからは、我等も亦、文藝の範圍に於て彼の批評論を研究しようと思ふ。

先づ第一に「最善なるもの」は、如何にして知られるのであるか。

苟も「最善」と言ふからには、それは同種のものが比較されたる結果なる事は明であり、また比較によつてかかる結果に達するためには、そこに標準の存在を想定せざるを得ない。而して「對象をそれが本來あるが儘に見る」といふ「批評的努力」は、比較といふ行爲の開始以前に於ても、對象それ自身の本質を知る上に必要なのであるが、これは更に、比較に際しても亦、依然として不可缺のものである。故に、この精神無くしては、嚴正なる批評は行はれない。

次に、比較は批評の根底を成すもので、單に「對象と對象との間に於けるのみならず、對象と標準との間にも亦行はるるものである。對象の價値はそれが標準に那邊迄接近して居るか、いはば對象と標準との比較によりて定まる。そこで、ここに問題となつて來るのは、標準とは如何なるものであるかといふ事である。

批判の標準となるものが「此世に於て知られ考へられたる最善のもの」なる事は、既に一度引用した

It [criticism] obeys an instinct prompting it to try to know the best that is known and thought in the world and to value knowledge and thought as they approach this best (*E. C.*

I. p. 16.)

といふ言葉に見ゆるのみならず、次の一節によつても明である。

One may say, indeed, to those who have to deal with the mass —— so much better disregarded —— of current English literature, that they may at all events endeavour, in dealing with this, to try it, so far as they can, by the standard of the best that is known and thought in the world. (*E. C.* I. p. 39).

さて、今引用した二つの文章の中、前者の言葉の裏には二重の標準が肯定されて居る事を見落してはならない。その一つの表面に現はれて居るものは、文末に置かれたる "the best" で、批評的努力によりて學ばれたる「最善のもの」なる事、更めて言ふまでも無い。然しながら、新しく知られたる知識なり思想なりが最善である事が判斷されるためには、今一つの標準がその前に無くてはならない。卽ち、この第一の標準を通過せるものが第二の標準となるのである。(Cf. C. E. Kellett: *Fashion in Lit.* p. 57.) 勿論、ここに第一第二と呼んだのは、價値的等級或は區別を意味するものでは無く、唯、時間的な發生の順序を示したものに過ぎない。

それでは、アーノルドは、この第一の標準、既ち、批評といふ活動の最初に嚴として存在し、求知心の活動をして批評ならしむる標準「高き完全なる思想」"a high and perfect ideal" (*E. C.* I. p. 33)の事を如何に考へて居たであらうか。

アーノルドは、この「批評の任務」の中では、かかる標準に關する何等の説明をも試みて居ないけれども、文藝批評に於て彼の理想とし標準として居たものが如何なるものであつたかを知る事は、決して困難ではない。それは、一言以て蔽へば、古今の傑作卽ち古典である。「詩の研究」に於て説かれたる有名な試金石論は他の如何なるものよりも遙に雄辯に、彼のかかる立場を物語るものである。

Indeed there can be no more useful help for discovering what poetry belongs to the class of the truly excellent, and can therefore do us most good, than to have always in one's mind lines and expressions of the great masters, and to apply them as a touchstone to other poetry. (*E. C.* II. pp. 16—17.)

「如何なる詩が眞に優秀なるものに屬し、その故に吾人を裨益する事最も大なるかを發見するに最も有效なる援助としては、實に、われ／＼が常に心中に、大家の詩句や表現を藏して居り、之を試金石として他の詩歌に適用する事に如くものは無い。」

然し、その古典とは如何なる性質のものであるかといふ點に就いては、アーノルドは敢へて說明しようとはしないのである。古典の性質を精細に分析し、それを抽象的な言葉を以て我等に示すといふ事は、彼の甚だ好まざる所であつた。彼は千言萬語を弄するよりも、一の具體的例證を示すことの遙に有效なる事を確信して居つたからである。次に引く彼の言葉は、かかる信條の告白として、先に引用した一節と相呼應するものである。

Critics give themselves great labour to draw out what in the abstract constitutes the characters of a high quality of poetry. It is much better simply to have recourse to concrete examples;—to take specimens of poetry of the high, the very highest quality, and to say: The characters of a high quality of poetry are what is expressed *there*. They are far better recognised by being felt in the verse of the master, than by being perused in the prose of the critic. (*Ib.* p. 20.)

「批評家たちは大に骨を折つて、抽象的に、如何なるものが、詩の高級なる性質を構成せるものであるかを抽出さうとする。然し、そんな事をするよりも、唯單に、具體的な例證——見本——に訴へるといふ事の方が遙に效果があるのである。

卽ち、すぐれたる、最も優れたる詩の見本を取つて、「詩の高尙なる性質の特性とは、其處——卽ち作中に——表現されて居るところのものである」と言つてきかせる事だ。優秀なる詩」歌の特性は、批評家の散文の中に精査されるよりも、大詩人の作中に感ぜらるる事による方が、遙によく認識されるのである。」

アーノルドが文藝批評に關して取つた方法はまさしく常にこれであつた。曾て自らの唱へた「崇高體《グランド・スタイル》」に關し、その如何なるものなりやを示せよと迫られた時、唯ミルトンの詩四行を引いて次の如く答へたのも彼であつた。

'There is the grand style in perfection; and anyone who has a sense for it, will feel it a thousand times better from repeating those lines than from hearing anything I can say about it. (E. L. C. p. 356.)

「ここに完全なる崇高體がある。そして何人にもせよ、それを感ずるだけの感《センス》のある人は、私がそれに就いて言ひ得る事を聞くよりも、これら四行を繰返し味ふ事の方によつて、崇高體の如何なるものなるかを千層倍もよく感ずるであらう。」

されば、古典の性質、その發生の徑路、また何故にそれが理想的のものであるか等の諸問題は、彼の研究家に對する課題として殘されて居るのである。而して、これらは本書最後の「クラシシズム」その他の章に於て考察する事とし、此處では敢へて說かない。

さて、批評家の任務は、この古典をよく辨へてこれを標準とし、他の作品が如何にこれに接近して居るか、その接近の程度を鑑別する事である。而して、これを爲すに當り、純粹なる態度を先づ必要とする事は、旣に縷說したところであるが、アーノルドは「詩の研究」に於て、またこれを別の方面より說明して居る。

評價(estimate)とは、價値の認識の事なのであるが、これには凡そ三種ある。卽ち、「個人的」(personal)「歷史的」(historic)「眞正」(real)これである。(E. C. II. p. 6.)

ここに「個人的評價」といへるものは、全く批評家一個人の趣味好惡その他個人的なる事情に基づきて爲されたる評價の謂で、かかる個人的なるものが我等の價値判斷を左右し、對象其物の本來具有せざる價値を與へしめる。これは、現代または近代作家を批評する際吾人の最も陷り易き誤謬である。

同樣に、「歷史的評價」と稱するものも亦、作品其物の本來具有せる價値に基づく評價にあらずして、作品の有する歷史的價値に基づきて與ふる評價の謂である。卽ち、或作品が、或國民の國語、詩歌、思想等の發達史上の一段階と見做さるる事により て、それ自らの有せざる價値を與へられ、過賞さるる事を言つたものである。これ は古代の詩人等、一般に過去の作家を取扱ふに際し、吾人の最も陷り易い過失であ る。

されば、これらの缺點より免れたる評價が必らずや其處に無くてはならぬ。ア ーノルドはこれを「眞正なる評價」と呼んだ。これは「眞に優秀、眞に古典的なるもの "the really excellent, the truly classic" (*E. C. II. p. 13*)を、はつきりと感じ深刻に賞翫する 事、卽ち對象の絕對的價値を正當に認識する事の謂であり、これこそ批評家の本分 たる「此世に於て考へられ知られたる最善のものを知る事」なのである。

然しながら、個人的評價並に歷史的評價と相並んで、眞正なる評價を妨げんとす る別の動機誘惑がある。これは、對象を研究するに當り、批評家自身の拂つた努力 犧牲の高に比例せる價値を對象に附與する事で、これ亦吾人の動もすれば陷り易 き所である。(*E. C. II. p. 12.*)

さて、批評家は、これら、眞正なる評價を妨げんとするものに對し十分の警戒を拂 ふ事により、對象の本質を明にし、最善なるものを知り、更にこれを他人の間に流布しなくてはならない。　そのためには、彼の知り而して世上普及せしめんとするものが何故に最善のものであるかといふ事を明にしなくてはならない。　これは、自己の批判の正當なる事を明にする事により、自己の良心を滿足させ、また安心させる事でもある。　而して、この理由――對象が最善のものであるといふ理由を説明する事は、(Cf *Mixed.* p. 248) やがて彼の批評の經驗を物語る事、卽ち批評其物に他ならず、それはまた自己の主張、自己の判斷に客觀的根據を與へる事である。　斯くする事により、批評家は、自己が説得されると共に、同時に他人をも納得せしむるものである。　而して、他人を説得するといふことは、彼をしてわが説の正當なる事を裏書せしむる事であり、それは、換言すれば、他人の肯定によりて自説の正當さを明識するの謂である。

　それでは、他人を説服させるには如何したらよいか。　相手の理性を十分滿足させる事の必要なるは言ふ迄も無いが、これだけでは十分でない。　自らの言はんとする所に對し、十分の自信を持つ事は敢へて説く迄も無いが、同時に十分の自制を持ち、愼重に控へ目に、恰も自らは己の立場を十分に理解し得る判官の前に立てるが如き態度を以て發言しなくてはいけない。さもないと、動もすればその言辭は恰も群衆に對するかの如く粗暴過激に流れ下品に墮し、無用なる饒舌に陥り易い。それアーノルドが、「批評家は理性と共に趣味性をも滿足させなくてはならない。それが彼の任務である。」"The critic must satisfy the reason and taste, that is his business." (E. C. I. p. 74) と言つたのは如上の事を意味する。かくて、アーノルドにありては、批評家も亦常に「節度」といふ事を忘れてはならない事になる。而して、彼のかかる考へ方は、批評の目的が辯難攻撃にあらずして「說服」(persuasion) にありと爲す所から自ら生ずるのである。

以上述ぶる所によりて、批評家が最善なるものを鑑別する方法、またこれを他人に傳へるには如何に爲すべきか、かうした點が明になつた事と思ふ。

それでは、斯くの如く、最善のものを學び知りかつ普及せしむるのは、如何なる目的のためであるかといふ問題が次に起つて來る。

これは、言ふ迄も無く「眞にして清新なる觀念の流れ」を創造する」ためなのであるが、これを創造して如何しようといふのであるか、ここに批評の社會的意義とも言ふべきものが存するわけで、これは果して如何なるものであらうか——先に殘しておいた問題が、今や遂にその回答を追つて來たのである。

第四章　批評の任務（その二）

アーノルドは「現代に於ける批評の任務」の中で次のやうな事を言つて居る。—「批評力」"critical power"は「創造力」"creative power"に劣る。これは事實である。然し、この命題を容認するためには一二の事を念頭に置く必要がある。なる程、創造力の驅使、卽ち自由なる創造的活動が人間の最高の機能であるといふ事は否定出來無い。それは、創造的活動の中に人が眞の幸福を見出すといふ事實によりて證明されるからである。然しながら、これと同樣に、我等は文藝の傑作を創造する事以外の方面に於ても、この自由なる創造的活動力を驅使するといふ意識(sense)を味はひ得るものなる事も亦否定出來ない。若し、然《さ》も無かつたならば、極めて少數者以外には、全人類の眞の幸福に與る事が出來ないといふ事になるであらう。つまり、われ等は、かかる創造的意識を、善行(well-doing)學問(learning)いや、更に「批評」に於てさへ味はひ得るのである。この一事を先づ念頭におかなくてはならないが、次に、文藝の傑作を產む事に創作力を驅使する事は、如何なる時代、如何なる環境の下に於ても等しく可能であるとは言へない。從つて、時代環境を無視して創作しようとする事は、勞力を空費する事になるが、この勞力は、傑作の産出に對する準備とか、傑作の産出を可能ならしめる事に用ゐる方が一層有意義であるかも知れないといふ事も亦念頭におかなくてはいけない。所で、この創作力は、「要素」(elements)「資料」(materials)を本《もと》として活動するものであるから、若しもこれら資料や要素が、いつでも使用出來るやうに用意されて居ないならば、如何する事が出來よう。そんな場合には、創作力は、必らずやこれら資料や要素が準備される迄待たなくてはならない。ところで、文藝に於ては、創作力の活動する資料となるものは觀念、卽ち、凡そ文藝の觸れるあらゆる方面に於て、その時代に一般に行はれて居る最善の觀念なのである。(中略)……而して、文藝の天才はこれら觀念を最も效果的魅力的に結合し世に示す才能である。然し、かかる天才の自由なる活動は雰圍氣を必要とする。卽ち、かかる天才を圍繞する思想の體系(the order of ideas)を必要とする。文藝界に於て偉大なる創作的時代といふものが極めて稀であり、多くの眞の天才人の作品に不滿足な點が極めて多くあるのは、如上の理由に基づく。蓋し、文藝の傑作を産むには、人の力と時の力と、この二つのものが協力しなくてはならないからである。而して、時勢無くして人のみでは十分ではない。蓋し、創作力が愉快に活動するためには、指定されたる(appointed)要素が有るのであるが、これらの要素は、創作力の自由に御し得るものでない(not in its own control)。否な、かかる要素はむしろ批評力の支配下にあると言ふべきである。何となれば、批評力の任務は、知識のあらゆる部門に於て對象を本來あるが儘に見る事にあり、かくて、絶對的に眞實とは言へない迄も、その取つて代つたものに比すれば一層眞實であるところの思想體系を樹立し、最善の觀念をして世に流行せしめ、以て知的境地を其處に創り出すのであるが、創作力はこれを巧に利用するからである。蓋し、かかる新觀念が社會に浸透すると、そこには急に活氣を呈して胎動と生長とが到る處に見られるやうになり、かかる胎動と生長との中より文藝の創造期が生れ來るのである。ピンダー、ソフォクリーズの希臘、沙翁の英國等に於ては、詩人は創作力にとりて此上も無く生氣を附與するやうな滋味に富める觀念の流れの中に住んで居た。即ち、當時の社會は十二分に新思想に浸潤され、知的で溌剌として居たが、かかる狀態こそ創造力の驅使にとりて眞の基礎たるものであり、創作力は其處に、材料(data)や資料が彼の手の觸るるを待ち構へて居るのを見出だすのである。そこで先づ批評あり、而して批評がその任務を果したる時、眞の創造的活動の時代が來るといふ事になるのである。(E. C. I. pp. 4—8.)

以上が創造力と批評力との各の作用並に相互の關係につきアーノルドの述ぶる所の大要であるが、これを批評する前に、まづ二三の疑義を明にしておかなくてはならない。

まづ第一に、この所論の冒頭に、アーノルドは“Men may have the sense of exercising this free creative activity in other ways than in producing great works of literature and art.” (E. C. I. p. 4.)

「人は、文學や藝術の傑作を創作する事以外の方法でも、かかる自由なる創造的活動力を驅使する意識を有ち得る」

と言つて居るが、この場合、“to have the sense of exercising this free creative activity” とは如何なる事を意味したのであらうか。これは、一見しては、創作以外の善行とか學問とか或は更に批評に於てさへ、その程度に差こそあれ創造力の驅使されて居る事を認めて居るが如くにも思はれさうである。殊に裁斷批評に飽き、アナトール・フランスと共に印象批評に興味を感じ、ワイルドと共に創造的批評を喜ぶ傾向強き近代人の念頭には當然一度起るべき疑問である。然し、アーノルドの眞意は然うなのであらうか。

彼は「批評の任務」の終に於て、

I conclude with what I said at the beginning: to have the sense of creative activity is the great happiness and the great proof of being alive, and it is not denied to criticism to have it; but then criticism must be sincere, simple, flexible, ardent, ever widening its knowledge. Then it may have, in no contemptible measure, a joyful sense of creative activity; a sense which a man of insight and conscience will prefer to what he might derive from a poor, starved, fragmentary, inadequate creation. And at some epochs no other creation is possible. Still, in full measure, the sense of creative activity belongs only to genuine creation. (*E. C. I.* p 40).

「余は本文の冒頭に於て述べた言葉を以て本論を結ばうと思ふ。即ち、創造的活動の意識《センス》を有つ事は大なる幸福であり、また生きて居るといふ事の大いなる證左である。そして、かかる意識《センス》を有《も》つ事は批評にも否定されて居ないのである。然しそのためには批評は眞摯、純朴、屈伸性に富み、熱心で、その有する知識をたえず擴大してゆかねばならない。然る時、はじめて、批評は、創造的活動の快感を、少からず、味はひ得るのである。然し、創造的活動感が遺憾無く味はひ得られるのは、唯純粋なる創作に於てのみである。」

と言つて居るが、これによると彼の眞意は、善行や學問や批評の中に創作力が實際に活動することを言つたのではなく、これら他の活動の中にも創作活動と同様或は類似の意識氣持が味ははれるといふ事を言へるに過ぎないやうである。

尤も、此場合「批評も、熱心にして眞摯に、屈伸性に富み、たえず知識を擴大してゆくならば、創作感を有《も》ち得」と言へるは、批評が斷えず新觀念を吸收しその知識を擴大するといふ活動其物が創造力の驅使によるもので、そのために創造力驅使の感が味ははれるのではないかといふ疑が起らないでもあるまい。つまり、知識の獲得といふ活動の根底に一種の創造力の働きがあるのではないかといふ疑が起るかも知れない。

然しながら、アーノルドは、嚴然と創造力と批評力とを區別し、前者の活動は創造に極まり、後者の活動が批評となることを說いて居るのみか、新しくして最善なる觀念をたえず追求するものは求知心の純粹なる努力である事を、同一文中幾度となく繰返し力說して居るから、新思想の獲得とか、知識の不斷の擴大とかの如き活動の故に、批評の中に創造力の働きを見出ださんとするは、アーノルド自ら、その持論を覆す事となるから、彼の意味せるものは全く別物の活動であつたと解せざるを得ないのである。 事實、アーノルドは、彼より後に出た人の考へたやうな「創造的批評」の如きものを考へて居たのでない事は明であらう。たとひ彼が此處に、「批評に於て、も一種の創作感が味はれる」と言つても、それはエリオットが言ふやうな「抑壓されたる創作の願望」"suppressed creative wish" (T. S. Eliot: *The Sacred Wood*, p. 7) が批評の中に滿足されるが如き事を意味したのではなく、知識をたえず擴大してゆくといふ活動其物の與ふる意識《センス》と、創作といふ活動の與ふる意識《センス》とが類似せる事を言つたに過ぎない。 此事は、同じ文中批評に於ける「批判」(judgement)を論じた時、

Still, under all circumstances, this more judgment and application of principles is, in itself, not the most satisfactory work to the critic; like mathematics, it is tautological, and cannot well give us, like fresh learning, the sense of creative activity. (*Ib.* p. 38).

「然し、如何なる場合に於ても、單なる批判と、原理の適用とだけでは、批評家にと

つて最も滿足な仕事ではない。それは、數學と同じく、重複的で、新しい知識の獲得の與ふるが如き、創作活動の意識をよく與へ得ない。」(*op. cit.* p. 38.)

と言へるに徵して明である。

さて、今引用したアーノルドの言葉は、學問に於て味ははれる創作感と共に、批評に於て味ははれる創作感をも說明するものである。何となれば、批評に於てもその基礎を成し、その出發點となるものは新しき觀念を學ぶ事だからである。ただ、嚴密に言ふ時は、かかる意識《センス》は錯覺的にして何等眞實の根據無きものであるかも知れず、またそれは本質的には、創作の與ふる意識《センス》とは異なれるものであるかも知れないのである。

然し、この創造力の活動が與へる意識《センス》と批評力の活動が與へる意識《センス》とが、果してアーノルドの考へて居たやうに類似的なものであるにしても、或はまた今疑を挾んだやうに錯覺的なものであるにしても、要するに、創造力を文藝の傑作を產む事に用ゐるといふ事は、何時如何なる場合に於ても可能とは言へないから、適當なる時勢を得ざる時は、これの到來乃至氣運の釀成を促進する事こそ最も必要であり、これを爲すものは創造力にあらずして批評力なりといふのが、彼の論旨なる事は明白である。

　そこで、此處にまたもや問題となつて來るのは、時勢を得ざる限り創造力の驅使は浪費乃至不成功に終り易きが故に、先づ時勢をつくれよといふのが彼の眞意なりとせば、而してこれに最適の働を爲すものは批評であるとすれば、この批評の努力によりて適當な時勢の到來する迄、創造力は如何に處置されてあるべきかといふ事である。此世に於ける眞の幸福である所の創作感は、唯創作によりてのみ十二分に味ははれるものであるが、批評に於ても或程度迄は味ははれるのであるから、若しその程度に滿足するならば、人は批評的活動に終始する事も可能であらう。然し、その故に批評力を驅使するとせば、彼の有する創造力はその儘休止沈默に留るべきであらうか。アーノルドの所説は如何も此點に觸れて居ないやうで、從つて彼の眞意は明でない。若しアーノルドが

The exercise of the creative power in the production of great works of literature or art, however high this exercise of it may rank, is not at all epochs and under all conditions possible; and therefore labour may be vainly spent in attempting it, which might with more fruit be used in preparing for it, in rendering it possible. (*E. C.* I. p. 4).

「文學藝術の傑作を產む事に創才を働かせるといふ事は、かかる活動が如何に高級なものなるにもせよ、如何なる時期如何なる狀態の下に於ても可能といふわけではない。從つて、かかる際にかかる試みをする事は徒勞に終り易く、その努力は、むしろかかる創作活動に對する準備行爲、かかる創作活動を可能ならしむる事に使ふ方が一層有效であるかも知れないのである。」

と言へるもの、特に最後の二行が、たとひ假定ではあるにしても、創造力をして批評力の爲すべき所を爲さしめんとする事を意味せるものならば、それは、判然と區別されて高下の位置を占むる二つの力の機能を混同するものとして彼自らの論據を覆すものと言ふべく、また假に、この矛盾を默認するとしても、一を以て他に代らしむる結果の不滿足なるべき事、言ふ迄もあるまい。而して、實際、かかる假定が、アーノルドの眞意と相容れざるものである事は、彼が同じく「批評の任務」に於て、

'The creative power has, for its happy exercise, appointed elements, and those elements are not in its own control. Nay, they are more within the control of the critical power. (Ib. p. 6.)

「創作力が愉快に活動するためには、指定されたる要素が有るのであるが、それ

らの要素は、創作力の自由に御し得るものではない。否な、かかる要素は蓋ろ、批評力の支配下にあると言ふべきである。(Op. cit. p. 6)と言つて、創造と批評とこの二つの力の機能を明瞭に區別せるに徹して明である。

果して然らば、批評の中に創造力が介入して活動する事を認めざる限り、この創造力は、批評力が十二分に驅使される時、唯傍觀靜視の位置に立つ事を許さるるのみとなる。アーノルドの後、Doyle《ドイル》に次いで牛津大學の詩學教授となつたShairp《シエアプ》の反對も亦此點にある。蓋し、若し創作衝動がその飛躍を控へて時機の到るを待ち、かつ今迄に他の詩人が如何なる業績を爲したるか等を見るならば、その間に衝動は全く勢を失つてしまふであらう。

要するに、アーノルドは、批評と創作と、この二つの活動を餘りに截然と區別し、ある一つの活動裡に於ける二者の相互依存、協力等を十分に認めて居ないやうに思はれる。從つて彼は、批評創作二力の同時的な活動、卽ち、創作に際して批評力が如何に活動し、創造力を助けて居るかといふ事は看過せるやうである。後にエリオットが說く所の創作に際しての批評力の必要は、この意味に於て、アーノルド說の缺陥を補ふものと言へる。

Matthew Arnold distinguishes far too bluntly, it seems to me, between the two activities: he overlooks the capital importance of criticism in the work of creation itself. Probably, indeed, the larger part of the labour of an author in composing his work is critical labour; the labour of sifting, combining, constructing, expunging, correcting, testing; this frightful toil is as much critical as creative. I maintain even that the criticism employed by a trained and skilled writer on his work is the most vital, the highest kind of criticism; and (as I think I have said before) that some creative writers are superior to others solely because their critical faculty is superior. (T. S. Eliot: *Selected Essays*, p. 29).

「アーノルドは、この二つの活動力を、あまりにも無造作に區別してゐるやうに自分には思はれる。即ち、彼は、創作といふ營みの中に於ける批評の大なる重要性を見落して居る。實際、恐らくは、作家の作品を構成するいとなみの大半は批評的活動であらう。即ち、選擇、取捨、結合、組立、削除、訂正、試驗等、かかる恐るべき勞作は創造的なると同様に批評的なのである。自分は、よく鍛へられ熟練した作家が、自らの作品に使用せる批評は、最も重要なもの、最高の批評であるとさへ、主張する。そして、また以前にも私が言つたやうに、創作家の中には、彼等の有する批評力が優秀であるといふ理由のみによつて、他の作家に優つてゐるものもあると主張する。」

即ち、エリオットは、創作といふ過程に於ける批評力の重要性を强調して居るので、此點に於ては、既に彼の引用文の明に示せる如く、アーノルドとは正反對に、批評力の方を創造力よりも一層重視せんとして居るのである。されば、アーノルドとエリオットとの相違は、前者が、時間的に言へば二つの力をば先後の關係に置いて、創作をば批評の後に來るものと爲せるに對し、エリオットは二者の活動を同時的なるものとしてその作用を殆ど區別し難き所に却つて批評力の最高權威を見ようとして居る點にあると言へる。

例へば、アーノルドは、

Every one can see that a poet, for instance, ought to know life and the world before dealing with them in poetry; and life and the world being in modern times very complex things, the creation of a modern poet, to be worth much, implies a great critical effort behind it. (*E. C. I.* p. 6).

「例へば、詩人は、詩の中に人生と世間とを取扱ふ前に、これらを辨へて居らねばならぬといふ事は何人にもわかる事である。然しながら、人生や世間は、近代に於ては、甚だ複雑なものであるから、近代詩人の創作は、大に價値あるためには、その背後に大なる批評的努力を含む事になる。」

と言つて居るが、この場合 "behind" が何を意味するかは、それにつづく次の一文によりて自ら説明されるであらう。――

Both Byron and Goethe had a great productive power, but Goethe's was nourished by a great critical effort providing the true materials for it, and Byron's was not; Goethe knew life and the world, the poet's necessary subjects, much more comprehensively and thoroughly than Byron. He knew a great deal more of them, and he knew them much more as they really are. (*Ib.* pp. 6—7.)

「バイロンもゲーテも共に大なる創造力を有つてゐた。然し、ゲーテのそれは創作に眞の資料を提供する大なる批評的努力によつて養はれたのであり、バイロンのは左様でなかつた。ゲーテの方は詩人の必要なる題材たる人生と世間とを、バイロンよりも遙に廣くかつ十分に知つて居た。卽ち、彼は、バイロンに比すれば、遙に多くこれを知り、かつ、之を遙に在るがままに知つて居た。」

卽ち、アーノルドがここに創作の背後に於ける批評と言へるものは、創作裡に働く批評の力にあらずして、寧ろ、作家が創作の筆を取上げる時迄に活動し、材料の價値あるものを選擇し、提供するが如き力を意味して居るのである。從つて、表現や構造の正確均齊等を獲得せしむる批評力とは全然無關係なのである。

斯くして、創作の準備行爲としての批評は說明されたが、批評力の活動する時、一方の創作力は如何に處置さるべきかの點に關しては依然として不明である。これは、アーノルドが、この二つの力をば、エリオットの指摘せるが如く、あまりに大まかに區別せる事に恐らく原因せるものであらう。

これらの缺點は姑く措くとして、要するにアーノルドの考へて居た批評は、創作に對しては、主從の關係に立つもの、卽ち後者に奉仕すべきものたるに過ぎない。そこで、先にも引用したやうに、

Criticism first; a time of true creative activity, perhaps. ——which, as I have said, must inevitably be **preceded amongst** us by **a** time of criticism, ——**hereafter,** when **criticism** has done its work. (*Ib.* p. 18).

「まづ最初に批評がある。そして、恐らくは、眞の創作活動の時代――それは、既に述べたやうに、必然的に批評の時代によつて先行されざるを得ないのであるが――それが之に次いでやつて來る、批評がその仕事を爲し遂げた時に。」といふ結論を生ずるのである。

さて、これに關し、特に注意すべきは、批評をアーノルドが此處に解說せるが如き意味に解せずして、普通の意味、卽ち、作品の價値批判、作家の位置判定等の如き意味に解せる人が、唯上記の一節のみを斷片的に前後の文と無關係に讀む時は、一種奇異な感に打たれはしないかといふ事である。蓋し、文藝の歷史に於て批評が創作に先行するといふ事は無い事で、若しありとせば、その後に出た創作期は非常に貧弱な、型に囚はれたものたらざるを得ない事を知るであらうから。つまり、かかる場合の批評は、恰も傳統的な批評の如く、古典の法則を金科玉條として掲げ、一切の創作を之に從つて爲さしめんと欲するものであり、また作品を批評する場合にも、單に傳統的な法則に從つてこれを爲すものである。從つて、新しき試みの眞價は認められず、却つて傳統を破壞するものとして斥けられる。かくて、獨創の才は傷はれ、作家は萎縮する。然しながら、眞の創作的天才は自ら法則を作る。他人の設定せる法則を破棄して自らの作品を正當視《ジヤスティファイ》するために新しき法則をつくる。これは、彼が抽象的な立法家だといふ意味ではなく、作品其物が、新しき法則の無言にして而も最も雄辯なる説明者となつて居るといふ意味である。

而して、かかる有力なる作品の前には、傳統的な批評は全く無力であるから、如何程貶謗したとて、時の經過につれて、眞の天才の創作のみ後に殘るに至る。キーツの詩に於ける *Blackwood's Magazine, Edinburgh Review* の酷評の如き、その最も好適の例である。

故に、かかる文藝史上の例を念頭に置き、併せて今のアーノルドの文を斷片的に讀むならば、彼の説く所一見奇矯の感無きを得ないであらう。

然しながら、これはアーノルドの眞意でなく、彼は唯、作家の驅使する資料を提供する事、並に創才を自由に發揮せしむべき知的境地乃至雰圍氣を作り出す事に少くとも「今後の」批評の任務があると考へて居たのである。彼が、批評の目的は、「眞實にして清新なる觀念の流れを創造する事にある」(*Op. cit.* p. 20.)と言つたのは、卽ちこれである。

故に、アーノルドは、批評を創造に資するもの、卽ち創造力の一層有效なる活動に貢獻する所あるものたらしめんとこそ考へたれ、これを矯めようなどとは決して考へて居なかつた。從つて、彼は、英文學に於ては、例へば第十八世紀式の獨斷的因習的な批評に對しては反對だつたのである。(Cf. *Mixed.* pp. 247—250.)

いづれにもせよ、アーノルドが、文藝の創作に批評或は批評力の活躍を重んじ、その援助寄與の重大性を認めたのは、作品の思想的內容を非常に重く考へたがためである事は明である。第十九世紀初葉の所謂羅曼派詩人に「圓熟せる思想」の缺乏を嘆ずる事は、何よりもよく彼の立場を示すものである。

It has long seemed to me that the burst of creative activity in our literature, through the first quarter of this century, had about it in fact something premature; and that from this cause its productions are doomed, most of them, in spite of the sanguine hopes which accompanied and do still accompany them, to prove hardly more lasting than the productions of far less splendid epochs. And this prematureness comes from its having proceeded without having its proper data, without sufficient materials to work with. In other words, the English poetry of the first quarter of this century, with plenty of energy, plenty of creative force, did not know enough. This makes Byron so empty of matter, Shelley so incoherent, Wordsworth even, profound as he is, yet so wanting in completeness and variety. Wordsworth cared little for books, and disparaged Goethe. I admire Wordsworth, as he is, so much that I cannot wish him different; and it is vain, no doubt, to imagine such a man different from what he is, to suppose that he *could* have been different. But surely the one thing to make Wordsworth an even greater poet than he is, —his thought richer and his influence of wider application, —was that he should have read more books. (*Ib.* p. 7).

勿論、ここに書物と讀書とを推薦しその必要を力說するのは、それが、作家の周圍に、その新らしき創作に刺戟となり役立つべき、清新なる思想の流れが無い時、これを補ふもの、之に代つて作家に刺戟を與ふるものとしてである。そしてかかる意味に於てのみ書物も讀書も價値があるのである。 All the books and reading in the world are only valuable as they are helps to this. (*Ib.* p. 8).

然し、作家に對する書物や讀書の寄與が直接なると間接なるとに關係無く、偉大なる觀念、圓熟せる思想無くしては、偉大なる作家とは言はれない、すぐれたる作品は、すぐれたる思想を中に有しなくてはならない——これがアーノルドの文藝觀の基礎を成すものであつた。 而して、かかる見地より批判するが故に、前世紀初端の青年詩人の作品は、思想的に、貧弱に、從つて第一流に屬するものとは言ひ難いと、彼には思はれたのである。

なる程、第十九世紀初期の詩人は所謂羅曼的詩人と呼ばれる名に背かず、青春の詩章を綴り、圓熟せる作品を多く世に殘さなかつたかも知れない。然し、その重大原因の一として、必らずしも思想的缺陷のみではなく、彼等が實際短命であつたといふ事實をも數ふべきではあるまいか。

この悲しむべき事實はともかく、彼等が偉大なる思想家でなかつた事は疑ふの餘地が無い。コウルリヂは、彼等の仲間では、最も偉大なる思想家であり、最も思索を樂しむ人であつたが、而も詩人としては極めて羅曼的な幻想的な詩をしか殘さなかつた。また、詩人としては、彼等のうち最も哲學的思想的な詩を書いたワーヅワースでさへ、思想家として見れば幼稚であるとは、アーノルド自ら認むる所である。(E. C. II. p. 148.)否な、若し彼の作品がその有する哲學の故に愛好されるとしたならば、それはその極めて素朴的羅曼的な思想、主として自然觀の故なので、言ひ換へれば、詩的なるが故で、哲學的なるが故ではない。

斯くの如く、此時代の詩人は何れも思想家ではない。キーツに何の思想があり、コウルリヂの「老水夫」、「クブラ・カーン」、「クリスタベル」に何の思想がある。而も、彼等が今日に至る迄多くの愛讀者を有せるは、その中に含まれたる貧弱な哲學やロマンティックな思想の故にあらずして、全篇に充ちあふれたるロマンティックな想像の故、深刻にして永遠なる感情的要素の故である。

單なる思想こそ、時と共に生命を失ひ魅力を失ふもので、感情は永遠に滅ぶ事無きものである。そして、その故にこそ、人間の根本的な感情を盛れる作品は、永遠の生命を保つのであり、此事はアーノルド自らも亦、ワーヅワース論に於てはつきりと認めて居るのである。(*E. C.* II. p. 149.)

His poetry is the reality, his philosophy, —— so far, at least, as it may put on the form and habit of 'a scientific system of thought,' and the more that it puts them on, —— is the illusion. Perhaps we shall one day learn to make this proposition general, and to say: Poetry is the reality, philosophy the illusion. (*E. C.* II. pp. 148—9).

このワーヅワース論は、既に述べたるが如く千八百七十九年に執筆されたものであるが、その基調となれるものは前年一月公にされた *A French Critic on Goethe* の中にも明に認められる。即ち、アーノルドは『ファウスト』第一部につき、

By common consent it is the best of Goethe's works. For while it had the benefit of his matured powers of thought, of his command over his materials, of his mastery in planning and expressing, it possesses by the nature of its subject an intrinsic richness, colour, and warmth. Moreover, from Goethe's long and early occupation with the subject, *Faust* has preserved many a stroke and flash out of the days of its author's fervid youth. (*Mixed.* pp. 209—291.)

と言つて居る。尤も、此處には"ゲーテの圓熟せる思想"藝術家としての完璧な技巧等を擧げてあるから、單に熱烈な青春期の閃光ある故に非常に價値あると斷ずるは早計に失するかも知れないが、とにかく"moreover"と特に附加せるを見れば、それを重視してゐた事は否定出來ないであらう。而して、アーノルドは同じ論文で、『ファウスト』第一部に於ては一時調和されて居た「思索の人」と「靈感の人」との均衡が晩年に至るに從ひ次第に破れ、その作品が漸次藝術的價値に乏しくなつて行つた事を認めて居るのである。(*Mixed.* p. 293).

この「ゲーテのフランス批評家」「ワーヅワース論」等の書かれた時代と、「批評の任務」の書かれた時代との間には十四五年も横たはつて居るのであるから、思想を重んずる彼の根本的態度にはたとひ變化無しとするも、一方には、その間に、感情を今迄以上に重視する傾向を新に生じた事も亦否み難いであらう。現に、「批評の任務」の中では他の詩人達と共に輕視されたバイロンの如きも、「ワーヅワース論」より二年後に書かれた「バイロン論」に於ては、多大の興味と尊敬とを拂はれて居るのである。キーツに對する態度の如きも、かの千八百五十三年版詩集の序に於けるものと、晩年のそれとの間には、甚だしい相違が見られる。(註)

斯ういふ次第であるから、初期に物された彼の評論には、後年自ら顧みて多少慊焉たる所があつたと思はれる。少くとも「批評の任務」に於て、文藝の思想的方面を强調するの餘、その感情的要素の永遠性を輕視乃至無視したといふ非難は彼の甘受せねばならない所であらう。それと共に、他ならぬ此理由によつて、彼の第十九世紀初期の羅曼派詩人に對する批評は正鵠を缺けるものとならざるを得なかつた。その事は、彼がその短命を斷言せるにもかかはらず、シェリーの詩は、儕輩中斷然群を拔いて前世紀中葉より英詩界の一大勢力となれるに反し、アーノルドにより推賞され多幸なる未來を豫言されたバイロンの聲價は、次第に地に墮ちて恰も遂に再び甦る事無きかの觀を呈せるによつても證せらるるであらう。

かくて、思想的内容のみを强調せる限りに於て、アーノルドの批評論は多少の缺陥ありと言ふべく、同時に、彼のここに試みたる勸告が、後に說く教養論と共にあまりに机上の空論に墮せり(too bookish)との非難も亦、免れ得ざる所であらう。

〔註〕 Cf. I will take the poem of *Isabella, or the Pot of Basil*, by Keats. I choose this rather than the *Endymion*, because the latter work (which a modern critic has classed with the *Faerie Queene* !), although undoubtedly there blows through it the breath of genius, is yet as a whole so utterly incoherent, as not strictly to merit the name of a poem at all. The poem of *Isabella*, then, is a perfect treasure-house of graceful and felicitous words and images: almost in every stanza there occurs one of those vivid and picturesque turns of expression, by which the object is made to flash upon the eye of the mind, and which thrill the reader with a sudden delight. This one short poem contains, perhaps, a greater number of happy single expressions which one could note than all the extant tragedies of Sophocles. But the action, the story? The action in itself is an excellent one; but so feebly is it conceived by the poet, so loosely constructed, that the effect produced by it, in and for itself, is absolutely null.—*Poetry*, pp. 15—16.

第五章　批評の任務（その三）

以上で、アーノルドが「批評」に與へんと欲した新しい意義と使命とは、少くとも文藝に關する範圍では大分明瞭になつた事と思はれる。それではアーノルドは、我等が批評といふ語によりて普通その中に含まれて居ると考へる「批判」(judgement)といふ事は、全然考へて居なかつたのであらうか。必らずしも然うでなかつた事は、同じ「批評の任務」の中で、次のやうな事を言つて居るのに徴しても知られる。

「さて、批判といふ事が批評家の唯一の任務であるやうに屢言はれるが、ある意味ではその通りである。然し、公平にして明朗な心の中に、新しい知識とともに、殆ど氣づかれないやうに形らるる批判こそ價値あるものなのである。かくて、知識、不斷に新しい知識は、批評家にとりての大なる關心事でなくてはならない。そして、批評家が彼の讀者に一般に最も役立つのは、新しい知識をつたへ、それと共に彼自身の批判をつたへる事によりてであるが、此場合批判は何處迄も、それと感じられないやうに (insensibly)、卽ち、第一番にではなく第二次的に、抽象的な立法家としてではなく、一種の手引、手がかりとして與へらるべきである。勿論、時としては、文學に於ける作家の位置を定め、中心の標準に對する彼の關係を決定するためには(若しこの位置を定めるといふ事が無かつたならば、我等は如何にして此世に於ける最善のものに到達する事が出來よう)、批評は、新知識などは思ひもよらない程よく知れ渡つた題材を取扱ふ事があるかも知れず、從つて、かかる場合の批評は、全然批判や原理の説明や、その細かい適用のみにならざるを得ないかも知れない。かかる時、大なる豫防となるものは、決して抽象的にならないやうにする事、卽ち、自ら語つて居る事が「眞」に關する親密な潑剌たる意識《センス》を常に持つ事で、若し我等がこれを誤るならば、必らずや何處か間違つて居ると氣づく事である。然し、如何なる場合に於ても、この單なる批判や、原理の適用といふ事だけでは、本來批評家にとりて滿足的な仕事でない。それは數學と同じやうに重複的(tautological)で、新しい知識のやうに我等に創作感を十分與へる事は不可能だからである。」(E. C. I. pp. 37—38.)

抑も、「批評」といふ語は、語源的に見れば「批判」から出て居るのであるから、その重要なる機能は「批判」にあるべきであり、從つて、時代によりてはこれを以て批評家の本職と考へた人もあつた。然し、アーノルドがここに、「或意味に於ては然うである」"So in some sense it is"(Ibid. p. 37)と言つたのは如何なる意味であるか。吾人が最善の觀念や思想に到達する迄の過程には、必らずや批判を要するが、それを指して居るのであらうか。それとも下に述べられて居るやうな、作家の位置を決定するに當り、當然行はるる批判を指して居るのであらうか。仔細に讀んで見ると、それは批評家の任務としての新知識の獲得に對立乃至附隨するものとしてここに擧げられて居るのであるから、これは作家作品の價値を判斷し決定する事を言つたものらしい。故に、此場合に「批判」と言へるものは結局「評價」(evaluation)に當るものである。つまり、アーノルドは、批評家の取扱ふ對象が、あまりに熟知され、あまりに卑近なる時は、新らしく學び知る何物も無いので、批評は單なる批判――位置決定の如き――に終ると言つて居るのである。

然し、アーノルドの最も推賞せる「批評」は、新知識につれて形成さるるものであるから、これが讀者に傳へらるるに當つても、新知識の授與が主眼であつて、批判は寧ろ附隨的のものでなくてはならない。何となれば、批評家が或作品を批評する場合などに、唯その作の長所缺點等を抽象的に列擧するのみでは、批評家自身にとりても、讀者にとりても、何等作品の價値を味識するといふやうな喜びも興味も無いし、殊に讀者としては作品の價値がはつきりと解らない。されば、批評家は、抽象的な批判を與へないで、どこ迄も作品の價値を具體的に味ははせるやうにしなくてはいけない。その爲には、批評家自身が、對象の價値を精確に味識して居なくてはならない。元來アーノルドにとりては、批評家は、民衆に對し、解說者、致導者たるの役目を果すべきものであるから、最善の思想とは如何なるものであるかといふ事を、抽象的に說明するよりも、かかるものが最善の思想であると言つて、彼が最善の思想を有すると信ずる作品なり章句なりを具體的に示すべきものであると思はれたのであつた。殊に、批評家が紹介する作品なり作家なりが、全然新しき場合には、この方法が必要である。アーノルドの「トルストイ論」の如きその適例である。

但し、かかる新觀念新作品の解說者紹介者たる場合とは異なり、或作家或作品の地位等を定める場合に於ては、批評家本來の目的が、唯、對象の價値を比較量校し、等位を定むるにあつて、作品の內容を傳ふるにあらざる故、この場合の批評は自ら批判のみとならざるを得ない。而も、かかる場合に於てさへ、批判や原理の適用は抽象的になつてはいけないのである。批評家は自分の口にせる事の事實感を保持する事が飽迄も必要である。これは、彼にとりても讀者にとりても、創造的活動の喜びを味はふ上に缺く可らざるものなのである。
然し、かく迄も一切を具體的に取扱ひ、創造的意識を味はふ事に努めんとするのであるが、それだけではやはり十分でないのである。

これを以て見れば、アーノルドは、創造力に比すれば下位に在る批評力の驅使たる批評をば、能ふる限り創造と同様の快感をば味はひ得るものたらしめんと努力した事が明である。ゆゑに、彼が、新しき意味を加へて主張し唱道した批評は、世に言ふ「創造的批評」とは趣を異にせるものであるけれども、在來のそれよりは一段と水準を高めたものであると言へる。

今迄述べ來つた所は、すべて、對象から、その最も優れたる所を發見し、これを世に傳へ、更に其處に今迄よりも一層生氣潑剌たる、また一層知的なる雰圍氣を創造する事を以て批評の本分目的となせるものなりとの解釋に立てるものであるから、如何なる意味から言つても積極的建設的なものである。ここには、批評が在來動もすれば考へられて居たやうな「あら探し」「惡口」的な側面は毫も認められず、或は問題にされて居ないのである。然し、アーノルドは、批評のかかる方面を如何に考へてゐたのであらうか。

價値無き物の上こ時間と能力とを費す事はたしかに是等の浪費であるに相違ない。缺點を探すだけの時間と餘裕とがあるならば、それを新らしき美點長所の發見に獻げる事の方が、どれ程自己の成長にとつて有意義であり、また正しき意味に於て愉快であるか知れない。他人の缺點を發見して洩らす微笑は惡意的なものでで、實はそれだけ、これを爲す人を內面的に傷つくるものである。

然しながら、長所と共に短所をも知り、それぞれの性質を明かにする事は、對象を本來あるが儘に見るためには必要な事である。單に理想的な方面のみを見てその半面を敢へて見まいとする態度は、嚴正なる批評的態度ではない。何となれば、物は兩面を正視せざる限りその全き姿は明にされないからである。故に、明るき方面と共に暗き方面をも正視する事は、むしろ批評家本來の義務だとも言へる。(Cf. E. C. I. p. 26.) されば、批評家は、一方に於てすぐれたるものを識別しそれを世に紹介すると共に、他方虛僞なるもの粗惡なるものを指摘し、その矯正と排斥とをも努めなくてはならない。斯くする事によりて、眞に優れたるものの價値は一層早く一層有效に發揮され、然らざるものは速に影を潛むるに至るであらう。而して、批評家がこれを爲すに當つては、どこ迄も對象を正視し、所謂世評や傳統的評價に迷はされ眼を眩まされるが如き事があつてはならない。斯くしてこそ對象は、はじめてその當然占むべき位置を與へられ、正當に認識されるに至るのである。アーノルドの次の言葉はこれを語るものである。――

True, we must read our classic with open eyes, and not with eyes blinded with superstition; we must perceive when his work comes short, when it drops out of the class of the very best, and we must rate it, in such cases, at its proper value. (*E. C.* II. p. 10; Cf. I. p. 30.)

「然り、われ〳〵は、眼を開いて古典を讀むべきで、迷信によりて眩まされたる眼を以て對すべきではない。卽ちわれらは、いつ彼の作品が完全の域に達せず最高のものの間に伍する事を得ないかを認め、かかる場合には作品をそれ相當の位置におかなくてはならない。」

然しながら、對象の缺點を指摘したり、謬說を打破したりする事は優れたるものを發見し、これを自分に攝取し、或は世に紹介する事に比すれば、その效果はたとひ善に、また究極に於ては建設的であらうとも、要するに間接的なものに過ぎない。それを知る事其物の中に心を高めるやうな喜悅が無く、また、それを明にするといふ事其物の中にも自己を高めるやうな、また或意味に於て創造的な仕事をするといふ滿足感も味はれない。即ち直接な喜悦滿足といふものが無い。それは、彼の仕事の目的が間接的なものだからである。故に若しそこに多少の喜悦滿足がありとすれば、幾分でも自分の義務を果したといふ意識より生ずるものたるに止る。そこで、アーノルドは斯くの如きものを"negative criticism"と呼び、説明して次のやうに言つて居る。——

But the use of this negative criticism is not in itself, it is entirely in its enabling us to have a clearer sense and a deeper enjoyment of what is truly excellent. To trace the labour, the attempts, the weaknesses, the failures of a genuine classic, to acquaint oneself with his time and his life and his historical relationships, is mere literary dilettantism unless it has that clear sense and deeper enjoyment for its end. (*Ib.* p. 11).

「然しながら、かかる消極的批評の效用といふものは、それ自身にあるのではなく、全く、それが、吾人をして、眞に優秀なるものを、一層明に深く味はふ事を可能ならしむる點に存する。純正なる古典の創造的勞作、試企、弱點、失敗等をたづね、その作者と彼の時代、また彼の歷史的な位置關係等に精通するといふ事は、その作品をはつきりと意識し一層深く味はふといふ事を究極の目的としない限り、畢竟單なる文學的道樂に止る。」

この一節に明なるが如く、短所缺點を發見し識別するのは、實はそれ自身に本來何等の價値があるのではなく、唯、眞に優れたるものを一層はつきりと、また一層深く味はふ上に役立つ所に價値を生ずるのである。否な、單に對象の短所缺點を明にする事だけではない。作家の生涯、その生息せし時代に關する知識の獲得の如きも、單にそれだけで價値があるのではなく、やはり、眞に優れたるものを一層よく味はふといふ目的に對する手段としで、はじめて眞の意義を生じて來るのである。これは、嘗て、"All the books and reading in the world are only valuable as they are helps to this" (E. C. I. p. 8) と言つて、一切の書物讀書の價値を創作に資するの點に見出ださんとせるに照應するものである。いづれにしても、一層高き目的に資するにあらざる限り、單なる物識りは畢竟 dilettantism に終る。

缺點の指摘も、誤れる評價に對抗する事も、作家に關する知識の獲得も、その究極に於て、眞に優れたるものを一層よく味はふに資してこそはじめて價値があるといふこの見方は、どこまでも批評を以て、最善の思想を學びかつ普及せしめんとする純粋なる努力なりといふ、アーノルド一流の建設的肯定的な主張に一貫するものであり、また、批評に創造的活動感を味はゝんとする彼本來の態度に合致するものである。

アーノルドに於ては、一切のものは斯くの如く、それぞれ何等か一層高き目的に資するにあらざれば、それは畢竟遊戯に終らざるを得ない。さすれば、批評も創作も、その究極に於ては更に一層高き目的に奉仕するものでなければならない。而して、一切のものの價値は、それぞれこれこれに對する關係によりて定まるわけである。これは果して如何なるものであらうか。

第六章　完全の觀念

アーノルドは「現代に於ける批評の任務」の最後に近き一節に於て批評家の義務を說いて次の如く言つて居る。——

There is so much inviting us ! ——what are we to take ? what will nourish us in growth towards perfection ? That is the question which, with the immense field of life and of literature lying before him, the critic has to answer ; for himself first, and afterwards for others. (*E. C. I.* p. 40).

「われわれの心をひくものは非常に多い。われ〳〵はその何れを取るべきであるか。完全に向つての成長に於て、われ〳〵の滋味となるものはその如何なるものであるか。眼前に橫たはれる人生と文藝との廣野を前にして、批評家の答ふべきはこの質問である。先づ彼自身に對し、次いで他人の爲に。」

この考へは、右に擧げた「批評の任務」の中にも繰返され、(*Ibid.* p. 20 ; p. 24) また *Culture and Anarchy* に於ても屢見らるる所のものである。〔註一〕されば、批評は、吾人が "perfection"

に向ふに當り、有力なる指針となり多大の援助となる所にその意義その使命を發揮するのである。

それでは、アーノルドの意味する"perfection"とは如何なるものであらうか。彼が今此處に"perfection"と言へるものは、*Culture and Anarchy* に於て詳説せる所に從へば、「人間性の完成」(true human perfection) の謂であり、人間性の完成とは、吾人が有する一切の能力を、一のために他を犧牲にするが如き事無く、最も圓滿完全に發達せしむる事を言ふ。換言すれば、吾人の精神生活をたえず豐富にし、その能力を萬遍無く伸展せしめ、以て叡智と美との不斷の成長を圖るにある。それは、全人格の充實し調和ある擴大である。而して、かかる「完成」を研究する事、"the study of perfection" (*Cult.* P. XVI)を、アーノルドは"culture"(敎養)と呼ぶ。

それでは、かかる完成は如何にして可能であるか——それは、換言すれば、敎養とは如何なる活動を言ふのであるかといふ事であるが——それは、最も優れたる思想を學び、我が能力を遺憾無く發展させ、以て圓滿なる人格を築き上げようとする努力に外ならない。ところで、一切の人物思想作品等に現はれたる完全の觀念を闡明して人に示し、人をして迷ふこと無く之に據らしむるものは批評ではないか。

卽ち、批評はこの世に於ける最善の思想を知り之を他に傳へる事により文化の段階を高め、敎養は批評の齎せる結果を攝取同化する事によりて自己完成といふ理想の實現に努力するものである。故に、批評も、その究極に於て「完全といふ大目的に奉仕するもの」“Criticism serves the cause of perfection” (E. C. I. p. 24) である。

斯くの如く、批評は、敎養の觀念と結びつく事によりてはじめて人生に於ける重要なる位置を獲得し來ると共に、敎養はまた批評を離れてはその意義を遺憾なく發揮する事を得ざるものとなる。卽ち、批評は、いはば敎養の動力であり、またこれを構成するものと言ふ事が出來る。從つて、敎養を眼中に置かない批評、「完全の研究」といふ事に無關心なる批評は、結局、前後に何等の連絡も無き、その時その時の斷片的なる自己陶醉、卽ち、アーノルドの所謂 “literary dilettantism” に過ぎずして、遂には生命の浪費に終るであらう。

斯くの如くにして、苟も批評の意義を辨へ、批評家の使命を自覺せるの士は、既に述べたるが如く、この世に於て知られ考へられたる最善のものを知り、更にこれを世上に弘布普及させる事によりて、其處に眞實にして淸新なる思想の流を創造し、人をして眞に優秀妥當なるものに留意せしむる事によりて、彼を俗化退步に誘ふ自己滿足に陷る事より救ひ、(E. C. I. p. 20.) 斯くして彼を完全へと導く事を努めなければならない。從つて、批評家が究極の任務とする所は、既に引用した文に見らるるやうに、この吾人の廣大無邊なる人生と文藝との領域に於て、その如何なるものが完全に向つての吾人の生長に對し、眞に滋味となるかを明にする事である。(Ibid. p. 40.)

批評及び批評家の任務を斯くの如く考へたアーノルドは、對象に臨む毎にこの原理を適用する事を忘れなかつた。卽ち、彼は、人または作品を論ずるに當つては、これらに現はれたる最善なるものを發見し闡明せんとした。而して、これら一切のもの、彼の批評の對象となつたものに見らるる最善のものは、常に「完全」に對する熱烈なる愛と、その實現に對する眞摯なる努力とであつた。(註二) 故に、彼の多くの文藝批評は、その取扱の對象となれるものの中に「完全といふ觀念」が如何に現はれて居るかを見んとした試みであつた點に於て、すべて統一されて居るのである。(Cf. E. C. I p. 40.)

而して、對象に現はれたる「完全の觀念」を見るといふ事は、要するに是等の作家なり作品なりが、人生に對し如何程の寄與を爲すかを見んとする事に外ならない。

これがアーノルドの批評の最後の標準である。

而して、ここに至れば、もはや作家

と作品とは分離的に見る事を得ざるものとなるのである。アーノルドのシェリー論は、彼のかかる立場を最もよく示せるものである。(Cf. E. C. II. p. 251.)

アーノルドは斯くの如く、人生のための藝術を鼓吹するのであるが、彼が完全の觀念を批評の標準乃至對象にしたといふ事は、彼が人間の外部にあるものを持ち來つたのではなく、むしろ人間の内部にあるものを明るみに出し、これによりて一切を照らさんとした事である。何となれば、人間の一切の活動は、自己保存と自己擴張の本能より發するもの、これによりてはじめて文化の存在も見られるのであるから、これを否定し之に叛くものは自己破壞的ならざるを得ない。この點、に關する彼の意見は *Mixed Essays* の序 (Cf. *op. cit.* VII, IX.) にも見られ、*Culture and Anarchy* の根本思想と相照應し、また『アメリカ講演集』の思想にも合致するのである。(Cf. *Am.* pp. 106—107.)

アーノルドに取りては、斯くの如く、人生の理想は、人間性の完成といふことであつた。從つて、若し、人生究極の目的とする所がかかる「完全の觀念」の實現にありとすれば、眞に價値ある文藝、卽ち本質的文藝は自らかかる理想を必要とし、その實現に貢獻するが如きものでなくてはならない。それは、換言すれば、「如何にして生くべきか」の問題解釋の暗示指針を含んで居なくてはならないといふ事になる。何となれば「如何にして生くべきか」の問題とは、畢竟、如何にして完全の觀念を實現すべきかといふ事に外ならないからである。然しながら、斯くいふ事は、文藝が最高の意味に於て倫理的でなければならないといふ事を主張するに止り、決してそれが通俗的に所謂教訓的勸善懲惡的でなければならないと主張するのではない。即ち、文藝に於ける最高の倫理性とは、畢竟、作家其人の平素からの人生に對する態度の眞摯嚴肅さの現はれを指す事に外ならぬ。彼の人生に對する態度が眞劍であるならば、彼が何處に如何なる題材を求めようと、その作品は常に倫理的である。若し、これに反し、作家が殊更に他を指導しよう、理想に向つて進ましめようとするが如き明白なる意識露骨なる態度の下に筆を執るならば、それは創作の動機が既に藝術以外のものであるから不純といふの外無く、從つて其處に用ゐられて居る形式は教訓或は說教のための一時的方便に過ぎないから、それは文藝作品としての存在事由を失ふ事になる。狹義の倫理的文藝とは斯くの如きものであつて、その一部を成せる教訓詩(didactic poetry)が異分子として、純粹なる詩歌の領域より常に排斥せらるる理由は實に此處に在る。

アーノルドが詩を「人生の批評」と定義する事によりて屡蒙つた批難の一も亦實に彼が一部の批評家から、かかる狹義の倫理的詩歌卽ち敎訓詩の類を主張するもののの如く誤解された事に起因する。然しながら、アーノルドがこの言葉によりて意味した所の、從つて彼が尊重した所の詩は、決してかかる狹義の倫理的詩歌では無く、廣義かつ最高の意味に於ける倫理性を有するものであつた事は、彼がかかる詩の模範として引用せる詩章によりて、十分、明である。(Cf. *E. C.* II. pp. 141—143.) 卽ち、彼の意味する眞面目なる詩は、人生の最高目的、生活の根本問題に對する深き關心、換言すれば、詩人の眞摯なる人生觀の表現でなくてはならないといふ事である。而して、アーノルドにとりては、「完全といふ觀念」が常に生活の中心となり理想となつて居たから、彼の求むるが如き作品、價値ありとして推賞するが如き作品は、かかる人生觀を何等かの形式で表現し、究極の理想實現に寄與するものでなくてはならないのである。

「註I」 Cf. The whole scope of the essay is to recommend culture as the great help out of our great difficulties; culture being a pursuit of our total perfection by means of getting to know, on all the matters which most concern us, the best which has been thought and said in the world, and, through this knowledge, turning a stream of fresh and free thought upon our stock notions and habits. *Culture and Anarchy*, VIII.

Culture, which is the study of perfection, leads us……to conceive of true human perfection as a *harmonious* perfection, developing all sides of our humanity; and as a *general* perfection, developing all parts of our society. *Ib.* VXI.

〔註二〕 Cf. "Maurice de Guerin" (*E. C.* I. p. 103, p. 114.)
"Joubert" (*E. C.* I. p. 267, p. 281.)

第三篇　クラシシズム

第一章　秩序の原理

以上述べたるが如く、アーノルドが人生究極の理想と考へたものは、「人間性の眞の完全」「人間のあらゆる方面を發達させる、調和ある完全」“a harmonious perfection, developing all sides of our humanity”「一切の能力の調和ある伸展」“a harmonious expansion of all the powers”を獲得するといふ事であり、從つて、吾人をしてかかる境地に到達せしむるに與つて力あるものの程、人生に於て意義あるものとなつて來るのである。

而して、これは個人に於ける生活の理想なのであるが、この全體に亘つての圓滿なる發達といふ事は、一般社會生活に於ても亦理想とさるべきもので、卽ち、人と人との關係にありては自己のために他人を犧牲にするが如き事無きと共に、社會の各部門に於てはそれを萬遍無く圓滿に發達せしむる事、これが眞の敎養の到達せんとする理想である。

斯くの如くにして、各部門の圓滿なる發達といふ事は、アーノルドにとりては、人生のあらゆる營みの根本的指導原理として、一切がそれにより支配され統一され、また生氣を附與(animate)さるべきものなのであつた。

而して、個人に於ては一切の能力、社會に於ては一切の部門が過不足無く、また一方に偏する事無く發達して、而も相互に圓滿なる關係を保つて行くといふが如き狀態は、一言で蔽へば、アーノルドが、“harmonious”といふ語で表して居るやうに、一切が調和《ハアモニイ》の狀態にある事である。換言すれば、一切が秩序の法則に支配され、從つて相互の間に平衡均齊が保たれて居る事である。

ゆゑに、アーノルドにとりては、如何なるものも、それが完全に秩序を保てる狀態“in perfect order”にある事が、理想的狀態にある事だと言ふ事が出來る。但し、全能力、各部門は、同時に同程度の發達伸展を爲し得るものではない。一が他に先んじて進出したために調和狀態が一時破れる事がある。然し、眞に敎養の意義を自覺し、人生究極の目的を瞬時も見失はざるものは、かかる時直に心内に均衡を回復せんとする。かの求知心が、たえず新知識を求めてやまないのも、實は、心内のかかる均衡回復のためであり、また同時に、これを破つて、新らしき、一層高められたる狀態に於て、これを回復せんとする本能的努力だとも言へる。アーノルドの次の言葉は、這般の、理を語れるものと見てよからう。——

The very desire to see things as they are implies a balance and regulation of mind. (*Cult.* p. 7.)

故に、一つの能力或は部門の單獨なる進出のために、たとひ一時的には均衡狀態の破れる事があつても、それは他の能力部門の努力により直に回復される。かくて、新に生じたる均衡狀態は、以前のそれに比すれば一層高き階段に在るべきものなのであるが、前者と後者とは「完全の觀念」といふ中心思想により貫かれ統一されて居なくてはならない。かくてこそ、たとひ其處には一見各能力の自由なる發達伸展が見られようとも、一切は常にその中心に於て互に連絡され統一されて居る事となるのである。この統一ある生活——而もそれは、淸新なる觀念の不斷の追求によりて決して停滯に陷つたり不活潑に墮したりする事なく、自己生活の擴大と充實とに努むる事によりて人間性の完成にと漸次向上して行く生活——かかるものこそ、アーノルドの意味せる「敎養」である。

されば、一切の活動は、常に其處に生活の中心を意識し自覺する事によりて、たえず統制を保ち、精力の放散に流るるが如き事無く、また、その中軸たるものに養分と刺戟とを不斷に供給し、かくて我等の生活の成長發展を見得るのである。從つて、たとひ驚歎すべきものであつても、單に局部的な發達を遂げたるものは知的不具者に過ぎないのであり、また、この中心生活を忘れ或は輕んずるものは、人生の理想を自覺せざるものである。

アーノルドは『隨筆雜纂』の序文の最後の所で、George Sand《ジヨルジユ・サンド》の語を引用し、

The ideal life is, in sober and practical truth, 'none other than man's normal life.' (*Mixed.* x.)

と言つて居るが、此處にサンドの、從つてアーノルドの意味せる "normal life" とは、決して平々凡々の生活といふ意味ではなく、知的に圓滿なる生活、圓滿なる知的發達を遂げたる生活、つまりゲーテの所謂「全一に生きる」事の謂である。

而して、若しかかる「知的圓滿」"intellectual completeness" といふ事が人生の理想であり、その根底にありて一切を指導し生氣を與ふるものは、既に述べたるが如く秩序乃至均齊の原理なりとせば、われらの生活の表現たる文藝の理想的なるものも

亦かかる原理に基づきて構成されたるものでなくてはならない。 即ち、かかる秩序均齊の精神をよく體現せるもの程、優れたる文藝だと言へよう。 アーノルドが『ケルト文學研究』の中で、〔註〕

Balance, measure, and patience, these are the eternal conditions, even supposing the happiest temperament to start with, of high success. (*Celt.* p. 82).

と言へるは、這般の理を説明せるものと言へよう。

而して、凡そ優秀なる文藝を構成する多くの要素或は條件の一又はそれ以上を具備せる作品は、決して少くないのであるが、唯、これらの要素や條件を最も多く兼備し、更にその上に、一切を支配する原理として秩序感節度感 "sense of measure" を有するもののみが、眞に最高級の文藝と言はれるのである。 例へば、秀拔なる思想、巧妙なる部分的技巧等ならば、英吉利の文學藝術にもその例必らずしも乏しくないが、而も「滿足的な愉快な效果を以てそれらを結合する深遠なる均齊」 "that high symmetry which, with satisfying and delightful effect, combines them" (*Am.* p. 133) に至りては、英國民の殆ど所有せざるものであり、また、鋭敏なる感受性および溫い情緒を有する點に於て、ケルト人は希臘人に劣らないのであるが、而もこれら最も精妙なる感性と情緒とに完全なる表現を與へ得ざるは、ケルト人には希臘人の有つて居たやうな「節度の觀念」"sense of measure" (*Celt.* p. 82) が無かつたがためである。

故に、優れたる希臘の文藝と然らざるものとの最も顯著なる相違點は、この「節度の觀念」の有無または程度であると言つてよい。この事はまた、凡そ最善最高の文藝たるためには、節度均齊といふ特性を缺いではならないといふ事である。次に引くアーノルドの言葉は、此點を最も力強く說けるものである。――

Of an ideal genius one does not want the elements, any of them, to be in a state of weakness; on the contrary, one wants all of them to be in the highest state of power; but with a law of measure, of harmony, presiding over the whole. (*Celt.* p. 85).

故に、最高の文藝、卽ち理想的或は完全なる文藝とは、各部分が最大限度迄その能力を發揮して居り、而もそれが調和の法則、節度の觀念により支配されて居るが如きものである。かくて、アーノルドは「詩人及び藝術家に最も理想的なる性質」"the ideal nature for the poet and artist" の代表者としてラファエルを推すのであるが (E. C. II. p. 179) 此畫家の藝術はかかる理想的な調和均齊を具現せるものと言へる。要するに、アーノルドの最も高く評價し、理想的なものとして推賞する美は、一切のものが合一融和して、優れたる全一的效果 "a supreme total effect" を生ずるが如きものでなくてはならないのであるが、かかる理想美の本質的要素は實に「均齊」に他ならぬ。"Beauty, where of this symmetry is an essential element"――(*Arn.* P. 134).

而して、均齊は、平衡、調和、從つて「秩序」の謂であり、この點に於て希臘の文藝は他の文藝に勝つて居るのであるから、希臘文藝の特性は「秩、序」にありと言へる。故に、また、所謂クラシカルなるものの顯著なる特性は「秩序」であるとも言へるのである。

然し、今迄アーノルドの說き來つた所は、在來の批評家たちが往々然るが如く、恰も古典的なるものの特性をば單に形式の上に現はれたる調和均齊のみに止るかの如く說けるかの觀を與へるかも知れない。然しながら、彼の眞意は、決して單に表現の手法、形式の構成等にのみ限つてこの秩序均齊を說けるのではなく、同樣に或はそれ以上に、質の上に於ける調和均齊といふ事を極力尊重しまた主張し來れる事は、既に千八百五十三年の詩集序文以來、何れの批評に見ても明な所である。何となれば、彼が表現の明確透徹と共に其處に併せ說ける內容の健全性《サニテイ》といふ事は、畢竟、心的能力が調和狀態に在る事、完全に秩序を保てる事に外ならないからである。それは、換言すれば、ある種のもののみ特に過激優勢になるが如き事無く、一切が萬遍無く發達して整調自然の狀態に在る事、卽ち圓滿に統一されたる狀態に在る事である。故に、それは明に健全な狀態である。

されば、反對に、若し生活の中心が一切の能力の把持統一の力を弛め、ために一要素が全體の釣合を破るやうな事があれば、その質、その形は、不健全、病的と言へる。かの"eccentric"といふ語程、這般微妙の消息をよく表現せるものはない。Capricious, fantastic, abnormal, extravagant 等の語を以て表さるるものは、何れも生活がその中心を失ふ時に生ずる一種病的な狀態である。

ロマンティシズムの特性を論ずる人々が好んで屢引用するベイコンの言葉に次のやうなのがある。――

There is no excellent beauty that hath not some strangeness in the proportion. (Bacon: *Of Beauty*).

これは、クラシカルとロマンティックとの特性を實に巧妙に言ひ表したものである。何となれば、"strangeness in the proportion"とは、均齊が外れ調和のみだれた事を言つたのであるが、これは中心點が少し横に移動した事、或る一部分が他の部分を凌駕せる事を表すものである。故に、若し完全なる平衡狀態にあるものが、既に述べた如くクラシカルならば、それは調和の美であり、この狀態の亂れたるものはクラシカル以外のものならざるを得ない。調和の外れたる美である。而して、かかる均衡の外れたるものを我等はロマンティックと呼んで居るのである。

斯くの如く、眞にクラシカルなものは、その內質に於ても、外形に於ても、常に秩序の原理によりて一貫され統制されて居る。故に、內質に就いて見れば、自然《ナチユラル》、健全、常態的であり、形式の上より言へば、よく均衡が取れて整然たる風格を具へて居る。一言で言へば、そこには結構《アーキテクトニックス》美がある。

クラシシズムとロマンティシズムとの區別は、この秩序の原理に對する兩者の態度によりて簡明に說明する事が出來る。卽ち、クラシシズムはこの原理に何處迄も固執し、これを重んずる所にその特性を有せるに對し、ロマンティシズムは此原理に機會ある每に背きこれより離れんとする所にその特色を發揮する。故に、前者は求心的なるに反し、後者は遠心的だとも言へる。而して、この中心より離れんとする傾向は、想像、感情等の旺盛なるものに見らるる特色であり、一切を中心に結びつけこれによりて統制せんとする傾向は理性强きものに見らるる特性である。從つて、ロマンティシズムと、クラシシズムとの對立は、感情(または想像)と理性との對立とも言へるのである。而して、この中心に從ふと否と、この二つの態度より形式内質上の諸の特徴も生ずるわけである。例へば、クラシシズムは、求心的なる故、自ら、その形に於ては統一性、純一性、全體性等の特性を、その質に於ては健全性、自然性等の特性を帶び來るに反し、ロマンティシズムに於ては、その形は統一を缺きて部分の放恣に流れ易く、法外、過激、不自然等の特性はその質その形兩方面に於ても亦見られるのである。アーノルドがロマンスを排撃しロマンティシズムの文藝を嫌惡する理由も亦實に此點に存するのである。これ彼が千八百五十三年版詩集の序に於て、ロマンティシズムの弊害に對する匡正劑として、古典の有する長所美點を大に賞揚かつ推薦したる所以である。

〔註〕『ケルト文學研究』よりの引用文に見ゆる "patience" の意を明にするものは同書八十三頁に見出ださるる次の一節である。

The true **art**, the *architectonicé* which shapes greatness, such as the *Agamemnon* or the *Divine Comedy*, comes only after a steady, deep-searching survey, a firm conception of the facts of human life, which the Celtic has not patience for.

第二章　「中心性」と「地方性」

ロマンティシズムとクラシシズムとを區別する「秩序の原理」は、聽てまた、アーノルドが説ける、思想並に文體の上の「中心性」(centrality)と「地方性」(provinciality)との對立を説明することになる。(Cf. *E. C.* I. pp. 65―66.)

アーノルドは、サント＝ブーヴの所謂「意見の最高機關」(*ibid.* p. 46.)ルナンの所謂「趣味問題の權威」(*ibid.*)たる翰林院の如き知的中心地を想定した。これは「この世に於て知られ考へられたる最善のもの」の集合點、卽ち、あらゆる方面に於ける古典の集合點である。故に、人々が此處に達したる後に完成する知的作品は、最善至高換言すれば古典的である。

また假に、一の纏まれる作品として、卽ち全體としては古典的と言ひ難いものでも、作者がこの「高壇」(platform)に到達せる瞬間に成されたるものは、その部分だけ古典的であり、從つて不朽な生命を獲得するのである。但し、眞に古典的なるもの、全體として不朽の生命を有するが如きものは、常にこの高壇上に生活せるが如き作者によりてのみ作られるものである。而して、不斷にかかる壇上に生活する事は如何にして可能であるかといふに、それは敎養の働による。それは、一層具體的に言へば、我等に關係するあらゆる問題に關して「此世に於て考へられ知られたる最善のもの」を知らうとする努力に他ならない。(Cult. viii.)

これに反し、如何に優れたる知能を有する人と雖も、若し全然孤立的立場に在る時、敎養に留意せざらんか、彼は身邊に自己を批評すべき「意見の最高機關」を有せざるが故に、彼の知識、判斷、趣味、文體等を、常に正確、健全、確實に保つといふ事は到底不可能であらう。卽ち、此處に「地方的精神」(provincial spirit)の發生を見るのである。かくて、中心より遠ざかり住める人は、その思想生活に於て、自分の訴ふべき、一層高き標準を有せざるため、己の思想の價値を誇張するの弊に陷り易く、また他の觀念を無視して一の觀念を過重するが如き過をも犯し易い。つまり、事物の重要性の輕重を見誤り、順序を無視したりするやうになりがちである。否な、加之、事物の批判觀察に際しても、動もすれば空想に驅られて之を如實に見る事を得ず、また好惡を示すに當りても節度を失し過激に走り易い。文學に於ける爆發的攻擊的な物言振(eruptive, aggressive, manner)は皆、この節度を失ふ所に自ら發する缺點なのである。而して、またかかるものは「廣大にして中心に位する知性の明澄さ」"the lucidity of large and centrally placed intelligence" を有せざるが故に高雅の趣 (graciousness) 無く、説を爲すにしても他人を到底説服する能はず、唯戰ふのみである。つまり、都雅な所(urbanity) 都會的な中心的な調子氣品 (the tone of city, of the centre) が無い。而して、この中心的な調子は常に知的精神的な效果を狙ふのであるが、それに反し、地方的な調子は、唯煽動的效果 (an effect upon the blood and senses) を狙ふが故に、動もすれば、斑氣(freak)狂暴(violence)を伴ふ。かかるものは相手を説得せんとはせずして、唯、攻撃せんと努めるのである。すべてかかる狂暴過激なる調子が「地方的調子」(provincia note or note of provinciality) と呼ばるるものである。

中心より遠いといふことは、無知または非文明の狀態を表すものである。從つて、地方性とは、思想的にいへば陳腐平凡不正確を意味し、風格の上から見れば節度を失ひ雅致無きものの義となる。而して、これらの弊害缺點は何れも、人々が、標準となすべき知的中心より遠く住めるために生ずるものである。されば、要するに、中心を有せず、或はこれより遠きに在るものの程、かかる「地方的調子」を多く帶びざるを得なくなるのである。

The loss a literature has felt the influence of a supposed centre of correct information, correct judgment, correct taste, the more we shall find in it this note of provinciality. (*E. C.* I. p. 61).

斯くの如く「地方的精神」とか「地方的根性」(provincialism)とか呼ばるるものは、すべて知的生活の中心より遠ざかり、或はこれを見失ふ所に生ずる一種の知的疾患である。而して、中心の觀念を輕んじ或は見失ふといふ事は、全體全一の觀念を失ひて部分を過重する事に外ならない。而して、全體の觀念を見失ひて部分偏重に陷るといふ事は、地方的觀念が中心的觀念を凌駕し克服する事であるから、均衡の精神の敗北、秩序の原理の崩壞を意味する事になる。かくて、其處に生ずるものは、自ら、奇矯、過激、粗野、亂雜等、すべて無政府狀態ならざるを得ない。

これに反し、都雅性、中心性の特性は、思想的に言へば、中正にして穩健、而もたえず清新にして眞實なる觀念の吸收同化に努むるが故に、毫も陳腐に墮したり生氣を失ふが如き事無く、また常に、全體に着目せるが故に、一局部偏重に陷るが如き事も無く、よく平衡を保つて居り、趣味の點より言へば、正雅にして包括的、更にその文體風格の上に見れば、毫も過激に走る事無く、よく節度の感を失はない。

以上述ぶる所にて明なるが如く、地方性は、中心より遠ざかり、全體といふ觀念を忘れ、全體よりも部分を溺愛せんとする點に於て、ロマンティシズムの根本精神と相通ずるもの、否な、同一のものといふことが出來よう。故に、ロマンティシズムとは、文藝に於けるプロギンシァリズムの事だとも言へるであらう。而して、また、ロマンティシズムの弊がクラシシズムによりて匡正されるが如く、地方性は、都雅性、知的中心の認識と接觸とによりて匡正さるる事が可能であらう。而して、それは、結局、此世に於て知られ考へられた最善の事を知る事、卽ち「教養」または批評的精神によるといふ事に他ならない。(Cf. *Literature and Dogma*, XIX.)

斯くの如くにして、アーノルドに於ては、彼の思想生活の中心を成せる「教養」の觀念よりして、彼の支持し主張する文藝は自らクラシシズムのそれならざるを得ないのである。

それでは、我等の生活を高め或は統一すべき、かかる觀念と趣味との中心は如何にして出來たのであるか。この中心は、旣に說いたやうに、古典の集合點なのであるが、抑も、かかる古典なるものは如何にして生じたのであるか。それは、換言すれば、最善なるものが何故に斯くも歲月の久しきに亘りて生命を保てるかといふことであるが、アーノルドはこれを如何に解釋して居るか。彼は、これを、人間性の奥に潜む自己保存の本能によるものとして居るのである。

〔註〕アーノルドが此處に用ゐて居る "urbanity" とか "provinciality" とかいふ言葉は、明にサント=ブーヴから彼が學んだものである。即ち "urbanity" の方は、"Madame de Caylus et de ce qu'on appelle urbanité" (Lundi 28 octobre 1850)と題する文章から、"provinciality" の方は "Histoire de l'Académie Française par Pellisson et d'Olivet" (*Causeries du Lundi*, 14, p. 197) から來て居る。

第三章　自己保存の本能

アーノルドは「文學の近代的要素」(一八五七)の中で「むかしプルタークは Menander《ミナンダー》と Aistophanes《アリストファニーズ》とを比較し、アリストファニーズの粗野猥雜なるに對し、ミナンダーが人生描寫の如何に眞實にまたその觀察如何に非凡なるかを說き、今日洗煉された る趣味の士にして劇場に入るは、唯、一ミナンダーを見んがためならずやと激賞し、後世某英人は、"O Life and Menander, which of you painted the other"と迄讚嘆したものである。然るに、このミナンダーは滅び、アリストファニーズは今尚生命を保てるは如何なる理由に基づくかと自ら問ひ、「それは人間性に在る自己保存の本能"the instinct of self-preservation in humanity"によると答へ、更にこれを說明し、

The human race has the strongest, the most invincible tendency to *live*, to *develop* itself. It retains, it clings to what fosters its life, what favours its development, to the literature which exhibits it in its vigour; it rejects, it abandons what does not foster its development, the literature which exhibits it arrested and decayed. (*E.* p. 465).

と言つて居る。即ち、人は、はじめの間こそ色々のものを手當り次第に讀んで居るけれども、究極に於ては、自己の發達と保存とに資する所あるもののみに執し、之を保持せんとするに至るものである。故に、世界の文學も、結局はこの一大本能によつて篩にかけられ、人生に益するもののみが殘るやうになるのだと言ひ得るのである。この見方は、後に至つても依然としてアーノルドの固守せるもの、「詩の研究」(一八七九)の最後の所でも、

「優れたる文學は、たとひ一時流行を失ふ事があらうとも、ひとりその愛讀を續けるだけの價値あるのみならず、決して世人に全く讀まれなくなるなどといふ事は無く、またその優越性を失ふ事も無いものである。何となれば、かかる優秀なる文學に對しては、流通性と優越性とが保證されて居るからである。而して、この保證たるや、決して熟慮的意識的な選擇に基づくものにあらずして、それよりも一層深きもの、即ち、人間性に在る自己保存の本能によるものである。」(E. C. II. p. 55).

と斷じて居る。

我等の實際生活に於ける自己保存の本能の意義役目に關しては、『アメリカ講

演集』の「文學と科學」の中でも說明して居るが、自己保存の本能の中には、「善なるものを不斷我等の眼前に存せしめたい」といふ欲求が含まれて居るので、一時的皮相的なる嗜好變遷の後に、人々の選擇の眼が落ちるのは、結局、何等かの意味に於て人生の向上充實に役立つ所のもののみである。而して、かかるものが、藝術的條件に最もよく叶へる表現を與へられる時、古典となつて殘るのである。

さて、一つの作品をしてクラシカルな風格を帶ばしむるものは、單にその形式のみならず、その内質の上にも、秩序の原理が隈無く支配する事である。それでは、自己保存の本能と秩序の原理との關係は如何であるか。

一體自己保存の本能は、決して單なる生命執着本能ではなく、寧ろ却つて自己の放恣なる欲望に對する抑制である場合が多いのではあるまいか。危險に近寄るまいとする心、不意に危險に逢着する時本能的に「退縮」(recoil)する心と共に、一面にはまた、自らの行動に節度を越えないやうにする傾向も亦、この中には含まれて居るのではあるまいか。即ち、かかる場合の抑制には、節度の觀念《センス》から發せるものが見られないであらうか。

アーノルドは、「翰林院の文學的影響」と題する文章の中に Cicero《シセロ》を引用して、

Man alone of living creatures, he says, goes feeling after "*quid sit ordo, quid sit* quod deceat, *in factis dictisque qui* modus——the discovery of an order, a law of *good taste*, a *measure* for his words and actions." Other creatures submissively follow the law of their nature; man alone has an impulse leading him to set up some other law to control the bent of his nature. (*E. C.* I. pp. 47—8).

と言つて居るが、彼が秩序節度を斯くも重視するのは、この引用文の前後にも明なやうに、それが吾人の圓滿なる發達に重要なる意義を有する事を知れるが故である。 即ち、かかる秩序節度は、それを課する事により、我等の行爲を高め、以て「完全」に一層接近せしむる所にはじめて意義があるのである。 而も、これを求むるの念は、人間には本來備はつて居るものである事、シセロの言葉の示す通りである。

斯く考へ來れば、節度秩序の意識と自己保存の本能とは全然別物ではなく、むしろ、後者の中に前者が含まれて居ると解して差支無いのではあるまいか。 若し強ひて區別するならば、自己保存の本能は、本能なるが故に盲目的であるが、節度の意《セン》識《ス》の方は自覺的なものとも言へよう。 或はまた、秩序節度といふ狀態は、生命に關する限りに於ては、自己保存の本能が實現されたる一形式だとも言へよう。

かくて、古典をしてクラシカルなるものたらしむるものは、これを支配し統一するところの秩序の原理、節度の觀念だといふ考へは、益〻強く裏書きされる事になるのである。

ポォとボォドレェル

——比較文學史的研究——

島田謹二

目次

緒言

合衆國文學と佛蘭西文學との交渉が、十八世紀末以來多少意識的に行はれ、特に十九世紀に入つて更にその關係を緊密にし、二十世紀に及んで益々濃厚な聯關を持つやうになつて來たことは、史家の指摘するまでもなく、人のみなすでに知るところであるが、此兩文學の接觸點を考へてみると、それは多く佛蘭西文學が合衆國文學に影響を及ぼしたところに見出されるであらう。そのうちでも特に顯著なのは、十九世紀末期に悦ばれた佛蘭西小說の寫實主義といひ、二十世紀初頭に流入せる佛蘭西詩歌の象徵主義といひ、――全世界を風靡せる近代文學的精神と手法とがそれであつた。思ふにこれは當然な現象で、此二國の文學的高度と密度との差異はおのづと先進文學を典範と仰ぐ新進文學をしてその影響を受けずには居られなくさせたのである。少くとも此二國のみに視界を限るとき、合衆國文學が佛蘭西文學に影響を及ぼしたといふやうな實例は、極めて稀にしか見出されない。しかもその實例も、世界文學史上の大事件として學者の注目を惹くに値するものは、自由詩型に對する一ホイットマン(Walt Whitman)のそれを除いては、殆んど摘出に苦しむ位なのである。然るに、此一般的事實に對する唯一の顯著な例外が十九世紀の中葉に突發した。卽ち、合衆國の文學者エドガア・ポウ(Edgar Poe)が佛蘭西詩壇の鬼才シャルル・ボオドレェル(Charles Baudelaire)に「發見」され、無比の渴仰と禮讚とをえて、つひにその國語に移植され、此讃美者の筆を通じて佛蘭西文壇(後、更にこれを通じて全世界の文壇)に紹介されるとともに、此紹介者を媒體として、その新藝術とその新審美論とが全歐の文運に大變動を與へた事實を指すのである。

では、此兩者は如何にして接觸したか――その精細な史實をたづね、またいかに反應したか――その譯業と評論とを透《すか》してボオドレェルのポウ解釋の適否を明らかにし、更にまたいかに影響しあつたか――ポウの痕跡をボオドレェル集の中に尋ねるとともに、逆にポウがボオドレェルのために歪曲されて傳播した徑路を探つてゆくこと、――かくの如き作業は、言葉を異にする二國文學間の關係を取扱ふ「比較文學史」(Littérature comparée; Comparative Literature)の領域に於て最も興味ある問題の一つに屬する。ところで「比較文學史」そのものの成立が極めて近年のことであるから(今日、學者は多く斯學の成立を、ジョゼフ・テクスト(Joseph Texte)の著書『ヂャン・ヂャック・ルッソオと第十八世紀に於ける文學的世界主義の始源』(Jean-Jacques Rousseau et les origines du cosmopolitisme littéraire au XVIIIe siècle. Paris, Hachette)の公けにされた千八百九十五年に置く)(尙、斯學の歴史に就ては、近く出づべき余の小論「比較文學史の成立と發展」を參照されたし)、かかる問題を取扱つた專攻のモノグラフも未ださのみ多いとはいへぬ。實はボォドレェル自身彼「みづからのポゥの飜譯史」『赤裸の心』(Mon coeur mis à nu)四七參照)を書く意志があつたのであるが、その生前にはつひにその意圖を實現することが出來なかつた。つづいてその世紀の末葉には合衆國に於て多數のポゥ研究書が、同時に佛蘭西に於てはボォドレェル研究書が、續出したのであるが、此兩者の關係は未だ精細には究められなかつた。新らしい世紀が開かれるとともに、はじめてポゥとボォドレェルとの關係は、精緻な學術的對象となりかけて來たのである。即ち、テクストと並んで比較文學史研究の草《くさ》分《わけ》たるルイ・ポォル・ベッツ(Louis-Paul Betz)が始めてこれに先鞭(Edgar Poe in der Französischen Literatur. "*Studien zur vergleichenden Literaturgeschichte.* Frankfurt a. M., 1902)をつけ、翌年アァサァ・パタソン(Arthur Patterson)がグルノォブル大學の學位論文に兩者の影響を辿り(L'Influence d'Edgar Poe sur Charles Baudelaire, Grenoble, 1903)、つづいてフロリス・ドラットル(Floris Delattre)がえらく當時世評を呼んだフェルナン・バルダンスペルジェ(Fernand Baldensperger)の比較文學史的ゲエテ研究に倣《なら》つたと信ぜられる『佛蘭西に於けるエドガァ・ポゥ』(Edgar Poe en France)と題する單行書の中に特に象徴詩派との關係を究めようとして、その豫告を出したまま(一九〇五—一九〇八)つひに果さず、また大戰前の英吉利文壇ではアァサァ・ランサム(Arthur Ransome)の『エドガァ・ポゥ』(一九一〇)がはじめてボォドレェルとの關係に注目し、つづいてタアケット・ミルズ(Turquet-Milnes)夫人が『ボォドレェルの影響』(The Influence of Baudelaire)(一九一三)のうちに、これを多少精細にした程度で、未だ大なる收穫をともに收めえぬうち、大戰を迎へるに及んで一時斯學も頓座したが、戰後ルイ・セイラァズ(Louis Seylaz)出でてロオザンヌ大學の學位論文(Edgar Poe et les premiers Symbolistes français, 1923 中にはじめて諸文獻を博捜し、兩者の關係に大體の方向をつけ、キャミイユ・モォクレェル(Camille Mauclair)(Le Génie d'Edgar Poe, Paris, 1926)、レオン・ルモンニエ(Léon Lemonnier)(Edgar Poe et la Critique française de 1845 à 1875; Les Traducteurs d'Edgar Poe en France de 1845 à 1875: Charles Baudelaire, 1928; Edgar Poe et les Poètes français, Paris, 1932)、これについで、益〻討究精査をつづけた。特にルモンニエの斯學に於ける功績は極めて著しいものがあつたといつてよい。此機運に乘じて合衆國から出たシイ・キャン・ビエェル(C.Cambiaire)の單行研究書(The Influence of Edgar Allan Poe in France, N. Y., 1927)は、單に資料を略註したもので、その推論、その斷案、ともに未だ「研究」の名を以て許し難いが、文學的理解の點に於ては遙かに高度なエス・エイ・ロオヅ(S. A. Rhodes)の『ボォドレェルに於ける崇美敎』(The Cult of Beauty in Baudelaire, 1929)にさへ、ポゥとの關係はあまり觸れてゐないことを考へ合はせると、容易に輕視し得ないことが明らかだと思ふ。 更に今世紀も三十年來に入つてより、資料の點ではイイヴ・ヂェラァル・ル・ダンテック(Yves-Gerard Le Dantec)とヂャック・クレペェJacques (Crépet)とのそれぞれ編纂校訂したN・R・F版とコナァル版との『ボォドレェル全集』中「エドガァ・ポゥ篇」(Traductions d'Edgar Poe: Documents, variantes, bibliographies, 1931; Traductions d'Edgar Poe: Notice, notes et éclaircissements, 1932, 1933, 1934)が現はれて根柢を明らかにするとともに、アンドレ・フェルラン(André Ferrand)の『ボォドレェルの美學』(Paris, 1933)が、彼に及べるポゥの影響を追尋し、人に肯かしめる立論を述べた。 これ等のおびただしき諸先蹤の業績に接するものは、兩者の關係がすでに動かすべからざる斷案を得たやうに考へるかもしれない。 然しながら、その細部に亘つて追究してみると、時に十分われ等を納得せしめえないものが見出される。 殊に合衆國派の人人、パタソン、キャンビエェル等のものにその難の多いことは先人もすでに指摘せるとほりであるが、佛蘭西派に於てもいはば斯學の權威たるルモンニエのものなどにも、時にわれ等を首肯せしめがたいものが散見する。　即ち、此問題は、われ等自身がこれを考察の對象とするとき、いかなる結論を與へられるか――余はさうした要求の上に立つて、敍上の諸先學の研究をたえず參照しつつ、出來るだけ原典、そのものを追尋し、自ら考量し、自ら判斷することによつて、ポォとボォドレェルとの關係を究めんことを志した。　以下四章に亘つて略述するものはその作業の報告概要である。　究めんとして深く探り入れず、語らんとして言葉足らなかつた點の多いのは顧みて自ら恥づるところである。　ただ此報告によつて現代の比較文學史的研究の成果の一面を傳へ、且つポォとボォドレェルとに關する實相の瞭視に些かなりとも寄與するところあらば、余のよろこびはこれに過ぎるものがないであらう。（昭和十年三月末日）

第一章　ポゥとボォドレェルとの接觸

シャルル・ボォドレェルがエドガァ・ポゥの作品を識るに至つた徑路は、千八百五十八年(日時不明)アルマン・フレッス(Armand Fraisse)あての手紙の中に、たくみに要約されてゐる。「千八百四十六年か四十七年かに、僕はエドガァ・ポゥのいくつかの斷章を知りました。僕は異常な感動を覺えました。彼の全作品は彼の死後にはじめて一つの版本《エディシオン》に集められたので、エドガァ・ポゥの編輯した雜誌のコレクションを借用するため、僕はわざわざ巴里在住の亞米利加人と關係を結んだ位です。その時、僕は、(よいですか、)僕がかねて漠然とよく秩序もつけずに考へてゐたことを、すでにポゥがたくみに結合して完璧な作品とすることの出來てゐた、詩と物語とを見出したのです」(『書簡集』一七六頁)。此一通の書簡の記事を敷衍すると、ポゥがボォドレェルに「發見」され、熱愛され、吸收・同化されて行つた徑路が明らかとなり、兩者の接觸史を究めんとする本章の任務が果されると思ふ。

ここに於てわれらのまづ問ふべきは、ポゥが何時《いつ》佛蘭西に紹介されたか、ボォドレェルはその何によつてポゥを知つたかといふ史實に關する問題である。比較文學史の發達につれて、今日、此問題はかなり精細に探求され、殆んど究めつくされたかの觀がある。今、ルイ・セイラァズ、セレスタン・ピェエル・キャンビエェル、レオン・ルモンニエ諸家の調査の結果を綜合してみると、左記のごとき事實を確認しうるのである。

ポゥの物語がはじめて佛蘭西の文壇に紹介されたのは、千八百四十五年夏、「ル・マガザン・ピトレスク」(Le Magasin Pittoresque)に「盜まれた手紙」(The Purloined Letter)の飜案が現はれた時からで、此時は作者も飜案者もともにその名を示してゐなかつたが、同年十一月、「ラ・ルギウ・ブリタニック」(La Revue Britannique)に「黄金蟲」(The Gold-Bug)の佛蘭西譯が現はれた。これがポゥの作品の最初の佛譯である。A・B・と署名せるその譯者はアルフォンス・ボルヂェエル(Alphonse Borghers)のことで、材源は『ポゥ物語集』と傍示されてあつた。此飜譯を載せた「ラ・ルギウ・ブリタニック」とは、主として「エヂンバラ・

レギウ」(Edinburgh Review)「アシニィアム」(Athenæum)等より拔萃し、科學・歴史・地理・法律等、英米關係の百汎の事象を報道する百科全書風な雜誌で、時にこれに評論・飜譯等が挿入されるのであつた。 譯者ボルヂェエルは此雜誌の幹部の一員である。

然しながらポゥの名が比較的廣く佛蘭西の文壇に知られるやうになつたのは千八百四十六年からで、まづその作品の飜譯では「リュウ・モルグの殺人」(The Murders in the Rue Morgue)と「渦潮」(A Descent into the Maelström)とが示されたのである。 前者が掲げられたのはその年六月十一日、十二日、十三日に亙る「ラ・コティディエンヌ」(La Quotidienne)の誌上で、「或亞米利加人の作品の中に見出した物語」と副題を打ちつつ、創作として提供された。 署名はG・B・とあるが、これは英語に通じて、ハリスン・エンズウアァス(William Harrison Ainsworth)ものなどを譯出してゐた當時の新らしいもの好きの飜譯家の一人であつた。 此頃佛蘭西の社會は、實業に從ふ中產階級がすでに政治的權力を十分に發揮し得るまでの勢力を獲得したため、むしろ政論風なものに飽和して、生の倦怠をいやすべきセンセイショナルな文學を求めてゐたので、勢ひ佛蘭西新聞雜誌界の傾向にもさういふものを歡迎する風潮があつた。「ラ・コティディエンヌ」が是等の物語を提供した趣旨もさうしたところにあつたらしい。 從つて人間の思考過程を追求する主人公デュパンの分析力を示した序論が省略されたのは當然であるが、それ以外には固有名詞と要點とが若干變更された外、殆んど全部原文の通りであつた。後者が譯出されたのは、此年九月の「ラ・ルヸウ・ブリタニック」の誌上で、譯者はオウルド・ニック(Old Nick)と名乗つてゐたが、その實名はエミイル・デュラン・フォルグ(Emile-Durand Forgues)である。これは何れの國の文壇にもよくある型の企業家的飜譯者で、すでに「ウェイクフィイルドの牧師」(The Vicar of Wakefield)やホオソン(N. Hawthorne)物、ストウ(Stowe)夫人物などを譯出してゐた。後に『赤裸の心』(八十七)で「海賊、文學あらしのフォルグ」と罵られた人物である。此「渦潮」は千八百四十五年の『ポウ物語集』(Tales, by Edgar A. Poe)に據つたもので、原典に見えぬ餘計な言葉を挿入し過ぎたため、ポウの文體こそ傳へてゐないが、事實は優に傳へてゐるといつてよい。

かうして物語の名作が二三移植せられた後、はじめてポウの評論が現はれた。それは此年十月十五日の「兩世界評論」(La Revue des Deux-Mondes)に掲げられた「英米小說研究」(Etudes sur le Roman anglais et américain)と題するものの一章で、筆者はエミイル・フォルグである。今その內容を辿ると、これは千八百四十五年版の『ポウ物語集』を解剽したもので、評者は未だ「鴉」(The Raven) を知らず、ポゥの詩人たること、批評家たることを知らず、その理解力も「黄金蟲」や「黒猫」(The Black Cat) を全然の空想的所産と稱してゐる位で、勿論、此鬼才の眞髓に觸れる程透徹した批判力を持ち合はせてはゐなかつた。然し乍ら、何といつても「兩世界評論」といふやうな全歐的な名聲をもつ大評論雜誌に紹介されたのであるから、これを機緣にしてポゥの名が一段と廣く傳播されるやうになつたことは明らかに推測しておいてよいであらう。しかも同年同月に勃發した一事件はポゥの名を更に傳播するに與つて力があつた。事件とは「ル・コ・メルス」(Le Commerce) にフォルグが掲げた「リュウ・モルグの殺人」の飜案に關《かか》はるものである。彼はその舞臺をボルティモア (Baltimore) に移し、亞米利加の一フイユトニストの作と斷はりはしたが、自己の署名にしておいたのを「ラ・プレッス」(La Presse) の記者が發見して、前述せる六月の「ラ・コティディエンヌ」誌上に載つたG・B・の作品の剽窃と觸れまはり、フォルグの攻撃をはじめたのである。此記者はもとよりエドガァ・ポゥといふ合衆國文學者の原作に就ては、全く無知識であつた。ところがフォルグは、ボォドレェルに「海賊」と稱せられた位の男であるから、敢然として辯白し、G・Bの作品を剽窃したのではなく、種《たね》は『ポゥ物語集』から出てゐると述べたが、その辯白文を「ラ・プレッス」誌上に掲げるやうに要求したのを、相手方が肯んじなかつたため、つひに此年十二月九日、フォルグは「ラ・プレッス」誌の主筆を告發するといふさわぎにまで進展して行つた。 結果はフォルグの敗訴といふことになつたのであるが、その論爭に際して、原告側の辯護士は「ニューヨークのヂャアナリスト E. Poe」の名を擧げ、その作品を問題の文章と對照せられんことを希望した。 裁判長は、然し、そんなことは問題にしないで、却下してしまつたといふ挿話もあるが、とにかく此訴訟沙汰がポゥの名を文壇關係のひとに一段と傳播したことは明らかな事實であつた。

これを要約すると、ポゥはすでに四十六年末までにその散文物語の名作が二三飜譯され、その評論も一流の大雜誌に出で、訴訟事件をも起してゐた位で、その名はかなり多數の佛蘭西讀者に知られてゐたと見なければならぬ。 かくのごとき地盤が先在せる時、ボォドレェルはその何によつてポゥを識つたか。 今『ボォドレェル全集』をいかに探つても、これに對する明答は見出されない。 從來の研究者は、多くこれを傍證に求めつつ、當時彼の親友であつたシャルル・アッセリノオ(Charles Asselineau) の『ボォドレェル、生涯と作品』(Charles Baudelaire, sa vie et son oeuvre. 1869)〔四〇頁以下〕中の記事にそれをみとめる。「一日、新らしい好奇心がボォドレェルの精神を占有し、彼の生活全部を滿した。エドガァ・ポゥのことである」。アデェル・ムニエ（Adèle Meunier）夫人の譯文によつて彼はポゥを識つたといふ文章がそれである。思ふにボォドレェルが前述諸家の譯文を全く知らずに直接原文のエドガァ・ポゥ集に接したといふ推定が、當時の彼の語學力から見て成立しない以上、四十五年以來世に示された譯文評論には何らかの形で接してゐたらうと考へられるが、彼の屢〻行ふミスティフィカシオンは考慮に入れても、四十六年か四十七年にはじめて接したといふ史實は他の傍證から考へても信じうる。しかもアッセリノオの傳記は此頃の彼に就てかなり信憑しうるものであるから、ムニエ夫人說は最有力な手がかりとなるのである。ではムニエ夫人のポゥ譯とはいかなるものか。アッセリノオは十分な知識がないため、夫人の名をアデェル・ムニエと誤り誌《しる》したが、女史は、その實名をイザベラ・メアリ・ハック（Isabel-la-Mary Hack）と呼ぶ英吉利人であつた。千八百二十二年イングランド、ブライトン（Brighton）に生れ、少年文學の作者として早く頭角をあらはしたが、千八百四十二年ギクトル・ムニエ（Victor Meunier）と呼ぶ學者に嫁し、爾來イザベル・ムニエ（Isabelle Meunier）と號し、夫君の關係せる政治雜誌「ラ・デモクラシイ・パシフィック」（La Démocratie pacifique）誌上に筆を執つた。ポゥものは千八百四十七年一月二十七日「黑猫」（The Black Cat)を譯載したのが最初で、原典は主として四十五年版『ポォ物語集』らしい。「黒猫」につづいて、女史は一月三十一日「リュウ・モルグの殺人」、七月三日「イイロスとチャアミオンとの會話」(The Conversation of Eiros and Charmion)、九月二十四日、二十五日「渦潮」、翌四十八年三月二十三・二十五・二十七日「黄金蟲」と次次にポォの物語を公けにした。その譯筆は原文をかなり省略したのと、極力具體的な感じを出す言葉を削つたのとその二つが缺點であるが、何分にもポォの名作のみを選んだのと、譯筆が獨立した文章として極めて美しいのと、二つの理由で普く行はれ、殊に「イイロスとチャアミオン」などは後にサント・ブゥヴ (Sainte-Beuve) の贊嘆(千八百五十六年三月二十四日の書簡參照)をもかちえたほどで、ポォの名聲と作品とを流布するに女史は最も力あつたひとである。　さうして此頃のボォドレェルはセイヌ左岸の喫茶店に出入し、社會主義黨の作家や詩人と親しく交はり、人道主義的思想を口にしてゐた時代であるから、政治雜誌たる「ラ・デモクラシイ・パシフィック」も讀んでゐたことは容易に推測されるわけである。　さうするとムニエ夫人の譯文にも眼を觸れたわけであり、「黒猫」は生涯諳記してゐたといはれる位であるから、從來の研究家とともに、恐らくボォドレェルは、千八百四十七年一月二十七日、ムニエ夫人の譯文を通じて、ポォの作品にはじめて接觸したと推定しておいて、大した間違がないと思ふ。當時、ポゥは三十八歳、ボォドレェルは二十六歳であつた。

では遠く海をこえて索莫たる殖民地の生活に疲れてゐたポゥは、當時、佛蘭西文壇と自己との關係について、いかなる知識をもつてゐたらうか。今、『ポゥ書簡集』を檢すると、千八百四十六年十二月三十日附ドゥイツキンク(E. A. Duyckinck)にあてた手紙の中に、「クレム夫人(Mrs. Clemm)が今朝私に話しました、巴里の新聞の或ものが私の「リュウ・モルグの殺人」のことを語つてゐると。彼女はあなたがお話になつたことだけを語つて、詳しいことは云へませんでした。あの「リュウ・モルグの殺人」は四十一年四月「グレイアム・マガジィン」(Graham Magazine)に初出した後間もなく、巴里の「シャリヴリ」(Charivari)で噂されたのです」といふ記事がある。その「シャリヴリ」は初號以來檢閲しても嘗てポゥに就て語つてゐない「キャンビエェル。十七―十八頁」といふが、此前後の「マァヂネィリア」(Marginalia)の記事や、「ブロォドウェイ・ヂャアナル」(Broadway Journal)

(II 八)の記事などを參照して考へてみると「ラ・ルヸウ・ブリタニック」や「ラ・コティディエンヌ」紙所載の飜案飜譯等のことが何等かの形で、掲載誌名を正確にせずして、ポォの耳に入れられたのではないかと思ふ。 これをキャンビエェルのいふやうに、單に「シャリヴリ」にポォに關する記事がないからといつて、ポォの好んで流布したホオックスと解するのは、贊成が出來ない。 少くともポォはムニエ夫人の譯業は聞いてゐたらしい。 現に四十八年七月九日附のエヴェレス(G.W.Eveleth)からポォに宛てた手紙に、貴下の物語は、巴里在住の或亞米利加の婦人によつて譯されてゐるとか譯されたとかいふことを或新聞に書いてあるのを、私は見ました」とあり、その「亞米利加の婦人」とはムニエ夫人の謬稱であることが明らかであるから、自作の物語の譯文が海をこえて遠く佛都で讀まれてゐることを知つたのは、少くとも晩年のポォの荒涼凄慘たる心を慰めたに違ひないと思ふ。 然し、ボォドレェルの最初のポォ譯文は千八百四十八年七月に出たにも拘はらず、ポォ全集中には何等の言及がないところから、またポォ研究家一般の間の輿論から、推察してみると、生前のポォがボォドレェルのことを知つてゐたといふ假定は、どうしても成り立たないものと思ふ。 從つて兩者の接觸を取扱ふわれらの研究も、今後は專らボォドレェルの上に向けられねばならぬ。

さてボオドレェルがポゥを識つた時、その第一印象は驚愕そのものであつた。「彼は驚かした、特に驚かした、感動せしめ、熱狂せしめたといふよりも」（千八百四十八年七月）といふのがその赤裸々な告白である。さうして此驚愕がおもむろに感嘆となり、同感に轉じ、敬慕と變つていつたのである。彼が驚嘆の情の烈しさは、前掲フレッス宛の手紙の中に「僕は異常な感動を覺えました」と自ら書いた位に、またアッセリノオが「かくも十全にかくも迅速に、かくも絶對的な占有の例はみたことがない」と註してゐる位に、史上かつて類例を見ざる程度であつた。さうしてボオドレェルの熱愛は、あらゆる場合に、對象の具有せる諸性質を深く體感せる結果、生じたものとは限つてゐない。由來彼の讚美には屢〻多分に誠實なる感動に對して若干のアフェクティションが混入してゐたのであるから、そのため生涯を通じてその讚美を一貫しえたものは必ずしも多くはなかつた。それがポゥの場合には、生涯を通じて不變な熱度が持續されたのである。即ち、最初の報告は母にあてた手紙で、「信じられない程の同感を私の中にかきたてた亞米利加の作家を發見しました」(千八百五十二年三月二十七日)とあるが、その後「多くの歳月が流れました、その間彼の魂《たましひ》はいつも私につきまとつてゐました」と書き、更にその後はポゥを「天國と地獄とのごとく偉大にして深刻なる天才」と呼び、晩年には彼の熱愛せる二つの存在――亡父と乳母マリエット (Mariette) とにならべて、毎朝祈りを獻げてゐた位なのである。さうして病歿する直前にも、すでに口がきけなくなつてゐたに拘はらず、彼の愛するものをひとに示したが、そのうちには特に原文の『エドガァ・ポォ全集』があつたと傳へられる。

何故に比較的倦きつぽい彼がポゥに對してはかくも不變の愛慕をつづけえたのか。いふまでもなく、それはポゥの中に自己との類似性を痛感しえたからである。「私を取りまく恐ろしい孤獨の中で、なぜ私が彼の恐ろしい生涯をあれほど十分に書きえたか、おわかりですか。」それはひとりポゥの人物の中におのれ自らの姿を認めたためのみではない。「更に不思議なことには、私の言葉にいひ現はしえないことには、私自身の詩と此人の詩との間には、實證的に强調されてはゐないが、素質と風土との差を除いて、内密な類似があるからです。」その類似は恐ろしい位に深刻であつた。「僕が初めて彼の書物を開いた時、僕がかねて漠然とよく秩序もつけずに考へてゐたことを、すでにポゥがたくみに結合して完璧な作品とすることの出來てゐた詩と物語とを見出したのです。」約十年の後に彼はまた繰り返した。——「なぜ私がこんなに我慢づよくポゥを譯したのか、その理由を御存知ですか。それは彼が私に似てゐたからです。私が彼の書物を初めて開いた時、私は、かねて私の夢想してゐた主題だけでなく、私の考へてゐる文句そのものまでが、二十年も前に彼によつて書かれてゐるのを見て、驚きもし有頂天にもなつたのでした。」（トオレ宛『書簡集』三六二頁）

此兩者の類似性の內容に更に深く探り入るのは第四章の任務であるが、兎に角、彼はポゥに對する熱愛を覺えると、直ちに周圍の人人に彼の愛慕の情を頒たうとした。否、更に一歩を進めてポゥを宣傳することをさへ憚らなかつたのである。ポゥの義母クレム夫人に贈る筈の手紙の草稿に所謂ポゥの歿する二年前から佛蘭西の文人にポゥを知らせることを努めました」といふ言葉は、ひとり彼の精魂をそそいだ譯業のことを指すのみならず、ひろく周圍のものに自己の熱愛する對象への同感の念を惹かうと志ざすところあつたと解すべきではあるまいか。さうして此「ポゥ宣傳」行に於て、ボォドレェルは美事に成功した。何となれば、一度ボォドレェルに近づいたものは、彼の特異性に打たれずにはゐなかつたからである。これは彼自身意識して努めたことであらうが、頭髮を綠色に染める外、その英國風な服裝などのこのみ以外に、その容貌は衆目の的となり、會話は獨創に充ち、あらゆる言行に人目を惹かんとして、絕えず腐心してゐたのである。その師友テオフィル・ゴオティエ(Théophile Gautier) が、「由來、本性から氣取つた人々がゐる。彼等に於て、單純はかへつて純なアフェクタシオンとなるであらう。單純になるためには、長いこと求め、大いに努めねばならぬ。最も複雜なる、最も洗練された、最も强烈なる思想がまづ第一に彼等に示されるそれである……あらゆる映像のうち、取扱はれる主題のうち、最も險奇な、最も異常な、最もファンタスティクな映像が、主として、彼等を打つのである」と評したのは、まさにボォドレェル型の文人に對する最も好意ある解釋であつたらう。從つてかかる思考法の產む言行と態度とは、友愛にみちた意見を呼ぶとともに、逆にまた極度の反感と輕侮とを招いた。卽ち、前述のゴオティエ以外に、シャルル・アッセリノオ、テオドル・ドゥ・バンギル Théodore de Banville) 等は彼を天才視したものに屬するが、チュウル・シャンフルリ (Jules Champfleury)、マキシム・デュ・キャン (Maxime du Camp) の徒は、かへつてこれを喜劇俳優視して止まなかつたのである。かうして讚美にしろ、反感にしろ、烈しい反應を惹きおこさずにはゐなかつたその特異の才能を利用して、彼はその周圍にポゥの天才を傳へることに努力した。

勿論、彼の才能は、當時の豪華子ロェヴ・ヱェマァル (Loève-Veimars) のやうに、「オペラ」座や「イタリア」座や大官の集まる公式の會合に適するものではなかつたし、それに要路の人人に對しては兎角傲然とする風があつたりしたので、傳習的な禮式作法にかたまつた傳承的なサロンの花形にはなれなかつた。後(千八百六十二年二月)ポゥの思想とその詩とについて十分に語り合ふため彼を夜會に招かんとした或貴婦人の招待を敢て辭退したごとき、這般の消息を傳へるものではないか(クレペェ『ボォドレェル傳』三四〇頁以下參照)。ボォドレェルの赴いたところは、それと違つて、若い文學者、詩人、畫家、彫刻家、音樂家などの好んで出入する茶舘や酒亭であつた。特にリュウ・サンタンドレ・デ・ザァル (Rue Saint (André) des Arts) のミルクホオルやリュウ・ドオフィン (Rue Dauphine) の茶亭は、彼の常に赴いたところであつたらしい。さうしてその人柄、その語しぶり、その詩章の朗讀のため、作品を公けにする前から、すでに彼の名聲は彼の仲間に喧傳され、多くの期待を寄せられてゐたのであるから、同輩に對するその特權を利用して、彼はその讚美の對象たるポォの事を語り、彼自身の熱狂を八方に傳播した。 さうしてつひには茶舘や酒亭以外に、街路に於ても、印刷所に於ても、知友に逢ふごとに、手あたり次第に、朝と夕とを問はず、「あなたはエドガア・ポォを御存知ですか」と訊ねずにはおかなかつた。 當時の彼の知友は皆此事實を物語つてゐる。 シャンヌ (Alexandre Schanne) には「僕は今エドガア・ポォを譯してゐる」と宣傳し、バンギルには「鴉《からす》」を「そのしつかりしたきよらかな音樂的な聲」で朗誦し、アッセリノオには「黑猫」を卽座に譯してきかせたといふごとき、皆その例に引くことが出來よう。果然、此宣傳戰は效を奏した。 人人は、ポォの名があまりにも繰り返して語られる、ので、つひにポォとは何者かと考へずにはゐられなかつたからである。 彼等の畏敬する此靑年詩人がそのポォに對して最も熱烈な禮讚を寄せてゐるのを見、彼が「わが師」、「わが英雄」と呼ぶのを聞いては、これに對して好奇心を抱かずにゐられなくなつたからである。

然し乍ら、ボォドレェルは單にポォに對する好奇心をそそるだけでは滿足しなかつた。彼は更に數歩を進めて、强制的に人人にポゥを讃美せしめようとした。由來、彼の日常生活の一面には、さうした强制的な部分があつたらしいが、ポゥの宣傳行に於てもその性癖は露出して、聽者がポゥの生活と作品とに興味を感じない時は、吃驚し、憤慨し、叱咤し、敎示した。かの五十四年五月十四日附でナダァル（Felix Nadar）に贈つた手紙などがその有力な證左と見ることが出來よう。

よし彼に同感しても、自分の趣味にあはぬ禮讃者ならば、彼は、極度の輕侮の情で、その讃美者をも攻撃した。五十六年四月十二日の手紙に、或勢力ある雜誌が「好意はあるが愚劣な評論」を載せたといつては呟き、ポンマルタンのごとき一世に重んぜられてゐた批評家がポゥに對して好意ある、然し道學的な批評を「ラッサンブレ・ナショナル」（L'Assemblée nationale）に載せたといつては「あやふく噴き出さんとした」（同）りしたのがそれである。この氣持が更に一歩を進めると、先進として畏敬し「ル・ペイイ」誌にその作品を載せるに盡力してくれた恩人バルベイ・ドオルギリイ（Barbey-d'Aurevilly）をも、ポゥを評せる「手品師」（jongleur）の語をめぐつて、論難せずにゐられなくなるのである。（一二七頁參照）

ボォドレェルは單に口舌による宣傳では滿ちたりなくなつた。かくして手紙によるポォの偉大性の禮讃が始まつたのである。彼はまづポォに關する資料を義母クレム夫人其の他未知の人人に訊ねた文中に於てポォを禮讃するとともに、先進の諸大家及び同輩の人人にわれわれから進んでポォのためにする手紙を書いた。今、『ボオドレェル書簡集』に就てこれを檢證すると、その主なるものとして、まづサント・ブウヴに宛ててポォ論を懇請せるもの(千八百五十六年三月十九日・廿六日、五十七年三月九日、五十八年六月十四日八月十四日、六十五年三月三十日)、アルフレッド・ドゥ・ギニイ(Alfred de Vigny) にあててポォ詩集を贈る旨を述べたもの(千八百六十一年)、イポリット・テェヌ(Hippolyte Taine)に譯文『ユウレカ』(Eureka)の序を請へるもの(千八百六十三年十月六日)、エミイル・デシャネル(Emile Deschanel)にあててポォの書物を受けとれるか否かを問へるもの(千八百六十五年三月二十九日)などが、擧げられると思ふ。

此宣揚行に於て、ボオドレェルのポォに對する敬愛の情は延いて周圍にまで及んだ。卽ち彼はポォの友たる人人をも愛した。特に天使のごとき義母クレム夫人には同情し、無類の敬愛を献げ、彼の譯文「エドガァ・ポォ集」を彼女に献げた位である。その夫人に宛てた手紙には、次のごとき一節がある。——「私が彼の生涯と彼の作品とについて書いた文章をどうぞおよみ下さい。どうぞ仰つて下さい、私が彼の性格、彼の苦惱、彼の精神の全く特殊な性質を果して理解したかどうかを。もし私が誤解してゐたら、訂正して下さい。情熱が私をあやまらせたならば、直して下さい。」さうしてルモンニエが正しく指摘したとほり、平素はあれほど倨傲な彼が、ポゥの愛のためには、此老婦人の前にひれ伏したのである。「夫人よ、あなたの仰ることはすべて敬意を以て承ります。亞米利加人について私が苛酷なことを述べたことがお氣にさはつたことをも……。」更にまたその傲然たる性情を屈して、サント・ブゥヴにポゥ論を懇請したのは、此大批評家が彼の最も敬愛せる先進の一人であつたといふことにも基くが、實はそれよりは彼がその愛慕する「英雄」のために、その持前の態度を屈した點をより重く視るべきではないかと思ふ。

　逆にポゥの敵には、假借するところなき敵意と侮蔑とを以て對したのである。彼はポゥに對して好意をもたぬすべてのものに猛烈な憎惡をなげかけた。例へば、ポゥを知つてゐた或亞米利加人を訊ねた時など、豫期するものと異つたことをきかされたので、冷靜にその人の證言の眞否を省みず、憤激して、帽子を叩きつけ、「こいつはヤンキーだ！」と怒鳴つたといふやうな逸話などがそれである。またルッファス・グリズウォルド (Rufus Griswold) のポゥ傳を讀んだ時など、そこに記載されてゐることが果して事實かどうかを確めもせず、その著者に對してはてしなき憤怒の情を示したごとき、更にまた合衆國がポゥをとかく重んぜないことを知つた時、合衆國全體を敵にまはして宣戰したごとき、皆その例に引くことが出來よう。

これほど熱情を以てボォトレェルがその敬愛する作家を縱横に宣揚したに拘はらず、エドガァ・ポゥの眞價は、佛蘭西の文壇及び學界に於て十分に認めるところとはならなかつた。　例へば、千八百五十三年、コレェヂュ・ドゥ・フランス(Collège de France)の敎授ヂャン・ヂャック・アンペェル(Jean-Jacques Ampère)は、ポゥを特に「ユウモア小說の作家」と稱し、千八百五十五年、その頃はやりの批評家アルフレッド・ドゥ・ポンマルタン(Alfred de Pontmartin)は、ポゥの小說を「少女小說」とさへ呼んでゐた位なのである。　彼は此情勢に憤激して、ひとり文壇の一部のみにとどまらず、佛蘭西人全部にポゥを崇拜せしめずんばやむまいと決心した。　彼はその覺悟を次のごとく宣言してゐる――「私はポゥを佛蘭西中に知らせたいと思ひます」(千八百五十四年七月二十四日)、「亞米利加では大したものでないポゥを、私は佛蘭西では大人物にさせなくてはなりませぬ」(千八百五十六年三月十九日。サント・ブゥブへの手紙)。

ところで文壇の一部にとどまらず、佛蘭西人全部にポゥを崇拝せしめるには、まづポゥの人物を紹介し、更にまたポゥの作品を飜譯し、原文に接しえぬ多くの人人の眼を開いて、此合衆國の鬼才の偉大を味ははしめねばならぬ。ボォドレェルは此二つの事業に着手した。――それにはポゥそのひとの行實と思想と藝術とに就て明確詳細な知識をもたねばならぬ。ポゥにとつて幸運にも、ボォドレェルは彼を永世に傳へるにふさはしい批評家として必須な眞實の愛と好奇心とを、備へてゐた。「余はいつも神秘を看破せんことを望む故、かへつて神秘を熱愛す」といふのは、その揚言するところであつたが、事實、彼の中には彼を驚かし、彼を動かしたものを、徹底的に理解せんとする意慾が强烈に働らいてゐた。例へば、ワァグネル (R. Wagner) 音樂に對する研究ぶりなどが、その證左とすることが出來よう。それはこれより十年も後日のことであるが、ポゥに對する場合でも此特性は直ちに强烈に働いて、その作品についても、その人物についても、徹底的に究めんとする慾望を覺えたのであ彼はまづ既述のフレッスあての手紙が證明するやうに、巴里在住の亞米利加人と關係を結んで、ポゥの作品を手あたり次第に蒐集した。さうしてポゥ關係の雜誌では、單行書となる以前にその作品を掲げたポゥの編輯せる時代の「サザン・リテラリ・メッセンヂャア」(Southern Literary Messenger)の二年分、それから「ジエントルマンス・マガジィン」(Gentleman's Magazine)、「ブロォドウェイ・ヂャアナル」のそれぞれの一部を手に入れることが出來た。つづいて彼は英米の書店に手を延《のは》して、ポゥの單行書を註文し、その各版を集めた。かくして彼の入手しえた單行書は、(一)千八百四十五年版の流布本『物語集』以外に、(二)千八百四十六年のロンドン版『鴉其の他の詩』(The Raven and Other Poems)のことかと思はれる「珍本たるロンドン版ポゥ詩集」、(三)千八百五十年のニュウヨオク・レッドフィイルド版『故人エドガア・ポゥ全集』(The Works of the Late Edgar Allan Poe)等を數へ、殊に後者は班驢《ゼブレー》皮縞製本、綠色のモロッコ背革の美本であつた。是等の書冊を、彼は愛書家らしい熱情で珍重した。いま試みに生母オオピック(Aupick)夫人にあてた書簡集を開いてみると、彼の心理を露出せる個所を所々に散見するであらう。例へば、五十四年三月八日「これらの書物を送りかへして下さる時は、製本を損じる摩擦のないやうに包んでいただきたい」といひ、六十三年六月三日「此本はもういりませんか決してなくしてはいけません。殊に貸してはいけません。御覧のやうに非常な美本です。それにかうした各種の版を集めるのに私が苦勞したことは御存知のとほりです」といふごときそれである。

ひとりポゥの書物のみでなく、ポゥの生涯とその性行とに就ても、彼はあらゆる點を知り盡さうとした。ところで前述のごとく、ポゥの生前に親しくボォドレェルは接近出來なかつたので、彼は「ポゥを知る人人と文通」(五十二年十月十九日)した。その中にも、理想的な母の典型として尊敬してゐたポゥの義母、マリヤ・クレム夫人にあてた書簡は今日も尚殘つてゐる。從來これは夫人にあてて實際送附されたものと信ぜられてゐたが、最近の研究に據ると、果してそれが送られたかどうかは疑はしく、まして兩者の間に文通があつたか否かは頗る疑はしい。ボォドレェルがクレム夫人のアドレス——コネチカット(Connecticut)州ミルフォオド(Milford)のことを知つてゐたのは「ル・ペイイ」(Le Pays)に載つたその文章(五十四年七月二十五日)から明らかにされるけれど、アンドレ・モリイズ(André Morize)が直接ミルフォオドの町に就て檢證した結果は、何等の手がかりをもえなかつたといふ。從つてわれらは今後、此問題について斷定的な言葉を下すことは愼まなければならないであらう。然し乍ら、從來直接の交渉が考へられなかつたルゥファス・グリズウォルドに對しては、かなり親しい交渉さへあつたと推定しておいてよいと思ふ。もつとも千八百七十年の昔にシャルル・イリアルト (Charles Yriarte) がすでにかかる傳說をつたへてゐるけれど、從來は此想像を確證する資料が欠けてゐた。然し乍ら當時ポゥを知れる人人の隨一に擧ぐべき人物は一般にグリズウォルドと信ぜられてゐたのであるし、何を措いても直接な資料をきき出さうとしてゐた彼のことであるから、少くともポゥの傳記的事實を提供されたといふことはありえたし、また實際あつたことと信じうる。さうして五十二年の「巴里評論」に揭げられたポゥ論では、グリズウォルドのことをさして惡罵しなかつたのは、ポゥの史實を敎示された恩義を感じてゐたためか、或は尙多くを敎示せられんことを期待してゐたためか、どちらかの理由に基いてゐたのであらう。グリズウォルドが史實を多少歪曲したことをはつきり知つたのは、五十二年の文章を書いた後のことと見ておいてよいと思ふ。尙、此の二人以外に、直接の文通は確證ないが、たしかに讀んでゐたことの明らかなポゥ傳としては、「サザン・リテラリ・メッセンヂャア」誌(千八百四十八年一月)に載つたペンドルトン・クック (Pendleton Cooke) の「ポゥ論」と、同誌(五十年三月)に載つたダニエル (J. M. Daniel) のそれとを擧げなければならぬ。ヂェイムズ・ラッスル・ロゥヱル(James Russel Lowell)とキリス(N. P. Willis)との「ポゥ論」も熟通せるものの一つであつた。

以上の諸文人以外に、苟も巴里に在住せる、乃至そこを通過する合衆國文人は、大抵、彼の襲ふところとなつた。アッセリノオの生彩あるその傳記によると、或日ポゥを知つてゐるに違ひない某合衆國文學者が巴里に到着したことを聞いた時、ボオドレェルはすぐさま飛んで行き、主人がズボン下とシュミイズとのまま、履物の吟味中のところを容赦もなくつかまへて、根ほり葉ほり訊ねたといふ逸話が傳はつてゐる位である。アッセリノオはなほ「正否はともかく英米の文學について多少ぞも何か知つてゐるといはれてゐたものは、彼のため、文字どほりに苦しめられた」といふ事を記してゐる。一説には、巴里の合衆國總領事館に赴いて、ポゥのことを調べ上げようとしたといふ傳説も殘つてゐるのである(「シャルル・イリアルト「世界人の肖像」)。

恐らく彼がポゥの作品を數多くは知らず、ましてポゥの人物に就ては殆んど聞くところなかつた千八百四十八年七月十五日「ラ・リベルテ・ドゥ・パンセ」(La Liberté de Penser)の誌上に、彼ははじめてポゥの物語「メズメリズムの啓示」(Mesmeric Revelation)の佛譯を掲げ、その卷首にポゥ小論を序した。これがボォドレェルの行へるポゥ宣揚の第一聲である。然しながら、これはムニエ夫人の譯業を成功せしめたごとき選擇の適宜をもたず、また二月革命の動亂につづき世を擧げて政治問題に狂奔してゐたので、「時期惡しく」、つひに時人の注目を惹くことは出來なかつた。

ボォドレェルは、然し、此失敗に落膽しなかつた。雌伏すること四年の後、卽ち千八百五十二年三月から四月に亘つて、彼はその師友テオフィル・ゴオティエの手引で、マキシム・デュ・キャンの主宰せる「巴里評論」(Revue de Paris)に、長文のポゥ評論を掲げることが出來た。これが第二回の挑戰で、此挑戰は美事に當つた。衆目を惹いてポッに注意をふりむける事に完全に成功したからである。

つづいてその譯筆によるポゥの物語が同年四月以後斷續して巴里の諸雜誌に現はれ初め、五十四・五年には「ル・ペイイ」誌上に連載され、翌五十六年には結成單行されて滿都の耳目を聳動した。あらゆる人を刺戟することによつてポゥに視聽を惹かんとし、佛蘭西人にこれを大家視せしめんとした彼のポツ宣揚行は、これによつてほぼ成就されたのである。

ではそれほどの情熱をそそいで敬愛し、その眞價を宣傳するに努めたボォドレェルの有名なポゥの飜譯と評論とはいかなる内容をもつか。彼は此兩面の努力に於て、果していかなる結果をさめえたか。またその評論の結果、ポゥはいかに變形されて世界に傳播したか。それらの事實を究めんとするのが次の二章の任務である。

第二章　ポォに對するボォドレェルの譯業

ボォドレェルがポォを初めて譯載したのは、前章に略說したとほり、千八百四十八年七月としても、ポォ譯文の始めて陸續として世に現はれたのは千八百五十二年十月以來のことであるから、そこには約四年の間隙が存する。この間隙は主として彼の英語力の錬磨に充てられてゐたと見てよいであらう。そこでわれわれはボォドレェルの英語力について一應はつきりした知識を獲ておかなければならぬ。

アッセリノオの傳記(四二頁—四八頁參照)によると、ボォドレェルは印度旅行以來英語に對する十分な知識を蓄へて來たと友人間に觸れまはつてゐるけれど、印度の土はつひに踏まなかつたのであるし、これはその得意とするミスティフィカシオンの一例と見ておいてよいと思ふ。彼の英語はいふまでもなく、それよりも以前に早く家庭に於て習得したものが生地《きぢ》になつてゐる。ことに生母キャロリイヌ・アルシャンボォ・デュフェエ (Caroline Archimbault-Dufays) (後のオオピック將官夫人)は、革命時代に英蘭《イングランド》に移住した軍人の娘で、ロンドンで生れ、少女時代には英吉利風な敎育をうけた。彼女が果して何歳でイングランドを立ち去つたかは明らかでないが、佛蘭西に戻れる時、英語を識つてゐたことは確かで、後五十四年三月三日附の手紙によつても明らかなやうに、ボォドレェルから原文のポゥ詩集を送られてゐるし、その老年期に入つても英語を語り、その手紙を英語風な挨拶で結ぶくらゐであつた。これらの事實から推定すると、ボォドレェルがその生母からはじめて英語を學んだ事は確實であらう。譯業に從ひつつある頃も、近親のものには、母上を働かせてゐるのだ、といつてオォピック夫人の援助を口癖のやうに語つてゐたといふから、その英語力に於ける生母の貢獻はみのがすことの出來ないものになつてゐるのである。さうした家庭で習得した彼の英語力が、後リオン（Lyon）のコレッヂュで正式に學習され、一段と深められたことは斷定しておいてよい。然し十九世紀初葉の佛蘭西中等學校に於ける英語教授の一般狀態の劣惡なるため、またリオン中學ではラテン語こそ優秀であつたが、英語では何等の賞にあづからぬ位の學力であつたため、千八百四十七年はじめてポゥの物語を手にして、その譯業を志した時には、それが容易ならざる仕事であることを知つた。「僕は英語をひどく忘れてゐたので、仕事は一層厄介だつた」（五十二年三月二十七日）といふ告白は、實に文字どほりに受けとるべきものであらう。アッセリノオの記事では、譯文の草稿をはじめる前に四年間を準備に費した「此四年間を彼はその英語を獲得し、完璧ならしめ、益〻原作者と內密な交渉に入るために用ゐた」(傳。四十八頁)とあるが、四年間といふのは、千八百四十八年から起算して多少作品の續出した五十二年にかけて數へたものらしい。彼自身千八百五十二年三月二十七日母への手紙の中に「もう英語はしめたものです」と報じてゐるが、當時の譯文に就いて檢證して行くと、未だ多くの誤謬が見出される。彼の自負するやうな英語力は、卽ちポゥ集を十分にこなしてゆくだけの學力は、それより更に四年後、卽ち千八百五十六年頃、はじめて完璧に近づいたと判ずべきなのである。

かくのごとく譯業にとりかかつた頃の彼の英語力は、確實でもなく、廣汎でもなかつたから、彼は至るところに辭典を携帶して、絕えずそれを參照した。時には辭典の援助だけではいかんともしがたい個所を原文中に發見することがあつた。特にポゥのごとき精微な語感に長《た》けた同代の作家を譯出するには、文學的英語を知つてゐるだけでは不十分である。彼の冷然たる態度や冷徹な皮肉は、多くの言語遊戲や日常生活への暗示の中に、卒然として投入されてゐる。「そんなものを解くには、下僕や小商人の方が、學者よりかへつて都合がよい。」ためにボオドレエルは日・常會話の英語を學ばねばならぬとして、さかんに居酒屋に出入し始めた。出入してゐるうちに、更にまた下層庶民の英語を十分に知らない事がわかつたので、リヴォリ街(Rue Rivoli)の酒亭で、シェリ酒やエイル酒を飲んでゐる馭者達のテイブルで、さうした種類の英語をも學んだ。當時の事は、バンギルが『余の追憶』(Mes Souvenirs)の中に語つてゐる。アッセリノオも、例によつて、詳かにこれを記《しる》してゐるが、その傳(四二頁)によると、リヴォリ街の酒亭は英人の居酒屋で、そこに彼はウィスキイを飲みにゆき、フォオブウル・サントノレ(Faubourg Saint honoré)の馭者達と一緒にポンチ酒を採るのださうで、英國生れの主人は彼の英語の顧問格になつてゐたといふ。尚、茶館の給仕で苟も英語を話しうるものは、彼につかまつて言葉の意味や格言や暗語などを訊ねられたと傳へられる。

彼は更に深入りしてポウの用ゐた專門術語の意味を把握せんとして苦んだ。『アァサァ・ゴオドン・ピムの物語』(The Narrative of Arthur Gordon Pym of Nantucket)を譯した時など、鳥類學と航海學とを研究し、つひには船員に近づいて、それぞれの術語の意味を正しく捉へんと努めた程である。その頃彼に會つたバンギルの追憶記には、彼がピムの航海の跡を計算し、身みづからその正確さを檢べようとして、地圖や海圖や數學の器具を用ゐてゐるところを見た、といふが、これは單に傳說ではなく、『ピム物語』の譯本を開いてみると、(第十六章)その船がいよいよ南極地帶に入る時のことを述べて、キャプテン・モレル (Captain Benjamin Morrell) の日記を引き、そのうちポッが南に向つたと記したのを東とあらため、またモレルが最早西行しえなくなつたと述べたのを南行とあらため、また(第十七章)一月二日の記事のところで潮流が北行するをみとめた云々といふのを南行するとあらためたりして、極力實相に徹せんとし、そのためには時に原文を變改して憚らなかつたのである。アッセリノオのごときは、あまりにも此友が正確を求めすぎると思つて、時にその勞苦を嗤ふことがあつた。その時、ボォドレェルは侮蔑と憤怒とにみちた瞳を擧げて、自分の書くものは一點も批難の餘地なきものにせねばならぬ、文學者の批評をも、海員の批難をもともに招きたくないのだ、といはんばかりのこころをその眼附に見せたので、流石にアッセリノオは感に打たれざるをえなかつたと傳してゐる。

かうして英語力をたえず錬磨しつつ、彼はポゥの物語を譯し出した。既述のごとくポゥに對する學力があらゆる意味で不十分であつた千八百四十八年七月十五日「ラ・リベルテ・ドゥ・パンセ」誌上に「メズメリズムの啓示」を掲げて、誤譯も多く、全く問題にも上らず閑却されてから雌伏四年の後五十二年に至つて多少譯文を公けにし始めたが、その頃の彼の生活史は悲慘きはまるものであつた。それは情婦ヂャンヌ・デュヴル(Jeanne Duval)との喧嘩を意味し、債權者一同に追ひまはされる苦痛を意味する。五十二年三月二十七日の手紙は、これを明證してゐる。「憤怒が才能を與へるかどうか、私には確かでない。然し、かりにさうとすれば、私は非常な才能をもつに違ひないのです。差押と喧嘩と、喧嘩と差押との間以外には、仕事をすることがないからです。」さうして此二つの惱みのうち、より多く苦しいのは情婦との喧嘩であつた。彼の情婦は彼を苦しめて、彼の物を書くことをさまたげた。彼は餘儀なく、夜間のみ、仕事をせざるをえない。時によると、自宅を飛び出して、圖書館や酒場や茶亭へ行く。「こんな風ではとても長い作品はつくれない」と愚痴をこぼしてゐるが、自らもよくそんな場所で仕事が出來るのに驚いた位である。――「どうして僕の本がつづけられるのか、どうして僕が病氣にならないのか、わけがわからない。」由來ボォドレェルは氣分本位の文人で、書きたいときは書くが、書かなければならぬ時はかへつて書かないといふ惡癖があつたのに、ポゥの譯業ばかりは正確に規則正しく勵行した。エルニオル(C. Vergniol)はこれを「彼が生涯のうち、唯一つの問題を勉强した唯一の時代」と評してゐるが、五十四年五月十八日の手紙などを見ると、自身《みづから》「規則正しく勞作した」ことを告白してゐる。「一日に一枚を書く」といふつらい課業を課して、これを實行するためにその得意とする漫談の惡癖をも矯《た》めんとしたことは、アッセリノォの評傳によつて明らかである。彼はその部屋の扉をかたく閉ざしたまま、若し人が訪問することあらば、仕事をしながら、相手になつた。客も彼が放心したやうに熱中してゐるのを見てはまた紙の上を走るペンの音を聞いては、興ざめて退却せざるをえない。外出することは全くなく、ただ一日一回ポゥの譯文を載せてくれる雜誌社に赴くのみであつた。此熱心な仕事ぶりが彼の仲間にも知れ渡つてゐたことは、ヴェロン(Véron)の手紙をみれば、思ひ半ばにすぎるであらう。かうした熱心な仕事の結果、ポゥの譯文は、少くとも彼が佛蘭西文に移植しようと志したかぎりの短篇の物語と評論との類は、千八百五十二年までにはほぼ出來上つてゐたと見てよいと思ふ。現に五十二年三月二十三日の手紙の中に、幸ひにも豐かな出版商と出逢つたのでポゥ譯本を單行することが出來る「出版は近きにあり」と揚言してゐるところからそれを推定することも出來るが、更にその四月「巴里評論」に出たポゥ論中には後の譯文ポゥ集上下二卷のうちの重要なものが譯出拔萃されてゐることからも、傍證を提供されるのである「當時『ピム物語』も多少引用されてゐるところから考へると、まだ完成はしてゐなかつたかもしれないが、大分進捗してゐたことが想像される」。

さて五十二年四月ポゥ論を掲げた「巴里評論」の發行所たるルクゥ（Lecou）書店はボォドレエルとの間にポゥの作品の飜譯出版の契約を取りきめ、その年に萬般の準備を整へ、冬の賣出しとして翌五十三年一月十日には引き渡しを受ける筈になつてゐた(五十二年十月十九日、五十三年三月二十六日附の書簡參照)。ところがボォドレェルは間もなく或事件のためにその三月に情婦の許を離れたが、ポゥの譯文原稿を持ち出す暇さへなくして逃げ出したといふやうな有樣であつた。ではそのポゥの原稿は誰の手に托されてゐたのか。ボォドレェルの書簡に、「僕の書物や原稿は(それはみんな書物を仕立てるのに必要なものだ)人質として留められてゐた」(五十二年十月十九日)といひ、またォオピック夫人に「僕は彼女の手許に、僕の書物全部と僕の原稿全部とを殘しておきました」(五十三年三月二十六日)と云つてゐるところから判ずると、貴重な原稿はヂャンヌの手許に殘しておいたことが明らかである。さうして此原稿を取戻すにはかなりの金額を工面せねばならなかつたらしい(五十二年十月十九日)。その金策に窮したので、彼は餘儀なく急いで仕上げた不完全な作品をルクゥに渡さなければならなくなつた。

然し乍らボォドレェルのやうに完璧を愛し、一點一劃の批難なきことを望む作家が、わが意にみたぬ作品を晏如として人に示しうる筈がない。そのため翌五十四年アランソン(Alençon)でプゥレ・マラッシス(Poulet-Malassis)が二十五部印行したが、署名を BEADELAIRE として、Bの次にEを混入せしめたといふ理由で、つひに破棄された『家具の哲學。亞米利加人の室內理想』(エドガァ・ポゥ作)(Philosophie de l'Ameublement, idéal d'une chambre américaine, traduction d'Edgar Poe)と同じやうに、此年彼が急いで仕上げた譯文ポゥ集の組版もつひに破棄されたのである。オオピック夫人への手紙が此事に關して委曲をつくして語つてゐる——「第一葉の組版の後に、僕はなすべき訂正と手入れとが非常なので、むしろ現形を破棄して、新らしく組み直した方がよいことを知りました。この言葉は、あなたには御わかりにならない。といふのはつまり職人の組んだ部分が、私の間違ひのため、どうにも仕方のないものだといふことを、名譽は私をして此損害の代價を支拂はせたといふことを、云はうとしてゐるのです。印刷人は、訂正された校正を受けとらず、怒りました。書店の主人は私のことを氣狂だと思つて、かんかんに憤慨しました。その主人といふのは「何も心配なさるな、あなたは何年間か本屋を探しておいでなさる。私があなたの仕事を引きうけませう。あなたの書くものはみんな私が印刷しませう」と前にはつきり云つてくれたのです。不幸にも私は冬の賣出しを失敗させてしまひました。もう三ケ月前から私はあの主人に手紙を書くことも、會ふことも、敢てする勇氣がありません。私は印刷費の半分を支拂ひました。佛蘭西と亞米利加との間に「出版業者約定」が結ばれさうなので、新らしく費用を出さなければ、僕等の書物の出版は不可能になりさうです。實際、そのため私は氣が狂ひます。此書物は新らしい生活の出立點だつたのです。これにつづいて私の詩集が公けにされ、更に私の「サロン評」がカリカテュリストに關する私の仕事を加へて、再版される筈なのでしたから」（千八百五十三年三月二十六日）。

かくのごとき譯業上梓の遲延は、ひとり彼に多額の償金を失はしめたのみならず、世人の期待をも裏切つたので、當然彼の享くべき名聲をも失はしめたのである。即ち彼がさまざまの障害に惱まされてゐる間に、ポゥを紹介する競走者の群が現はれ、單行書を續出し始めた。千八百五十三年にはアルフォンス・ボルヂェエル譯『エドガァ・ポゥ物語選』(Nouvelles choisies d' Edgar Poe)が出て、佛蘭西に於けるポゥの最初の單行本たる名譽を荷ひ、千八百五十五年にはキリアム・ヒュウズ(William Hughes)の『生埋め』(Enterré vif)その他が現はれて、ボォドレェルを脅かした事がそれである。ボルヂェエルについては、前章に紹介した「ラ・ルギウ・ブリタニック」誌關係の一員で、ゴォルドスミッスの『ウェイクフィイルドの牧師』やラム（Charles Lamb）の『シェイクスピア物語』（Tales from Shakespeare）等の譯著あることのみが知られてゐて、詳細は明かでない。此『エドガア・ポォ物語選』はグリズウォオルドのポォ傳に據つた序文を附け、「黄金蟲」と「ハンス・プファアルの冒險」（The Adventure of One Hans Pfaall）との二章を收めてゐる。譯文は、ルモンニエによると、原義の正確な移植より美しく表現しようとした方が多く、ためにポォの幻想と寫實性とを再現することは出來なかつたが、佛蘭西人ごのみの理知に訴へる手法をとつて、原文よりはかへつて明快に讀まれる點が多い。此譯書に就ては、バルベイ・ドオルギリイが出版後、直ちに紹介の筆を執つたのであるが、さして世評を惹かず、再版はつひに出なかつたらしい。

　これに反してヒュウズはボォドレェルの强敵であつた。これは千八百二十六年ダブリン（Dublin）に生れた愛蘭《アイルランド》人で、接近したかぎりの人に信用されるといふ不思議な魅力をもつてゐたらしく、サント・ブゥヴなども彼の英語力を利用して、助手がはりに使つたこともあるが、特に大アレクサンドル・デュマ（Alexandre Dumas, père）の愛顧を蒙つて、此傳奇家の經營する雜誌「ル・ムスクテエル」（Le Mousquetaire）には、五十四年五月以來、時々、ポォの譯文を掲げてゐた。ことにその年十二月には「ポォ全集」を譯出して、しまひにポォ傳を書くつもりだとさへ呼號してゐる。ところで問題の五十五年版『生き埋め』その他は、表題の作品の外に「盜まれた手紙」「群集の人」(The Man of the Crowd)「物いふ心臟」(The Tell-Tale Heart)を收めた小冊子であるが、極めて機智に富んだ繪畫的な筆致でものされ、原文の幽暗な深さを失ひ、併せてポォ持有の文體美に到達してゐないといはれる。ただ何といつても、大デュマといふ背景をひかへてゐたので、ボォドレェルはこれを恐るべき敵手と觀じたに違ひない。然しその懸念は杞憂に過ぎなかつた。一度ボォドレェルの譯文が公けにされ始めると、彼の敵手は皆沈默してしまつた。ボルヂェエルが全然ポォに手をつけなくなつたのはいふまでもないが、强敵とみられたヒュウズでさへ、ボォドレェルのポォ集第一卷が第四版、第二卷が第三版を重ねた千八百六十二年に漸くボォドレェルの見返りもしなかつた劣作のみを集めて、『エドガア・ポォ物語拾遺』(Contes inédits de Poe)と銘うつて公けにしたに過ぎない。實はボォドレェルがポォに魅せられた日から、ポォは「彼の作家」となり、ポォ宣傳の行はれた時から人はポォ集を彼に期待し、ことに五十二年のポォ論を讀んだ後には、此瑰異な作家を理解しうる特殊な才能をボォドレェルこそ誰よりも多分に備へてゐると、ひとしく認めてゐたからである。當時の輿論を推察すると、ボォドレェルのポゥ譯は苟も具眼者のひとしく期待するところのものであつた。現に五十三年一月九日の「ヂュルナル・ダランソン」(Journal d'Alençon)を見ても「シャルル・ボォドレェル氏はポゥの作品の飜譯を準備してゐる。それは近くルクゥ書店から公にされよう」と書かれてゐる位であつた。然るに期待したその譯集は前項に述べた理由で公けにされず、ボルヂェエルのものが出た。そのためバルベイ・ドオルヰリイは失望のあまりその公刊は近き未來には實現されまいとさへ推《すゐ》したが、ルクゥ書店の近刊豫告(三月)には、シャルル・ボォドレェル譯『エドガァ・ポゥ物語集』(印刷中)(「此著者は合衆國のバルザックにして同時にホフマンである」)として立派に廣告され、同書店との關係決裂した後にも同文の廣告が出てゐる(五月)。さうして此年十二月一日オオピック夫人に宛てた手紙によると、ルクゥと彼との間には和睦が成立して年内には兎に角ポゥ集の第一卷が出る筈であつたが、それは實現せず、且つそれ以後は書簡集をどう開いても全く情況不明である。

ルクゥをしくじつたボォドレェルは必死になつてポゥを發表する舞臺を探した。實はルクゥとの交渉以前に「ル・ペイイ」の主筆アルマン・デュタック(Armand Dutacq)と同誌に掲げる交渉をしたこともあり、現に五十三年二月六日附の手紙によると、最初に載せる準備の出來てゐるのは「群集の人」だと明示してゐる程である。然し此交渉はまとまらなかつたらしい。同年十二月一日附の母へ贈つた手紙によると、「モニトゥウル」(Le Moniteur)誌に交渉して、これも斷られた。(サント・ブゥヴも、これに側面的な援助を請はれ乍ら、ボォドレェルと編輯者テュルガン(Turgan)との關係を述べて、その援助を與へることを拒んでゐる」。それ以外にはサント・ブゥヴが(五十二年十月三日)エロンに推薦してくれた「ル・コンスティテュシオネル」(Le Constitutionelle)、イポリット・キャスティユ(H. Castille)が推薦してくれた「ラ・ルギウ・コンタンポラン」(La Revue contemporaine)等があつたけれど、みな成功せず、最後に「ル・ペイイ」に當つて、漸くここに落ちつくことが出來たのである。

一體「ル・ペイイ」は所謂「多頭政治」で、しかもその首腦部間の意見が一致せぬこと多く、且つまたボォドレェルはその一員たるルフラン某に嫌はれてゐたので、大體は見込みがなかつた。これは五十三年六月三日づけのデュタックあての手紙で明らかである。當時の彼の心情はその手紙の中に委曲をつくしてゐるから、今、その一節を引いてみよう。「大分前から至るところで拒絶されたエドガァ・ポゥのことですが、此事でどんなに多くの失敗が僕の身にふりかかつたか、あなたは御存知です。あれほど頑固にあれほど輕蔑的に多くの作品を拒絶して來たあなたの雜誌が、その後、ポゥをもつと早く出さぬからといつて、僕を批難する位になりました。公けにすることは、すぐにも出來るのです。實際滑稽ですよ、(ポゥのやうに)天才ある文學者がまるでのらくら者のやうにあらゆる巴里の刊行物から排斥されるなんて。そのうちには模造品や、競爭者や、國際的な契約者がやつて來るでせう、唯一人、僕を、元祖の僕を、助けないうちに。」――彼が焦燥の情は歴々として指呼の中にある。しかもデュタックの好意に加へて、バルヹイ・ドォルギリイの側面的援助が效を奏し、「ル・ペイイ」はつひに彼のポゥ譯文を掲載することを承諾した。六月二十五日母へあてた手紙は、「ル・ペイイ」誌との契約が成立したこと(稿料は一回二十法)を報じ、然し適當な時に現はれる必要から、當然二千法のものを七百法に負けてしまつたので、大枚千三百法の損をしたとこぼしてゐる。が、兎に角譯文は現はれた。七月二十五日以來陸續として譯文は第二面に五段を占めて現はれ、翌五十五年四月二十日までに通計三十六篇を數へるに至つた。今これを表示すると左記のごとくである。

（年　月　日）	（作　品　名）
一八五四・七・二五、二六	鋸山奇談
七・二七	イイロスとチャアミオンとの會話
七・二八	ロンム・キャメレオパァド
七・二九	鴉*
	物云ふ心臟*
七・三〇	メズメリズムの啓示*
七・三一―八・一	黒猫*
八・二	ベレニス*
八・三―四	穽と振子*
八・五	影
	言葉の力
九・一三	アモンティラァドォの樽

天邪鬼の鬼

九・一四	家具の哲學*
九・一七	メッツエンゲルスタイン
九・一八	モレラ*
九・二〇	塔上の惡魔
九・二六	ワルデマル氏の病症
一二・二一—二二	ミイラとの對話
一八五五・一・二一—二二	壜の中から出た手記
一・二二—二三	モゥノスとユゥナとの對話
一・二三、二六、二七	ペスト王
一・二七、二八	群集の人
一・二八	隋圓の肖像
一・二八・三〇	妖精の島
一・三一、二・二、三	輕氣球虚報
二・三—四	ライヂャ

ポゥとボォドレエル（島田）

二・五、六、七　渦潮
二・七、九、一三　アッシャ家の崩壞
二・一四、一五、一八、一九　ヰリアム・ヰルソン
二・一九、二二　人氣者
二・二二　沈默
二・二二、二三　赤死病の假面
二・二三、二四、二五　ぴょんぴょん蛙
三・一・二、三、五、六、七　リュウ・モルグの殺人
三・七、八、一二、一四　盜まれた手紙
三・一四、一五、一六、
二二、二七、三一
四・一、二、一四、一七、二〇　ハンス・プファアルの冒險

〔*印を附したものは前出せるもので、今これを左表に示すと——

(年　月　日)　(作　品)　(掲載誌名)
一八四八・七・一五　メズメリズムの啓示　La Liberté de I

一八五二・四・一七　ベレニス　L' Illustration
一八五二・一〇　家具の哲學　Le Magazin des Familles
一八五二・一〇　穽と振子　La Revue de Paris
一八五二・一二・一一　鋸山奇談　L'Illustration
一八五三・二・四　物いふ心臓　Paris-Journal
一八五三・三・一　鴉　L'Artiste
一八五三・三・二七　家具の哲學　Le Monde littéraire
一八五三・一一・一三、一四　黒猫　Paris-Journal
一八五三・一一・一四、一五　モレラ　Paris-Journal

尚「黄金蟲」は一八五五年七月十五日號の Portefeuille に載る豫告が出ながら、つひに公けにされなかつた。」

「ル・ペイイ」誌に掲載中も多少のごたごたがあつた。同誌の編輯部では、ボオドレエルに相談すると例によつて必ず加筆訂正するであらうと察して、その先手を打ち、彼には知らせずに作品を掲載し始めた。ボオドレエルは憤慨して、同誌の人人を「あの獸物《けもの》の奴等」と罵り、「僕にしらさずに二十四日の四時に掲載し始めたので、地方版などほんとに尻拭紙《トルシユ・キユル》だ――怪物だ」(五十四年七月二十八日の手紙)。クレム夫人への獻辭など何のことか全くわからないといきまいて、これからは自身で校正を引きうけたらしく、アッセリノオの記事によると、此頃は夕方少し遲く彼の部屋に行くと、大抵印刷屋の小僧が片隅に寢てゐた。これは原稿や校正を持參する走り歩きの小僧で、ボォドレェルが訂正に熱中してあまりに長く待たせるためつひ寢こんでしまふらしいといふことであつた。

それほど彼が力瘤を入れた此譯業も五十四年の八月五日から九月十三日まで、また九月二十七日から十二月二十日まで、中斷の憂き目にあつた。これは主として「ル・ペイ」の讀者のうちに、ポゥの藝術といふ新樣の美に慣れず、不滿の聲をもらしたものがあるので、商業政策上、中斷したことが明らかである。現にポゥ譯文の代りに挿入されたものがフレデリック・スッリエ(Frédéric Soulié)の作品などであつたことから考へても、這般の消息は容易に推定されると思ふ。

印刷の遲々たることもまた彼を憤慨させた。千八百五十五年一月十三日デュタックにあてた手紙は彼の焦燥をそのまま露出《むきだし》に物語つてゐる。「八日かかつてまだ仕事にとりかかつてゐないならば、僕は半分印刷されたまま、半分原稿のままで、あなたに渡しますよ。僕はもう序文を始めようとしてゐるのですぜ。……既に七ヶ月僕はおとなしく待つてゐる、それだのに僕のことをたちが惡いと云ふのですぜ。」

千八百五十五年四月二十日、「ル・ペイイ」誌のポゥ譯文は完結した。ボォドレェルは例によつて、その譯文に滿足せず、加筆改訂することを怠らず、その譯文を初案として臺紙に張りつけ、縱横に雌黃を點じて、文を錬つた。いよいよこれを單行する出版業者を見出さなければならぬ。實は「ル・ペイイ」に連載中、五十五年一月、二月の頃すでにデュタックの許から單行する意志があつたらしいけれど、五十五年の博覽會の記事のことについて「ル・ペイイ」と衝突するとともに、デュタックもぢきに病歿したので、實現されず、アシェットに懸け合つたが、ここはその婿タンプリエ(Templier)によく思はれてゐなかつたので問題にならず、つひにリユウ・ギギエンヌ(Rue Vivienne)のミシェル・レギイのもとに落ちつくことになつたのである。もつとも同書店との交渉に就ては、書簡集を見ても徴すべき資料がない。ミシェル・レギイは、すでに『四十六年のサロン』(Le Salon de 1846)を發行し、テオドル・ドゥ・バンギルの詩集『スタラクティイト』(Les Stalactites)の蔽ひ紙に『惡の華』(Les Fleurs du Mal)の初案なる『レスビアの女達』(Les Lesbiennes)を豫告してゐたものである。フイロクセェヌ・ボアイエ (Philoxène Boyer)への手紙は恐らく千八百五十五年の中頃のものと思ふが、それに「ポゥは今賣られかけてゐます、とうとう！」といふ言葉があるところから推すと、この頃からボォドレェルとミシェル・レギイとの説が一致したものらしい。「ミシェルは僕の二冊を買つて、殆んど全額そのまま支拂つてくれました」とは、十月四日、生母に報ずる言葉である。ところがミシェルの方では、此二冊を十一月中に賣出さうとしてせき立てたが、ボォドレェルは、當時債鬼に急追される狀態にありながら、あくまで改訂の筆を措かなかつたので、約束の時を遙かに過ぎた五十六年三月十二日にはじめて公刊せられたのである。單行されても、例によつてボォドレェルは滿足しなかつた。愈々書物が出てから三日後の手紙に、紙質の惡いのをこぼし(豪華な紙質の特製本を三冊刷らせる筈と書いてゐるが、この處置はつひに講ぜられなかつた)「あれほど注意したのに、いくつかの誤謬があつた」(五十六年三月十五日)と嘆いてゐる。かくして一刷毎に小變更が加へられて行つた。書店の方ではこれに抗議したけれど、ボォドレェルは全く耳を傾けなかつた。殊に再版を印刷する時など、印刷所クレテェ(Crété)の仕事を監督するため、一ケ月の間コルベイユ(Corbeil)に止宿してゐたといふアッセリノォ所傳の逸話をさへ生じた程である。

「ポゥ集」第二巻は、千八百五十六年一月に着手されて、債鬼にさいなまるる窮迫の中に『惡の華』を準備するかたはら加筆改訂され、翌五十七年三月に至つて、第一巻の再版と同時に公けにされた。

此譯文ポゥ集は、「ル・ペイイ」に載つた時は、別に特定の順序に據つたと考へられぬが、第一巻・第二巻として單行するに際し、はじめて主題に應じて分類されたのである。第一巻は、「リュウ・モルグの殺人」、「盗まれた手紙」、「黄金蟲」、「輕氣球虚報」(The Balloon Hoax)「ハンス・プファアル」、「壜の中から出た手記」(MS. found in a bottle)、「渦潮」、「ワルデマル氏の病症」(The Facts in the Case of M. Valdemar)、「メズメリズムの啓示」、「鋸山奇談」

(A Tale of the Ragged Mountain)、「モレラ」(Morella)、「ライジヤ」(Ligeia)、「メッツエンゲルスタイン」(Metzengerstein)の十三篇で、是等以外「ル・ペイイ」誌上に載つた作品二十三篇が第二卷を形ちづくるのであるが、何を基準にかかる分類を施したかといふに、ボォドレェルは自らこれを説明して「第一卷は、讀者を誘ふためにつくられた奇術や臆測や虛報など。…… 第二卷は、もつと高雅な幻想曲で、ハリュシネイション物や、精神病物や、純粹なグロテスク物や、超自然主義物など」と稱してゐる。さういふ基準に據るならば「ライジヤ」と「モレラ」とは當然第二卷に入つて、「ベレニス」(Berenice)と合すべく、これに反して第二卷の「穽と振子」(The Pit and the Pendulum)は第一卷に入り「渦潮」と合すべきものであらう。〔もつともこれは彼自身五十三年三月二十六日附で母にあてた手紙の中に「最もすぐれたものの一つ」として、第一卷の中に收めらるべきことを認《みと》めてはゐた。〕

ボォドレェル譯本ポォ物語集の內容的意義は如何。　彼の譯文は底本としていかなるものを用ゐたか。彼の譯文は正確に原義を傳へてゐるか。もし誤譯があれば、いかなる個所をいかに誤り解したか。彼は如何なる方針でその譯文を行つたか。その譯文の文學的本質は何處にあるか等、等。——これが更に我等の解くべき問題となつてくるのである。

第一に底本に就て究めてゆかう。ポゥが編輯者時代の雜誌「サザン・リテラリ・メッセンジャア」の二年間分を彼は全部持つてゐたが、そのポゥ譯文を檢證すると「ベレニス」の一節のみが該誌のテクストに據つてゐる。「人氣者」(Lionizing)が雜誌に據らなかつたことは明らかで「モレラ」は、該誌にのみ見られる「公教讃歌」(Catholic Hymn)を譯してゐない。これらから考へると、二年分全部とはいつても「モレラ」の載つた千八百三十五年四月號は所持してゐなかつたのではないかと考へられる(以上ルモンニエの報告に據る)。「ヂェントルマン雜誌」「ブロォドウェイ・ヂャアナル」等は集めてゐたらしい(以上ル・ダンテックの推定に據る)。その他ポゥの物語の載つてゐた雜誌は、所持しないか、參照しなかつたことは「ギフト」(Gift)所掲の「エレオノォラ」や「グレイアム・マガジィン」所載の「楕圓の肖像」等を校合して見れば、明らかであらう。要するに、ポゥ關係の雜誌は多少所持してゐても、初掲雜誌の本文はあまり參照しなかつたと見て置いて差支あるまい。

次にポォの單行本では、(1)千八百四十年のフィラデルフィア、(Philadelphia) リイ・アンド・フランチャド(Lee and Blanchard)版『グロテスクとアラベスクとの物語集』(Tales of the Grotesque and Arabesque)(二卷本)を持つてゐたかといふに、或はもつてゐたかもしれないが、そのテクストに據らなかつたことは、「モレラ」や「沈默」(Silence)に徵して、明らかである。(2)千八百四十三年フィラデルフィア版『エドガァ・アラン・ポォの散文物語集』(The Prose Romances of Edgar A. Poe)第一卷は、合衆國でもすでに珍本になつてゐたらしいから、果してボォドレェルがそれを所持してゐたかどうかは疑はしい。(3)千八百四十五年ロンドン版の『エドガァ・エイ・ポォ作。物語集』(Tales By Edgar A. Poe)を持つてゐたことは確實で「千八百五十二年九月十六日マキシム・デュ・キャンによせた手紙によると、自分の英吉利版を第三者の持つ古い亞米利加版と校合してみねばならぬと云つてゐる」、「メズメリズムの啓示」に照らしてみても、彼が此版を用ゐたのは瞭然たるものがある。(4)千八百五十年から五十六年にかけて出た所謂「グリズウォオルド版『故人エドガァ・ポォ全集』は、いふまでもなく、その秘藏して根據とせるものであつた。さうして以上四冊のうち特に(3)と(4)とが最も依據するものであつたが、そのいづれを好んで用ゐたかは明證がない。 ルモンニエが「黄金蟲」に就て檢證せる結果によると、或個所は五十年版に據り、或個所は四十五年版に據り、別に系統的にそのいづれかを重視することなく、專ら個人的な趣味に基いて、好むところを採つたらしいと思はれる。

今、念のため譯文ポゥ集第一卷第二卷に就て、その本文の典據を分類してみると、はつきり(1)五十年版に據つてゐることの分明なものは、「リュウ・モルグの殺人」、「盜まれた手紙」「輕氣球虛報」、「ハンス・プファアルの冒險」、「鋸山奇談」、「メッツエンゲルスタイン」、「天邪鬼の鬼」(The Imp of the Perverse)「物いふ心臟」「ぴょんぴょん蛙」、「アモンティラアドォの樽」「赤死病の假面」(The Masque of the Red Death)、「ペスト王」(King Pest)、「塔上の惡魔」The Devil in the Belfry) 「人氣者」「ロンム・キャメレオパァド」「ミイラとの對話」(Some words (with a Mummy)「妖精の島」(The Island of Fay)である。 はつきり(2)四十五年版に據つたことの明らかなものは、「メズメリズムの啓示」「黑猫」「アッシア家の崩壞」(The Fall of the House of Usher)である。 はつきり(3)四十年版に據つたことの明らかなものは「キリアム・キルソン」である。 (4)「ブロォドウェイ・ヂャアナル」に據つたか、或はそれと大差なき五十年版に據つたものは、「壜の中から出た手記」「ワルデマル氏の病症」「モレラ」「ライヂャ」「言葉の力」(The Power of Words)、「影」「沈黙」「隋圓の肖像」(The Oval Portrait)である。(5)四十五年版五十年版を併用したかと推されるものは、「黄金蟲」「渦潮」、「群集の人」、「モゥノスとユゥナ」である。それ以外には(6)「ベレニス」がはじめ三十五年三月の「サザン・リテラリ・メッセンヂャア」に據り、後の定案に四十五年版を參照したらしく、(7)「穽と振子」は五十年版らしく、(8)「イイロスとチャアミオン」は三つあるテクストのどれかに據つたものらしく、明言が出來ない。

第二に、われらはポゥ譯集の正確性を檢證しなければならぬ。譯者としての資格から見ると、彼の英語の學力はどうであつたか。ボォドレェルこそ「英語を徹底的に知つてゐる文學者」とか「英吉利の雜誌に英文で書いた文章を公けにする筈で、バイロン卿(Lord Byron)の國語を、語學者としても、詩人としても、知つてゐる」とかいふ當時の雜誌記者の評語は溢美であつて、相當な解讀力はもつてゐたが、話したり書いたりする方面の學力があんまり信用されないことは明らかである。さうして自著『惡の華』の千八百六十一年版が、千八百五十七年版にくらべて、はるかにその文致と詞美とを加へてゐるやうに、譯文ポゥ集も、はじめ雜誌に現はれた時と單行された時とでは、その正確の度を遙に異にするのである。概評すれば初案は全く逐語譯で、時に笑ふべき誤譯が處々に見出される。例へばポゥ宣揚の第一聲であつた千八百四十八年七月十五日號の「ラ・リベルテ・ドゥ・パンセ」に載つた「メズメリズムの啓示」などは、'There can be no more absolute waste of time to attempt to prove, at the present day, that man can ...... といふ文が Toute la question se réduirait à un effort nécessaire pour prouver que quant à present, l'homme peut ...... と飛んでもない意味に變つたり、moreover が progressivement となつたり、a resistance now ascertained, it is true, to exist in some degree が une résistance dont la force n'a pas encore, il est vrai, été soumise à un calcul exact ...... といふ風に誤讀の例が頻出するのである。 然し此譯文など最も早期のもので或意味でボォドレェル譯集中に孤立するものであるから、暫く除外するにしても、相當英語の學力が上達してほぼポゥ譯文の初案を完成した筈の千八百五十二年以後のものを見ても、その年の「家具の哲學」など巨細に原文と校合してみると、'The Dutch have perhaps an indeterminate idea that a curtain is not a cabbage. といふ一章中、英語を獨逸語 Deutsch と混合したためか Les Allemands と誤譯した外、ここ全體を Les Allemands ont peut-être l'idée très-vague qu' un rideau n'est pas un chou. と譯して cabbage のしやれに氣づかなかつたり（六十五年版にはじめてこれに“Cabbage veut dire à la fois *chou* et *rognure d'toffe*, retaille gardée par le tailleur. と註を加へた）In Spain they are *all* curtains —— a nation of hangmen もはじめはただ Quant aux Espagnols, ils sont tout rideaux, une nation de bourreaux と表面の字義どほりに解したり（六十五年版に至つて、*hang* veut dire pendre et tapisser と註を附することが出來た）更にその先に With formal furniture, curtains are out of place とあるのを Mesquins et étriqués, les rideaux sont superflus と全然誤讀しまた同節に Every one knows that a large floor *may* have a covering of large figures, and that a small one *must* have a covering of small とあるのを Chacun sait qu'un vaste parquet veut être couvert de grands dessins, et qu'un plancher étroit en appelle de petits と誤譯し更にその次節に The former is totally inadmissible within doors といふ文を *Excepté a la porte*, le gaz est tout-à-fait inadmissible と誤解し同節の終り a world of good effect の good effect の眞意が汲めないで、un monde de *bonnes intentions* と抱腹絶倒的な譯文を與へ、その次節 even strong *steady* lights are inadmissible を une lumière tranquille, mais excessive, est elle-même inadmissible と全く原義が理解されなかつたことを曝露する外、It has but one door —— *by no means a wide one* を Elle n'a qu'une porte, —— *une porte qu'on ne laisse pas ouverte* といふ風に佛譯したことなどは、「ル・ペイイ」誌上の皆微笑するに遑ひないところであらう。 更に五十四年五十五年の「ル・ペイイ」誌上の譯文と五十六年以後の單行本文とをくらべると、一層正確にして且つ精錬の文致を年とともに加へてゐることが明らかである。 それは此間に譯者ボォドレェルが特に英語のイディオムに關する知識を急速に増し加へたことに基いてゐるのであらう。 今、N・R・F・版とコナァル版とのポゥ譯集の諸ヴァリアントを丹念にみくらべてみると、ボォドレェル本の誤譯の個所が摘出されると思ふ。 余は專ら、アンドレ・コスズュル (André Koszul) 教授の檢證を經たといふヂャック・クレペェの指摘したところにより、みづからテクストに當つてみたところ、「ル・ペイイ」誌上の千八百五十四年五十五年の初案で明らかに誤譯とみとむべきものは、「リュウ・モルグの殺人」に三個所、「輕氣球虛報」に三個所、「ワルデマル氏の病症」に二個所、「メズメリズムの啓示」に十二個所、「鋸山奇談」に六個所、「モレラ」に一個所、「ライヂヤ」に七個所、「メッツェンゲルスタイン」に三個所、「キリアム・キルソン」に七個所、「群集の人」に二個所、「ベレニス」に六個所、「アッシア家の崩壞」に二個所、「穽と振子」に三個所、「ぴょんぴょん蛙」に一個所「アモンティルラァドォの樽」に四個所「ペスト王」に四個所、「塔上の惡魔」に二個所、「人氣者」に一個所、「ロンム・キャメレオバァド」に一個所「ミイラとの對話」に五個所、「モオノスとユッナ」に三個所「隋圓の肖像」に一個所あつた。さうしてそれらはいづれも千八百五十六年五十七年の單行譯本には殆んど全く是正されてゐるのである。

例へば「輕氣球虛報」のうち、「天上から地上の船舶を見下して……A few of which, were endeavouring to beat up, but the most of them lying to……といふところを航海用語に慣れないため……dont quelques-uns essayèrent de lutter avec nous, mais dont la plupart se résignèrent à leur infériorité と誤譯し、五十六年の單行本で、はじめてこれを……dont quelques-uns louvoyaient avec peine, mais dont la plupart restaient en panne. と正解した。また同曲で、'This morning the gale, by ten, had subsided to an eight or nine-knot breeze を「ル・ペイイ」のそれでは Ce matin, la brise qui donnait dix nœuds à l'heure n'en donnait plus que huit ou neuf と抱腹すべき譯文になつてゐるが、五十六年本では Ce matin, vers dix heures, la tempête n'était plus qu'une brise de huit ou neuf nœuds. と是正された。

それから「ワルデマル氏の病症」などでは、"The eyes *rolled themselves* の再歸代名詞が理解されないので、「ル・ペイイ」時代には Les yeux roulèront d'eux-mêmes と滑稽な譯文となつたが、五十六年本で Les yeux rouliront dans leurs orbites と改訂された。

また「ライヂヤ」を見ると、Buried in studies of a nature more than all else adapted to deaden impression of the outward world …… といふのが Plongé comme je le suis dans les études dont la nature s'adapte plus que toute autre à amortir les impressions du monde extérieur と「ル・ペイイ」では譯出され、全く原意をそこなつてゐたのが、五十六年本で Plongé dans des études qui par leur nature sont plus propres que toute autre à amortir les impressions du monde extérieur と訂正された。同曲には The external placidity が、不注意からであらう「ル・ペイイ」時代に Cette éternelle placidité と誤譯されてゐた。Cette apparente placidité と正譯されたのは五十六年本からである。One bound and I had reached her feet! を Je bondis, et je saisis son pied! (一八五四)は抱腹絶倒であるが、五十六年本はこれをちやんと D'un bond, j'était à ses pieds と訂正してある。

「キリアム・キルソン」をみると、(It was imporsible) to say with certainty upon which of its (the house) two stories one happened to be といふ一章をはじめ五十五年の雜誌では、(Il était impossible) de dire avec certitude lequel de ses deux étages s'oppuyait sur l'autre と

誤譯し、五十七年の單行本になつてから(Il était impossible) de dire avec certitude si l'on se trouvait au premier ou au second étage と正解した。

「アッシャ家の崩壞」では、文中の或書物の表題 The Mad Tryst を Le Fou triste と早呑込し、その古書の文中の句 who entereth herein, a conqueror has bin の bin が been の古形だつたことを知らなかつたためか、Celui qui entrera ici aura conquis le cahute と誤り記した。 五十七年本は兩者をともに是正してゐる。

「穽と振子」では、and I shuddered because no sound succeeded が、五十四年文で et je frissonnai quand tout bruit cessa désormais pour moi と話者の位置を無視してゐたものを、五十七年本で et je frissonnai, sentant que le son ne suivait pas le mouvement と正解せられた。

「アモンティラァドォの樽」では、A wrong is …… undressed when the avenger fails to make himself felt as such to him who has done the wrong が、五十四年文で Un tort n'est pas…… redressé quand le vengeur néglige d'exécuter lui-même celui qui a commis le tort とされたものを、五十七年本で Une injure n'est pas …… redressé quand le vengeur n'a pas soin de se faire connaître de celui qui a commis l'injure と訂正されることになつた。

如上の檢證からして確言しうるのは、ボォドレェルが、ポゥの英語の原義を正確に把握しうるやうになつたのは、大體千八百五十五年から五十六年までの間であつたと見てよい事である。その證據には、五十六年に着手された『アァサァ・ゴォドン・ピムの物語』になると、すでに五十七年の「モニトゥウル・ユニヴェルセル」誌に掲げられた時から、殆んど完璧を極め、爾後の作品またみな同じだからである。

ボォドレェルの正確に對する要求は、ひとり原義の正しさを把握するに止まらず、原文の語句の音樂性にも留意して、原文の風韻と情趣とをも移植せんと圖るに至つた。ル・ダンテックは、「モレラ」の一節に就てこれを立證してゐる。今、それに據ると、"There was a dim mist over all the earth, and a warm glow upon the waters, and, amid the rich October leaves of the forest, a rainbow from the firmament had surely fallen" といふ原文が、五十三年十一月十四日十五日の「巴里」誌の初案では "Il avait un voile de brume sur toute la terre, et un chaud embrasement sur les eaux, et, parmi les riches feuilles d'Octobre de la forêt, un arc-en-ciel était sûrement descendu du firmament" とあり、五十四年九月十八日の「ル・ペイイ」誌上の再案で "Il y avait un voile de brume sur toute la terre, et un chaud embrasement sur les eaux, et on eût dit qu'un arc-en-ciel tombé du firmament colorait les riches feuilles d'Octobre de la forêt" と小變更を施され、五十六年三月の單行本で"Il y avait un voile de brume sur toute la terre, et un chaud embrasement sur les eaux, et à voir les splendeurs d'Octobre dans les feuillages de la forêt, on eût dit qu'un bel arc-en-ciel s'était laissé choir du firmament" といよいよ定案をえたわけであるが、三つの譯文を朗讀してみると、そこに詞句の音調美に於て、益々原文の風韻に迫つて來てゐることは否定できない。即ち、初案は逐語の直譯で、時に平板に近い感じを與へるほどであつたのを、再案で、"Splendeurs d'Octobre" などの聯想ゆたかな詞美をたくみにちりばめつつ、愼重な改訂をほどこし、定案でいよいよこれを熟錬しつくし、眞意の表現をぴつたり現はすまでに迫つて來てゐるのを觀取されるであらう。これは單に一例であるが、その文體の情趣・風韻を傳へるに不斷の努力を惜まなかつたことは、數案あるその譯文を比較對照してみれば、みな明瞭になつてくると思ふ。

要するにボォドレェル譯本は、數次の階段を經ながら、一歩一歩原義と原調とを確實に把握するやうにより、單行せらるる時には、正確性の點では殆んど遺憾なきまでに精錬されてゐたのであつた。

第三にボオドレエル自身「永久的にしてまた世界的な文體」(『覺書』十八)と評せるポウの文章を移すに、いかなる原理を根據としたか。卽ちその譯本の文學的特質はどこにあるか。それを明らかにするには、他の譯者の特徴と比較しながら說くのが便宜であらう。　かの「海賊」フォルグがポウの原文を削除して勝手に省略することを恥ぢなかつたに反し、ボオドレエルは原《もと》の一字一句をも削ることを憚つた。原文にして突兀たる部分があれば、フォルグと違つて、それを削らず、そのままに寫し出さんと努めた。　原義を移すに正確なことはムニエ夫人の譯文より甚しく、語句の末に至るまで原文に忠實なことはヒュウズのそれをも遙に凌いでゐる。　この忠實と正確とを證《あか》すため、われらはここにポウの原文とボオドレエルの譯文との味はひにともに最も徹しえたと思はれる一佛蘭西學匠(L. Lemonnier; Les Traducteur d'Edgar Poe en France de 1845 à 1875: Charles Baudelaire. P. 181 et suiv.) の說くところを聞かう。例は、或病み上りの男が、說明しがたい好奇心に捉へられて、大都會の群集の中の一老人を追ひかけてゆく敍述の一節である。まづ原文を引く。"It was now fully nightfall, and a thick, humid fog hung over the city, soon ending in a set and heavy rain. This change of weather had an odd effect upon the crowd, the whole of which was at once put into new commotion, and overshadowed by a world of umbrellas. The waver, the jostle and the hum increased in a tenfold degree. For my own part, I did not even regard the rain——the lurking of an old fever in my system rendering the moisture somewhat too dangerously pleasant. Tying a handkerchief about my mouth, I kept on." これに對してヒュウズ譯文は次のごとくである。"La Nuit était venue, et un épais brouillard, qui depuis le matin planait sur la ville, se changea en une pluie fine et obstinée. Ce contre-temps donna une impulsion nouvelle à la foule qui s'abrita sous une forêt de parapluies. Les ondulations et les bourdonnements recommencèrent de plus belle. La fraîcheur de la pluie ne m'effraya pas ; au contraire, un levain de fièvre (restant de ma récent maladie) la rendait dangereusement agréable pour moi. Redressant le col de mon pardessus, je ne cessai pas de suivre le vieillard." 更にまたボォドレェル譯は次のごとくである。"Il faisait maintenant tout à fait nuit, et un brouillard humide et épais s'abattait sur la ville, qui bientôt se résolut en une pluie lourde et continue. Ce changement de temps eut un effet bizarre sur la foule qui fut agitée tout entière d'un nouveau mouvement et se déroba sous un monde de parapluies. L'ondulation, le coudoiement, le brouhaha devinrent dix fois plus forts. Pour ma part, je ne m'inquiétai pas beaucoup de la pluie, —— j'avais encore dans le sang une vieille fièvre aux aguets, pour qui l'humidité était une dangereuse volupté. Je nouai un mouchoir autour de ma bouche, et je tins bon." これらの二文を較べてみると、兩者の優劣は一目明瞭と思ふ。第一、原文の heavy rain といふ文字をヒュウズはなぜ「細雨」と譯したか。恐らく「豪雨」としては、大都會をそぞろ歩く群集の流れとそぐはないことを恐れたのであらう。原文をよく味はつてみると、熱病にとりつかれたものにはさうした雨こそ悦なのに、彼はそれをかへつて時ならぬものと誤解してゐる。ボォドレェル文はこゝを正しく解して、ポゥの眞意を汲んでゐる。第二に、ヒュウズは had an odd effect upon the crowd, the whole of which was at once put" の句を省いたが、これはボォドレェルが正解した「奇怪な效果」を恐れたためと思はれる。第三、ヒュウズは" overshadowed " の語を誤解して、" s'abriter " を用ゐたが、ボォドレェルは " se déroba " とたくみに原意を摑んでゐる。かくのごとくヒュウズはつねに群集に同情して、この雨を不時のものと見るに反し、ボォドレェルは此孤獨な人の心になりきつて、雨に退屈せず、かへつて雨傘の生む奇異な效果に注目してゐるのである。
次にヒュウズの病み上りを見ると、"d'une récente maladie, il lui reste de la fièvre" で、まさに熱病に襲はれかけるのであるが、ボォドレェルのは "dans le sang (il a) une vieille fièvre" で、慢性の熱病やみである。ポゥの原文の人物もさうした病氣に惱むひとである。更に細部にあたつてみると、ヒュウズのは "redressa-t-il le col de son pardessus" で、健康な人物が風邪にかゝつてゐるやうな感じであるが、ボォドレェルのは "noue un mouchoir autour de sa bouche" で、いかにもよく熱に慄へる病人の姿を描いてゐる。これがポゥの原意に適《かな》つてゐることはいふまでもない。それてあるから、ヒュウズ文中の人物は、細雨を時ならぬものとして群衆に混り入る、これは群衆と同じく、所詮は彼も健康だからである。これに反してボォドレェル文中のそれは豪雨が快感を與へる人物で、いかにも病人らしい身振と病的な印象とを與へて、他の健康な群集から區別される。——

以上を總括して考へると、ボォドレェルのポゥ飜譯の方針が明らかとなるであらう。彼自身の言葉で語らせれば、その方針は次のごとく要約される。——「特に原文に追從すべく努めねばならぬ。或物は曖昧となつたらう、もしも余が文字とほりに原文に追從せず、余の原作者をパラフレエズせんとしたならば。余はむしろ拮屈《ペニィブル》な、時に無様《ぶざま》な、佛蘭西文をものしても、ポッの哲學的術語をそのあらゆる眞實の中に示さんことを期した」(千八百四十八年七月十五日)。

では、その謙辭のとほりに、彼は拮屈な無様《ぶざま》な佛蘭西文をものしたのか。「物いふ心臓」をとつてルモッニエの檢したところによると、Old man を vieux homme と古風なふさはしからぬ譯語をあてたり(しひて用ゐれば le vieux がよい)、He did not dream of my actions を Il ne soupçonnait même pas mes actions と碎かず、あまりに直譯風に Il ne rêvait pas de mos actions としたりする過度に原義を移さうとする手法の失敗したものや、J'installai ma chaise といふやうな佛語の慣用例にそぐはぬやうなかんばしからぬ用法に出逢ふことはある。然し、これを譯文全體として含味するとき、これらの小瑕瑾はさして目立たず、實にこくのある文章になつてゐる。時に原文を文字どほりに移植するため、言語學的ピュゥリストの怒りを招くことはあつても、原文の何よりも大切な精神ははつきりと傳へてゐる。例へば、his fears had ever since been growing を、彼は大膽にも ses craintes avaient toujours été grandissant とうつし、a soul overcharged with awe を、彼は直裁簡明に une âme surchargée d'effroi とやつてのける。

「彼は句の全體を見ない。彼は句を支配しない。彼は追つてゆく、彼は拾ひ讀む、彼は一語の代りに一語を置いてゆく。さうして一語ごとに實に正確な、繪畫的な、强烈な、或は瑰異な言葉をはめ込んでゆく。」即ち、彼は所謂「古典的」飜譯法を追ふたのではない。清素な言葉、正確な陰影、流暢ないひまはしを佛蘭西語の中に求めつつ譯したのではない。彼は原文のその場その場にふさはしき、畸異な、衝擊的な、人を驚かす言葉を選びつつ譯したのである。即ち、此譯文は「古典的な正格美」によつて人を魅了するものではない。これは飽くまでも異樣な獨創美によつて人を惹きつけるものであつた。さうして此文章の背後に潜む、飽くまでも細心精緻にして時に大膽と思はれるまで逐語的な譯法こそ、極度にロマンティックで、また極度にリアリスティックなポゥの天才を移すのに最もふさはしいやり方だつたのである。

短篇の物語の外に尙說くべきは長篇小說と宇宙論との譯業である。長篇小說『アァサァ・ゴオドン・ピムの物語』は、千八百五十五年六月七日、「ル・ペイイ」に載せようとして、その社主ミレス(Mirès)に依頼した手紙が殘つてゐる。「第三卷は唯一の長篇小說です。だから中斷するわけにゆきません。僕は今どんづめに陷ちてしまひました。僕の家具を救つた後は、直ちに此日の終りまで、郊外にとぢこもつて、ポゥの仕事と手をきつてしまはなければなりません。」然し此依頼は一應承諾されながら、つひに稿料の點で折り合へず、つひにはミレスがボォドレェルに五百法前貸したとまで虛僞の惡聲を放つたので、喧嘩わかれになつてしまひ、デュタックの友情も彼を反省させることは出來なかつた。かうしてゐるうちに「モニトゥウル」誌が譯文を引き受けることになつた。五十六年七月五日の手紙は母に宛ててポゥ集の進行狀態を報じてゐる。「第二卷は終り、今、印刷中です。第三卷(卽ちピム物語)に取りかゝりました。その第一回は今月二十日から三十日までの間に「モニトゥウル」に出ます。うまく賣りつけてやりました(二千五百法)。もつとも二十日迄は一スウも請求出來ません。」ところが七月中に出る筈の此期待は裏切られて、『ピム物語』はなかなか揭載されなかつた。卽ちその第一回は翌年二月二十五日になつてから現はれた。爾斷來續して四月十八日に完結したが、四月中旬假綴にとりかゝり(プッレ・マラッシスへの消息)、六月に入つてから、始めて單行された。

宇宙論『ユウレカ』の譯業は、少くとも千八百五十六年以來計畫にあつたらしい。その年三月二十六日づけでサント・ブゥヴに贈つた手紙によると、ポゥが『ユウレカ』を献じたフリイドリッヒ・ハインリッヒ・アレクザンデル・フォン・フンボルト（F. H. A. von Humboldt）に書を寄せて、その意見を訊ねようとしたらしいが、果して此獨逸科學者と文通したかどうかは、今、證據が殘つてゐないので、何とも明言は出來ない。掲載された雜誌は、ヂュネェヴ（Genève）の「ラ・ルギウ・アンテルナショナル」(La Revue internationale)で、千八百五十九年十月にはじまり、六十年の一月に及んだ。當時母へあてた手紙によると、同誌と決裂したことが明らかである。「喧嘩。ヂュネェヴの連中と絶對の喧嘩。だが、喧嘩をすれば、金を拂つてくれる。僕の支拂ももらへさうです。すでに出版中のものを除いて、澤山の原稿をかへしてもらへさうです。」ところが『ユウレカ』の全部が掲載されきらぬうちに、此決裂が生じたので、結局、『ユウレカ』は中斷され、譯者もあてにしてゐた金をもらへないことになつた。最後の部分が一月號で打ちきりになつた時、ボォドレェルは甚しい失望を感じた。しかも「ルギウ・アンテルナショナル」はその年五月には潰れてしまつたのである。そこで彼は『ユウレカ』の單行を思ひ立つて、プゥレ・マラッシスに交渉したが、うまくまとまらず、六十三年六月にはミシェル・レギイと再び交渉を始めて、結局そこに落ちつき、翌六十四年に上梓されることになつた。

『アァサァ・ゴオドン・ピムの物語』はポゥ全集中唯一の長編小説であり、『ユウレカ』はまた一種の哲學的散文詩で、ともに無比の特徴を備へてゐるから、譯文ポゥ集中それぞれ獨立して單行せしめるのも意義があるが、六十五年の『イストアァル・グロテスクエ・セリゥウズ』(Histoires grotesques et sérieuses)は全く第一卷、第二卷の補遺ともいふべき性質のものである。今、その内容を掲載誌名とともに表示すれば、左記のごとくである。

(年　月　日)	(作　品)	(掲載誌名)
一八五九・三・一〇	エレオノォラ	La Revue française
一八五九・三・二〇	エルサレム物語	La Revue française
一八五九・四・二〇	創作哲學	La Revue française

一八六〇・二・一七　　奇怪の天使　　La Presse

一八六二・七・一二、一九、二六
　八・二　　メルツェルの手品　　La Revue fantaisiste

一八六五・一・七、一四、二一、二八　　フェザア教授　　Le Monde illustré

一八六五・六・二四　　ランドオの小屋　　La Vie parisienne

――　　マリイ・ロォヂェの神秘　　――

――　　アァンハイムの領地　　――

このうち「マリイ・ロォヂェの神秘」(The Mystery of Marie Rogêt) これは「オピニオン・ナショナル」に賣りつけようとして失敗したものである)は「盜まれた手紙」等とともにデュパン物の「エレオノォラ」(Eleonora)は「ライヂヤ」物の「奇怪の天使」(The Angel of the Odd)、「フェザア教授」(The System of Doctor Tarr and Professor Fether)「エルサレムの物語」(A Tale of Jerusalem)等はグロテスク物のそれぞれ傍に置かるべきものであつた。「アァンハイムの領地」(The Domain of Arnheim) と「ランドオの小屋」(Landor's Cottage) と「家具の哲學」とは、これを一括して「空想の家」と題するつもりであつたらしく、六十五年二月十五日の手紙の中には((Habitations imaginaires))といふ名が出てゐる。恐らくそこに一括して公けにするつもりであつたらしく、デュリアン・ルメル（Julien Lemer）に宛てた手紙によると、「マルスラン（Marcellin）君の手許にポォが三編ありますからあなたのよいと思ふところに、或はお力の及ぶところに、挿入して下さいませんか。「リュニヴェル・イリュストレ」（L'Univers illustré）、「ル・ジュルナル・リテレェル」（Le Journal littéraire）、「ラ・プレッス」、「ル・ペイイ」、「ル・コンスティテュシオネル」などいかが」とあり、同時にマルスランに手紙を書いて、ルメルの許にかの原稿を送らんことを求めてゐる。六十四年八月四日ブリュッセルから母に寄せた手紙によると、ボォドレェルはこれらの三篇を「ラ・ヴィ・パリジエンヌ」（La Vie Parisienne）に載せて、その原稿料を前借しようとしたらしい。が、ルメルはその一編しか掲載せず、他の二編は單行する時に、はじめて、挿入されたのである。「メルツェルの手品」と「創作哲學」とは、この第五卷の中でも、他の物語と直接關係なく、本來獨立すべきことはいふまでもない。現にプウレ・マラッシスにあてた手紙（五十九年十一月一日）によると、ボォドレェル自身後者を特製の單行本とする意志があつたと思はれる。

此譯文ポォ集第五卷は、譯者がブリュッセルに在住してゐたため、校正の件で、頗る多くの問題を生んだ。六十四年六月十一日母へあてた手紙は「未來について、巴里について、或書物について、私は、今、不安に襲はれてゐます。その書物は、私の不在中に印刷され、校正は不定期にしか受けとりません」と報じ、出版を引きうけた書店ミシェル・レギイの校正がかゝりノレェル・パルフェエ（Noreël Parfait）に對しては「第一葉をお送りする。少くともそこで、三つの大間違を消しておいた」（六月十一日）と叱責し、つづいて「何日もたつが、少しも校正が來ない。僕は新らしく不安になりかけてゐる」といひ、そのためにかねて計畫してゐた白耳義國内の小旅行をさへ斷念した。不在のうちに校正刷が殺到せんことを恐れたからである。かうして何日か待つた後に、オンフルゥル（Honfleur）の母からとどけてくれた校正刷と、千八百五十年のグリズウォオルド版の好本文《テクスト》とが、はじめて彼に元氣を與へたのである。七月一日附でミシェル・レギイに送つた手紙は、此頃の彼の心境を最もよく示すものであるから、ここに譯出しておかう。「貴下は、何人でもかまはぬから、僕の文を校正させる權利を托すべき書類に僕を署名せしめた。それは僕に永久の苦惱を與へる。貴下は十七日に一葉送つて來た。それを僕は十八日には、再校を要求しながら、送つておいた。さうしてその書物の印刷は僕が佛蘭西へ戻るのを待つてほしいとお願ひしておいた。もしも第一葉が印刷されたのなら、全部はじめからやりなほしていただきたい」。想起せよ、譯集第一卷當時に示された苟もその筆になるものは完璧を極めんとした彼獨自の慾望は、十二年後の今日も尚依然として熾烈を極めてゐることを。譯集第五卷「イストァル・グロテスク・エ・セリゥウズ」はかくの如き經緯をみながら終に千八百六十五年三月に單行された。

第五卷が公けにされた後のボォドレエルは、その衰殘の精力を僅にふるつて『巴里の憂鬱』(Le Spleen de Paris)に献げただけで、爾後はポゥに關して杳として消息がない。此沈默はどう解すべきか。從來の研究家は、此點に關して二說にわかれる。此時を境にして最早氣力つづかずポゥの譯業を斷念したといふ說がその一つであり、それも多小眞相を穿つてゐるとは思ふが、これはむしろ豫期してゐた作品の譯業を果したので、最早此後ポゥのことを語らなくなつたのだといふ第二の說の方がより多く眞相に近いのではないかと思ふ。

最後に問ふべきは此譯文ポゥ集がいかなる結果をかちえたか。更にその結果によつて飜譯者と原作者とはそれぞれいかなる影響を受けたかといふことである。

此問に對しては、まづ「ポゥを佛蘭西中に知らせたいと思ひます」といふボォドレェルの大望が實現されたといふことを擧げなければならぬ。今これをボォドレェルの依據した最初の『ポゥ全集』（グリズウォオルド版）に據ると、そこではポゥの評論七十四篇（ハリスン版では二百八十五篇）を收めてゐるが、ボォドレェルは僅に四篇とはいへ、屈指の名篇を譯出して、審美家としてのポゥの一面をゆふに傳へることが出來た。更に、藝術家としてのポゥの骨子たる物語を調べると、グリズウォオルド版は六十八編收載してゐる。そのうちボォドレェル譯は四十二編で、當時知られてゐたかぎりのめぼしいポゥの物語は殆んど全部これによつて佛譯されたと言つてよい。強いて譯し殘した名作を求めれば「約束」(The Assignation)を數へ上げられようか。その後發見されたポゥの物語も「チュリヤス・ロドマンの日記」(The Journal of Julius Rodman)のみが斷章とはいへ名作の中に入るべきもので、他はいふに足りない。要するにポゥの物語の佳品は全部ボォドレェルの筆によつて佛蘭西讀者の味はひうるものとなつたと概説しておいて差支あるまい。またグリズウォオルド版所載の詩は四十二章、そのうちボォドレェルの譯したものは五章（「鴉」、「幽靈宮」、「征服虫」、「樂園の人に」、「わが義母に」）であつた。千八百五十六年三月二十六日附でサント・ブゥヴにあてた手紙には「ポゥ集第二卷のをはりに、僕はいくつかの詩の實例を載せるつもりです」とあるから、當時は少くとも數章のポゥ詩は譯出するつもりであつたらしいが、五十七年第二卷の序の中では「かくのごとく意欲せられ、かくのごとく集中された詩の飜譯はいとしき夢となりえよう、然しつひに夢にすぎない」とはつきり斷念したらしい口吻をもらしてゐる。　然し翌五十八年一月二十日マキシム・デュ・キャンに寄せた手紙によると「一月《ひとつき》後に、いくつかのポゥ詩をおみせします」とあるので、その譯業にとりかかつたことは事實らしく、現にマラルメもその「エドガァ・ポゥ詩集」略註（Scolies）に於て「疑ひなく、彼は、或時、その夢を試みて、譯文『奇談集』とその自著『惡の華』との間に伍すべき一集を與へんとした」と推定してゐた位である。惜むらくは今僅にその五章のみが殘されてゐるが、此素志を繼いで、ボォドレェルの夢を實現する任務は、彼の直系の後進ステファヌ・マラルメ（Stéphane Mallarmé）の手に托されたのである。ボォドレェルはここに或意味で彼以上に適任な譯者にその詩の飜譯を殘すことになつたといつてよいであらう。　かうして佛蘭西の讀者は、ボォドレェルとマラルメとのポゥ譯本を持つことによつて、詩人及物語作家としてのポゥの眞髓に味到しうることを許された形になつたのである。これが先づ力說すべきボォドレェルの功績であつた。「尙、余の小論「マラルメ譯本ポゥ詩集」を參照されたし。」

次には彼が飜譯者としての名聲を確立したといふことを說かなければならぬ。當時の批評を一瞥して見ると、ほぼ異口同音に「ポゥの譯者ボォドレェル氏」が禮讃されてゐる。その讃辭の骨子は、譯文の良心的にして正確な點に向けられ、また原作者の思想と言葉とがよく捉へられ、ポゥその人の文體の美さへ髣髴せしめるといふ點に懸つてゐた。時に散見する批難は、低俗な調子を導き入れ、奇異な造語癖を弄しすぎるといふことにあつたが、何をいふにも內容が內容故、造語もやむをえまいといふ辯解が有力で、概評すれば、大抵の批評家は飜譯者ボォドレェルを一齊に讃美したといつてよい。五十六年八月十二日、五十七年四月七日の「モニトゥウル・ユニヱル セェル」や五十八年三月の「ルギゥ・フランセェズ」などの言說が、その有力な證左として擧げられるであらう。もつと高い文壇のオリュムポスに位する人人も、さうした批評家達の說を裏書してくれた。例へば、その譯文は、文體と思想との正確な同一性を持ち、原作にひとしい感銘を生むといふテオフィル・ゴオティエの言葉や、その譯文の文致が生々潑剌たる、畫趣に富む、新鮮味を有する點を賞美してくれたサント・ブウヴやバルヹイ・ドオルヸリイの言葉などがそれである。飜譯者として名聲を確立したことは、詩人としての彼に幸ひして、ボォドレェルが『惡の華』を出版するに多大の援助を與へてくれた。 譯文ポゥ集があれほどあたるなら、その詩集をもひきうけてみようといふこころは、當時の出版業者のひとしく感じたものであらうと思ふ。さうして事實、此譯文集の成功のため、『惡の華』は首尾よく公けにされることになつたのである。 更に飜譯者ボォドレェルがどれ位の讀者を獲得したかを調べてみると、譯者の生前に第一卷が六版、第二卷が四版、第三卷が三版が重ねたことによつて、その流布の工合を察することが出來よう。 概評すれば、第一卷が讀者の好奇心をそそつて最も好評であり、第二卷はやや落ち、第三卷は未完結の長編小說として更に落ち、第四卷『ユウレカ』は極めて限られた小數者にのみ理解せられる主題を取扱ふ「佛蘭西人にとつてあまりに抽象的」(千八百六十三年十二月三十一日母に寄せた手紙)な作品であるから、全然失敗し、第五卷は補遺篇としてつひに重版に至らなかつた。 かかる賣行の良否は、勿論、作品の內容的意義にも關係してゐるが、同時に讀者層の好尙の變動にも依據してゐるのである。 五十六年の第一卷があれほど賣れ行きがよかつたのに、第三卷以下の思はしく流布しなかつた所以は、中產階級者のロマンティック思想に反抗する常識萬能論と小市民的道德思想とが爾來年を追ふて擡頭して來た事實に、その有力な根據の一面を求められねばならぬ。

以上の諸點が飜譯者ボォドレェルに益あつた部分であるが、原作者ポォは更に一段と此譯集によつて益したと見てよいと思ふ。千八百五十六年ボォドレェルの譯集が單行されるとともに、佛蘭西國內の有力な雜誌でポォ論を掲げないものは殆んど無かつた有樣である。此點に最も詳らかな調査を施した或研究家の報告によると、當時「ル・フィガロ」(La Figaro)が二度、「ラ・ルギウ・フランセェズ」(La Revue française)が二度、その他「巴里評論」「兩世界評論」「ラッサンブレ・ナショナァル」「ヂュルナアル・デ・バ」(Jour-nal des Débats)「ル・モニトゥウル・ユニヴェルセェル」、「ランデパンダンス・ベルヂュ」(L'Indépen-dance Belge)等等の雜誌がみな同情ある評論を掲げたのである。これがエドガァ・ポォの佛蘭西に於ける(ひいては歐洲大陸一圓に於ける)名聲を傳播するに與つて力あつたことはいふまでもない。ポォはこれより一躍して大作家と目されることになつた。千八百五十六年を境界線にして、合衆國ではさして重んぜられなかつた文學者エドガァ・ポォが、歐洲文壇に於ては第一流の作家に見做されるやうになつたのである。當時の文獻に徴すると、ポウの名聲が五十六年の前と後とで格段の差違あることは驚くべきほどである。例へば、サン・ルネ・タイヤンディエ（Saint-René Taillandier）の『外國文學』（Littératures étrangères）千八百四十八年版にはポウの名前さへ載せてなかつたのが、六十一年の新版には立派に彼のことが增補されてゐる。その六十三年には往年の敵手ヒュウズでさへ「ポウは今日佛蘭西人の讀者に知られ、味はれてゐる」と書いてゐる。その六十五年にはゴオティエのごとく舊浪漫派の一員たる作家でさへ、ポウの位置を「萬代《よろづよ》の萬《よろづ》の國の古典的作家」の中に置き、まして靑年詞人達になると、「ギリシャ人《びと》プラトォン、ドイツ人《びと》ゲェテ、イギリス人《びと》シエイクピア、フィレンツェ人《びと》ダンテ」の中に「亞米利加人《びと》ポウ」を加へてゐる位なのである。さうしてかくのごときポウの名聲の變動を促がす大原動力となつたものは、殆んど全くシャルル・ボオドレエルの飜譯の力であつた。何人もまだ此合衆國の鬼才の眞價を信じなかつた時、はやくもこれを移植して、言葉を同じくする同國の人人にその新樣な瑰奇美を十全に受用せしめたボオドレエルの功績は、かくのごとく考へてくると、容易ならざることが明らかとなろう。然し乍ら此功績はひとり飜譯のみの荷ふべきものではない。千八百五十二年以來彼の心血を注いだポウ評論のことも十分に考慮に入れなければならぬ。これ次に獨立せる一章を別に設けて、その點を精究せんとする所以である。

第三章　ポゥに對するボォドレェルの評論

千八百五十二年三・四月「巴里評論」に載つた「エドガァ・ポゥ、その生涯とその業績」(Edgar Poe, sa vie et ses oeuvrages) は、爾後十七年に亘るボォドレェルの大事業の序曲をなすとともに、はじめて新大陸の鬼才のために舊大陸の新人が呼號した透徹せる評論として、極めて意義深いものがある。　これを骨子として、後に新らしく組み立てた五十六年本の序(Edgar Poe, sa vie et ses oeuvres)、五十七年本の序(Notes nouvelles sur Edgar Poe)をあはせ加へると、ボォドレェルの「ポゥ評論」と名づくべきものの精髓が網羅される。これらを通じて彼のポゥ觀が明らかにせられるであらう。　本章では、まづこれらのポゥ評論の製作過程を究め、次にその内容を分析して解釋上の適否を檢し、最後にこの評論のポゥとボォドレェルとに及ぼせる影響の跡を辿りたいと思ふ。

千八百五十二年の評論は、アンセル(Ancelle)にあてたその年三月五日附の手紙に「僕の評論を讀みましたか」と訊ね、二十日附のプゥレ・マラッシス宛の手紙に「僕は「巴里評論」に亞米利加の或大作家に關する大きな評論を印刷させた。だが、最初の時が最後の時にならなければよいがと思ふ」と報じたとほり、ボォドレェルの最も多くを期待せるものであつた。事實、これは彼に許された短い生涯のうちの十七年間を獻げんとする仕事の序曲なのであるから、彼の期待も當然であるが、同時に此評論に費したその努力も非常なものであつたらしい。千八百五十一年の書簡のうちに「僕の評論を仕上げ、書店を見つける必要のために、あなたの僕におたのみになつたことを果せませんでした」といふ一節があるから、その前年の夏にはすでに精錬を重ねてゐたことが明らかである。さうしていよいよ雜誌に評論が出たときは、マドリッド市にゐた母に宛てて「それにもう一つあなたを悦ばせるに違ひない事をしました。それで僕は大いに滿足してゐます。手紙の中に書物を入れるわけにはゆきませんから、「巴里評論」のマドリッドのコレスポンダンであるモニエ(Monier)の店で、どうぞ借りるなり買ふなりして下さい」三月三十一日巴里に於て現はれたので、恐らく四月五日か六日には着くに違ひないその雜誌を。僕は信ぜられない程の同感を僕の中に目醒した亞米利加の作家を見つけたのです。そして彼の生涯と彼の作品とに於て、二篇の評論を書きました。熱情を以て書いたものです」と勇みたつてゐるが、果して彼の期待どほり、此ポゥ論は忽ち世評を惹いた。批評家ボォドレェルはこれによつて一躍地方にも文名を知られ發行後十五日目には端西《スヰス》地方にも行き渡つて、現にヂュネェヴの圖書館など、英語版ポゥ集を讀書子に宣傳する文の中に、ポゥにふさはしき評論が「巴里評論」に現はれたのを見よといつてゐた位であつた。

此評論は、四章にわかれて、ポゥの生涯と性格と作品とを紹介しようとしたものである。未だポゥに就て何等確實な事實の傳へられてゐない佛蘭西に於ては、何よりもかうした客觀的敍述の文が必要なのであつた。實際、佛蘭西の讀者はかくも明快に要をえた海外文豪評論なら、快く讀まずにはをられなかつたのである。

ところが千八百五十六年、ミシェル・レギイのために譯文ポゥ集第一卷の刊行を準備中、その書の卷頭にポゥ論を掲げることを思ひ立ち、その二月二十五日「ル・ペイイ」にその一部を掲げたところ、親交ある友人達（バルヹイ・ドオルギリイ、エドゥアァル・ティエリ（Edouard Thierry）マキシム・デュ・キャン）よりも、さのみ　に關心をもたぬ人達（フィラレェト・シャルル（Philalète Chasles）、ポンマルタン）よりも、一齊に歡迎され、更にその全部が、その三月、五十六年本の序となつて現はれてよりは、ポゥの性格を解剖する筆致の同情と才能とに富めるため、本文の物語そのものよりも感動を呼ばうと稱せられ、ポゥの生涯と藝術とに關する最もすぐれた批判にみちたる深刻な評論といふのが定評にさへなつた程である。

さうしてポゥの傳記的記述は五十六年本の序でほぼ完全に果したが、「奇術師としてのみ亞米利加人で、その思想はむしろ反亞米利加的な、出來るだけ同國人のことを嘲つた」彼の藝術の超自然主義的性質を明らかにするため、彼は五十七年本の序を書くことにした。此評論には頗る苦心したらしく、五十六年四月十二日附母への手紙には「宗敎と科學とのことを語らなければならないので、時には十分な知識が足りず、時には金が乃至しづけさが足りません」と呟き、七個月後、ゴドフロア（Godefroy）にあてても同じ苦惱をもらしてゐる「僕は床につくときも苦しいのです」（十一月十二日）。然し乍ら仕上げた後は滿足したらしく、プゥレ・マラッシスあての手紙には「第二序文は、第一序文と同じやうに、あなたを滿足させるに違ひない」（五十七年一月二十九日）と報じてゐる。

此五十六年本、五十七年本の兩序は、ポゥの主要な作品の引用と分析とより成る五十二年文を、更にその後四年の精研の結果深くポゥの精神の內部に參じた彼が、解體改作したもので、五十六年三月十五日母へ宛てた手紙によると、五十六年本の序の中には、舊五十二年文の殘れるものは五十行とないと揚言してゐる程である。事實、五十二年文の第一章に當るものが、五十六年文の第一、第二章であるが、これでは原文の俤が殆んど全くうかがはれぬまでに改變されてゐる。それに舊五十二年文の大部分を占めてゐた作品の引用は、ここには殆んど全く殘されてゐない。さうして五十六年本の序の第四章は、ポゥの藝術と手法とを、その本質に於て精密に定義せんとした最も特色ある一節であるが、これは全く新らしく起草したものである。且つまた五十二年文には、ポゥのアルコホル癖を、神祕家に於ける隱された惡癖の立場から說明しようとしたが、五十六年文になると、一種の英雄主義によつて、創作力を助けるためにアルコホルをあふつたといふ新說を案出してゐるのである。

更に前文が此新らしい序文でいかに改作されたかを究めてゆくと、五十二年文に在りながら、五十六年文で縮少されたものや、省略されたものを見ると、それは多く枝葉に亙るもの、乃至回顧的な部分であつて、ホフマンやバルザックの憂苦を說いたり、天才を形成するに少年期の環境の重んずべきことを論じたりするのが、その例に引くことが出來よう。これに反して新らしい序文の中で舊文を一段と力說し、强化したのは、ポゥを辯護する意見と因襲的秩序の防禦者を攻擊する議論とである。さうして全然新らしく附加された部分は、グリズウォオルドに對する絕對の不信と、オズグッド夫人(Mrs Osgood)の證言と、近代的自殺の辯護と、ポゥの惡癖への新解釋とであつた。

かかる變更の生じたのは、一つには此四年間に新らしい傳記的材料に接して、多くの知識を加へたため、ポゥの惡行として批難されてゐたものへの解釋が變つて來たためであり、二つには、民主政治を禮讃する人道主義風な見解が追々變つて來て、ヂョゼフ・ドゥ・メエストル(Joseph de Maistre)の宗教論を奉ずるやうになつて來たためであつた。此點は次節に於て細論する。

つづいてポゥ集第三卷『アァサァ・ゴォドン・ピムの物語』の卷頭に、新らしくポゥ論を書く意志があつたのは、書簡の中に屢〻語られてゐるけれど、この最後の評論はつひに書かれなかつたらしく、少くともその草稿は今日殘つてゐない。さうして千八百五十九年末には、以上三つのポウ評論を集めて、(1) Edgar Poe, sa vie et ses oeuvres. (2) Nouvelles notes sur Edgar Poe. (3) Dernières notes sur Edgar Poe、テオフィル・ゴオティエ、ルコント・ドゥ・リイル (Leconte de Lisle)、デボルド・ヴルモォル (Desbordes-Valmore)、オオギュスト・バルビエ (Auguste Barbier) その他の文人論の巻頭に置き、"Quelques uns de mes contemporains" と題する一册を豪華版として印行する意志があつたことは明らかである。但し此計畫はつひに計畫のままに終つて、彼の生前には實現されることなくしてやんだのである。

さて此千八百五十二年、五十六年、五十七年のポウ評論を一括して考へてみると、その内容はいかなるものであるか。われらはこれをポウの生涯に關する史實と藝術に關する解釋とに大別して、以下その適否を檢證してゆきたいと思ふ。

第一、ポウの生涯に關するボオドレエルの評論はいかなる資料に基いて構成せられ、いかなる史實の正否をえてをるか。今日のポウ學は果してその生涯に關する彼の憶説をいかなる點まで認容しうるかといふに、そのポゥ研究の資料が(1)グリズウォルドのもの、及び(2)それを反駁したキリスやグレイアムのもの、(3)サザン・リテラリ・メッセンヂャア」誌に載つたペンドルトン・クックやダニエルのポゥ論、及び(4)ラッスル・ロゥエルとキリスとのポゥ批評などであつたことは、すでに第一章に略述しておいた。今これを多少敷衍して説明すると、(1)と(4)とは、千八百五十年のレッドフィルド版「ポゥ全集」に載つたもので、ボォドレェルは譯文ポゥ集の底本を主としてこれに仰いだ位であるから、彼のポゥに關する知識の大部分はここから供給されてゐたと見てよい。(2)は(1)のグリズウォルドの前に出た所謂ルウドキッグ文(The "Ludwig" article)に對する反駁として四十九年十月二十日の「ホウム・ヂャアナル」、五十年三月の「グレイアム・マガジイン」にそれぞれ出たものとして、ポゥ辯護説の立場からボォドレェルの直覺を確立するに役立つたものであり、(3)は(1)のグリズウォルド説を支持するものとしてボォドレェルが愚劣な亞米利加人のポゥ觀を代表するものと見做して、五十六年本の序中に言及したものである。さうして今、それらの合衆國諸文人の記事を熟讀した後に、それを五十二年文、五十六年文と比較してみると、ボォドレェルのポゥ傳の知識は大部分グリズウォルドの記事に據つたこと、さうして五十二年文はそれを正確な史實として傳へんとしたのが主であり五十六年文はその史實の上に彼一流の解釋を下さんと試みたのが骨子である等々のことが明らかとなるに違ひない。

故にわれらはグリズウォオルドのポゥ傳なるものの正體を明らかにしてみなければならぬ。それにはポゥとグリズウォオルドとの交遊狀態から辿つてゆくのが至當である。――エドガァ・ポゥとルゥファス・グリズウォオルドとが始めて逢つたのは千八百四十一年三月のことで、當時ポゥは「グレイアム雜誌」の編輯者であり、グリズウォオルドはその最初の選集『亞米利加の詩人と詩』(Poets and Poetry of America)の編纂にとりかかつてゐた。ポゥは彼を評して「立派な趣味をもち健全な判斷をもつ紳士、亞米利加文學に通曉せる知識の持主」といひ、グリズウォオルドはポゥの人物に就ては緘默したが、その詩は「高度に想像力にみち、靈性と巧妙なる韻律にかけては斷然群を拔いてゐる」と讃した位で、兩者の關係ははじめは極めて順調に行つたのである。ところが千八百四十二年の初夏以來、ポゥの位置をグリズウォオルドが襲ふことになつたので、爾後兩者の交情は急に冷却し、殊にポゥが度々彼を惡罵した手紙を書いたため、グリズウォオルドも憤激してポゥに關する惡聲を流布したことは事實で、それはたしかに證明されてゐるが、はじめ手出しをした方がポゥであつたことは否定出來ない。一度さういふ間柄に陷つた兩人が再び交情を復活させたのは妙であるが、四十五年一月以來ポゥの方から折れて、グリズウォルドの人間とその編輯技倆とを賞揚し出してからといふもの、相手もまたポゥを褒め始め、現にその年十月などには、「ブロオドウェイ・ヂャアナル」のことで弱つてゐたポゥの請に應じて五十弗貸してやつた證文さへ殘つてゐるのである。それがその年の末頃から四十六年にかけて再び衝突し四十九年はじめにまた和睦をし、六月には兩者の交情舊に復して、そのためポゥは歿する直前、文學上の管理をグリズウォルドに委囑したわけである。かういふ復雜な過程を經た兩者の關係はポゥの死後二日目、卽ち千八百四十九年十月九日、「ニュウヨオク・トリビュン」(New York Tribune)に出た「ルゥドヰッグ文」によつて、少くともグリズウォルドの眞意は明らかにされた。今その一節を抄すると「E・A・P・が死んだ。一昨日、ボルティモォアで死んだのである。此報道は多くの人を驚かすに違ひないが、これによつて悲しむものはゐないと思ふ。詩人は、わが國中に、親しく個人的に、或はその評判だけで、知られてゐた。彼は英國及び歐洲大陸の諸國に、讀者を持つてゐた。然し彼は友人をあまり持つてゐなかつた、或は全く持つてゐなかつた。彼の死に對する遺憾は、彼が死んだため文學は最もブリリヤントな、然し奇矯な、スタアの一人を失つたといふことによつて、主として、暗示されるだらう」といふ句に始まり、ポゥの小傳を掲げて、ポゥの性格を解剖し、(一)ポゥは不愛相で倨傲で、怒りやすく、嫉妬心つよく、また犬儒的な憎人主義者だ、(二)彼の説に反對すると、彼は激昂し、富豪のことを談ずれば、忽ち羨望のため顏色蒼白となり、(三)道徳的感情全く缺除し、體面感も殆んど無く、(四)所謂「野心」を異常に病的に所有し、世人を輕侮し、他人を凌がんとする氣持をのみ持つてゐたと稱した。此小文全體を熟讀すれば、たしかにポゥの欠點を突いた鋭い點のあることは事實で、さういふことになるとわけもわからずにポゥを辯護は出來ないが、此文全體に流れてゐるグリズウォオルドの眞意がポゥに對する惡意に燃えてゐたことも否定されないから、その點ではどうみてもグリズウォオルドを擁護する餘地はありえないかと思ふ。從つてこれに對する駁論が直ちに現はれたのは當然で、前節に掲げたN・P・キリスの十月二十日の論など、ポゥに放縱な言動があつたことを全然否定はしないが、それは酒に飮まれた時だけだと辯じ、同月同日のハースト (Henry B. Hirst) の論などもグリズウォオルド説の不當を烈しく難じ、更に翌(五十)年三月になると、グレイアムがそれを「天才の才能ある兒に與へた不當なる議論」と呼ぶ熱烈なポゥ辯護論が出るまでになつた。グリズウォオルドはこれにあふられて、千八百五十年九月レッドフィイルド版『ポゥ全集』の卷頭にその有名な「メモア」を掲げた。これはルゥドキッグ文を敷衍、增補したもので、ポゥの生涯を詳細に誌し、つゞいてポゥの作品を批評した。この作品批評は大體讃美に傾いたもので、今日ポゥを精讀したものの意見とほぼ一致するといつてよい。ところが最後のポゥの性格に關する部分は、前文を更に苛酷にした上、新らしく(一)ヴァヂニア (Virginia) 大學生の頃、「極めて放蕩な生活」を送つたため、放校處分に附せられたこと、(二)エストポイント(Westpoint)を立ち去つた後、合衆國陸軍の兵員となつたが、間もなく逃亡の大罪を犯したこと、(三)第二のアラン (Mrs Allan) 夫人に對して暗い犯罪があつたこと、(四)その或作品、特に『貝殼學入門』(The Conchologist's First Book, 1839) に於て、文學史上大膽さに於て比類なき剽竊を敢てせること、(五)その批評は、友情關係の厚薄によつて容易に左右されたため、その評價の公平は頗る怪しいこと、(六)その生涯にもその作品にも道德的部分が全く缺け、良心の存在が疑はしいことの諸項を附加したものである。ところでこのポゥ論は『ポゥ全集』の編輯者の筆に成つたものであるし、また全集の編輯者がその著者の惡聲を放つなどといふことが事實蔽ひえない缺陷のないかぎり常識からみて行はれえないから、全く絶對的權威をもつものとして一時あまねく承認されてゐたことは、容易に信ずることが出來るであらう。今日ポゥ學の文獻的方面にかけて最も信賴しうる學者の一人であるキリスキャンブル(Killis Campbell)教授の調査によると、千八百五十年九月二十八日の「リッチモンド・ホイッグ」(Richmond Whig)、五十年二月、五十一年一月二月の「ニッカア・ボッカア」(Knicker-booker)、五十年十二月の「デモクラチック・レギウ」(Democratic Review)、五十二年一月の「ヱストミンスタア・レギウ」(Westminster-Review)五十二年四月のテイツ・マガジィン」(Tait's Magazine)、五十三年二月二十六日の「チェインバァズ・エヂンバラア・ヂャアナル」(Chambers's Edinburgh Journal)、五十四年の「ギルフィランス・サアド・ギャレリ」(Gilfillan's Third Gallery of Portraits)等の英米兩國の主要な雜誌はみな此グリズウォルド文を以てポゥの本質を明らかにせる最も信憑しうる評論と考へてゐたのであつた。從つて海をへだてて遠く合衆國の事情に通じないボォドレェルが、五十二年代はいふまでもなく、五十六年本の序文時代にもグリズウォルドを最も信賴すべき史料に富んだものと見て、これに據つてポゥの生涯を敍述したのは當然な事であつた。

では、グリズウォルド文に據れるポゥの生涯を說くボォドレェルの評論は、いかなる點まで正しいか。今日のポゥ學から見て、その生涯に關する記述は、いかなる點まで認容しうるか。これからそれを究めて見よう。〔以下(五二)は五十二年文の略號。(五六)(五七)もそれに倣ふ。〕

(1) ボォドレェルは「ポゥの母方の祖父が、獨立戰爭の時、quarter master general として勤務した」(五六)といふが、今日ポゥの家系を研究してみると、これはポゥの祖父ディギッド・ポゥ(David Poe)のことで、さうすると父方の祖父であることを注意しなければならない。また「曾祖父は、英吉利の最も高貴な家系と關係あつたマックブライド(McBride)提督の娘を娶つた」(五六)といふが、この曾祖父はジョン・ポゥ(John Poe)のことで、すると彼の妻となれる婦人は提督の姉妹《シスター》に當るのであつた。

(2)「エドガァ・ポゥは千八百十三年ボルティモォアで生れた。」(五六)五十二年文には此生年のことが書いてない。」「此日附は彼自身の言葉に從つて言ふので、グリズウォオルドが、彼の誕生を千八百十一年と斷言したに就ては、當人が異議を唱へてゐる」(五六)。これは間違である。ポゥはエスト・ポイントに入校するとき、その校の規定に合するため、故《ことさ》らにその年齡を若くして、十三年の生れと號したので、グリズウォオルドの十一年說も、今日のポゥ學者は承認してゐない。即ちエドガァ・ポゥは千八百九年一月十九日、ボストンで生れたことが確證されてゐるのである。從つて「千八百四十九年十月七日、日曜日の夜、年三十七」で死んだといふのも、事實と異つて來ることが明らかであらう。

(3) 彼の養父ジョン・アラン(John Allan)との關係に就て、ボォドレェルは「此リッチモンドの金持の商人が此魅力ある天賦をもつた可愛らしい不幸者を愛して、子供がないため、ポゥを養子とした」(五六)といふが、此記事は三個條の誤謬を含んでゐる。まづアランがポゥを家に入れた時は未だ産を成さぬ時で、後千八百二十五年に伯父の歿後、漸く資産家となつたのである、またポゥを愛してこれを家に入れようとしたのはアラン夫人であり、最後にポゥは正式に養子にされたわけではないからである。それから千八百二十九年アラン夫人の歿後、第二夫人が「養家」に入つてから「ポゥは此再婚を嘲つたといはれる」(五二)。これが基となつて、「ポゥは斷然アラン氏と別れた。アラン氏は再婚によつて子供ができたのであるから、ポゥの相續權が全く横取りされた事は當然である」(五六)。――これは大體正しい記事であるが、アラン家との葛藤を敍して、ボォドレェルは何かポゥの性格に暗影を投げる不吉なものを想像し、或は新夫人を誘惑したのではないかといかにもボォドレェル風な推定を下してゐる(五二)後の(五六)ではこれを削つた」が、最近スタナアド(Mrs. M. N. Stanard)夫人の公刊したポゥとその養父との間に取りかはされた書簡集に據ると、ポゥの放縱な生活を責める在來の定説は覆へされ、非はむしろ無情な養父の側にあることが明らかにされて來て、かかるボォドレェル風な推定を認《みと》めえない事が明白となつた。此第二のアラン夫人に對する「罪惡」といふのは、ジョン・エム・ダニエルの記事(The Southern Literary Messenger, XVI, 176 March, 1850)に基いてゐるので、ダニエルの文の信頼すべからざることは、今日、學者の説の一致するところである。

(4)その教養に關してボォドレェルの述べるところは、「千八百二十五年シャアロッツギル(Charlottesvill)大學に入學した。此處で、彼の殆んど奇蹟的な慧智と不吉ともいはまほしき情熱の奔放とは著しく眼につき、これがつひに放校の因となつた」(五六)といふが、シャアロッツギル大學に入學を許可されたのは千八百二十六年三月十四日で、大學生としてポゥが放蕩したといふ説とそのため放校されたといふ説とは、ともに今日、史實的に否認されてゐる。かうした憶説は、一にグリズウォオルドの文によつたための誤謬である。然し乍ら此ためにグリズウォオルドが故意にポゥの生涯の一部を歪曲したと想像してはならない。實は此二個の憶説は、ポゥ自身がグリズウォオルドに書き送つた敍述に基いてゐるので、千八百四十一年三月の、ポゥの手紙がさうした根據を明證するであらう（ポゥの生誕を千八百十一年とし、ロンドン滯在の時日を千八百十六年から二十二年（事實は十五年より二十年まで）とし、千八百二十七年歐洲大陸を漫遊したとするなども皆同じ）。それに同大學の記録をどう檢證しても、ポゥが當局から批難された事實は發見されないしここは前述したスタナアド書簡によつて、養父が彼の負債を支拂つてくれないため、自暴自棄的に退校したと見るべきで、決して放校處分といふやうな事はありえないのである。グリズウォオルドはポゥが自己をバイロン化して語つた此逸話をえたりとその傳の中に取り入れたので、そこには勿論、傳記者の惡意も働いてゐたけれど、かくのごとき僻説を生むにはポゥ自身のミスティフィカシオンがちち利きすぎたうらみがある。

ボォドレェルはまたグリズウォオルドの傳へたポゥの東邦旅行に就て語つてゐる。――「彼は希臘に向つて出發した。東邦で彼がどうなつたか、何をしたか、何故に旅行免狀ももたないのに、聖ペテルスブルグに現はれたか、ロシャの刑罰を逃れて歸國するため、亞米利加公使ヘンリ・ミッドルトン（Henry Middleton）に訴へねばならなかつたのは、一體どんな種類の事件に連座したのか、――全く明かでない」（五六）。

然し乍らこれは全く虚構の話で、希臘はおろか露西亞にも赴いたことはなく、ペリイ(E.A. Perry)の假名の下に當時は軍隊に投じてゐたのである。

(5)ポゥがその放浪時代から漸く身を起して文壇的に認められる事情を述べて、ボォドレェルは「ボルティモォアの或雜誌が最もすぐれた詩と散文の物語とに對して、二つの賞金を懸けた。ジョン・ケネディイ(John Kennedy)氏も加はつてゐた文學者達の委員會が、應募作品を判定する任に當つた。然し乍ら、彼等はその作品を一一讀むわけではない。雜誌社の方ではただ彼等の名前を借りればすむのであつた。委員の人人はあれやこれやの話をしてゐるうち、ふと一人が文字の美しさ、端正さ、明快さにひきつけられた。ケネディイ氏はたつたその一頁を讀んだばかりであつた、さうしてその文體に感動して、その文章を朗讀した」(五二。五六では此段を省略した)。かくしてポゥの名ははじめて人人に認められるに至つたといふのである。然し乍ら現代のポゥ學は「ボルティモォア・ギジタァ」(Baltimore Visitor)の選者の委員會の實狀を究めて、それが單に名前を貸すのではなく、親しく原稿を一一査閲したこと、さうしてポゥの美しい筆蹟で書かれた作品が事實最優秀な出來榮であつたため當選作とせられたことを明らかにしてゐる。此一段は恐らくグリズウォルドの記事をそのまま鵜呑みにしたために生じたのであらう。

(6)彼の晩年の戀人、ホイットマン夫人(Mrs. Sarah Helen Whitman)のことに關して、ボオドレエルは「また人は語る、彼が再婚せんとした當日(結婚の公示《バン》がすでに出てゐて、或人が最高の幸福と福祉との諸條件を彼の手中に置くべきその結婚を祝ふた時、彼は云つた、君はあの公示《バン》を見たかもしれないが、僕は決して結婚しないつもりだと)、彼は恐ろしく泥醉して、妻となるべき婦人の家の近隣をさわがせようとした。 その俤がつねに心に殘れる「アナベル・リイ」(Annabel Lee)の中で美しく歌つたかのあはれな亡きひと——妻ヴァヂニア(Virginia)——に對する僞誓から脱れんため、彼は此惡行に逃げたのである(五六)と述べ且つ説いてゐるが、此一段も全くグリズウォルドの文をそのまま信じたがために生れたものである。 實はグリズウォルドはホイットマン夫人に對して或特殊な好意があつたといはれる位なので、殊更に文に綾をつけて、此一段をぼかしておいたのである。 これは當事者たるホイットマン夫人が後『ポォと批評家』(Poe and his critics)(一八六〇)の中に釋明したとほり、全く無根であり、殊にポォのホイットマン夫人に對する愛情より判ずれば、「僕は結婚しないつもりだ」などと放言する筈はなく、また「泥醉して妻となるべき婦人の家の近隣をさわがせようとした」事はあつても、これはホイットマン夫人との關係が破れた失望のあまりの亂行で、しかも事は誇張して傳へられ、且つヴァヂニアに對する僞誓云々は苦しとも苦しき解釋である。まづこの一段は後のマラルメが云ふとほり「假構《つくりはなし》」と見ておいてよい。「さうしてまたグリズウォルドの罪惡を見よ、やすやすと群集を欺くがためにつくり上げられた此汚行がボォドレェルの省慮をも引き、一種の好意ある說明とも見ゆるものを呼びおこしたとは！」（マラルメ「ポウ詩集略註」（N・R・F・版）二〇二頁）。

(7) 最後にその神祕な死にざまに就て、ボォドレェルは「（四十九年）十月四日出發、六日の夜、ボルティモォアに着いたが……荷物を停車場に運ばせて、何か昂奮劑をとらうとして酒場に這入つた。そこで不幸にも舊友に會つて夜を更かした。翌朝、曉の薄明の中に一つの屍體が路上に發見された、——身體にはまだ生氣があつたが、「死」は既にその王者の印章を捺してゐた。この身體が何者で、あるが、知る人はなかつた。紙片も金も發見出來なかつた。病院に運ばれ、其處で一二度彼の腦髓を襲つたことのある、あの恐ろしい訪問者、震戰性膽妄性《デリリオム・トレマラス》に征服されて死んだ。千八百四十九年十月七日日曜日の夜である。」（五六）と書いたが、ポウがボルティモォアに於ける選擧戰の犧牲となつて散々飮まされた揚句につき放されたことは、あらゆる方面から見て、疑ひえないことである。その時日はボォドレェルの本文と異つて、十月三日が選擧當日であり、ポゥはそれより五日前にボルティモォアに到着し、瀕死の狀態でモゥラン(Dr. Moran)醫師の許《もと》にかつぎこまれたのが三日、苦悶の揚句に亡《な》くなつたのが、七日(日曜)の朝午前三時であつた。——

以上われらはポゥの生涯に關するボォドレェルの敍述の誤謬に就て七項目を擧げることが出來た。彼は當時の佛蘭西人として殆んど手にしうる限りの資料を集めて、ポゥの生涯をその國人の眼に示した。然し、それはポゥの生國に於てさへ未だ明らかにせられない部分を含んでゐたし、それに彼の最も依據した、一番信賴しうる筈の全集編纂者の筆になる、傳記そのものが無知のための數々の誤謬や大いなる惡意によつて歪曲された部分などを含んでゐたため、今日斯學の進歩した狀態から顧《かへりみ》れば、かなり多く遺憾な點を露出してをると概評することが出來よう。もつともグリズウォルドの記事については、五十二年文が公然と攻擊してゐないのに反し、五十六年文はこれを眼《め》の敵《かたき》にして批難し惡罵し讒謗してゐるのは、恐らく前から感づいてゐたその文の信賴すべからざることをその四年間にはつきりと知解したからであらう。それには此前後數年間にグリズウォルド文に對する反駁の聲がぼつぼつと合衆國內でも擧《あが》るのを見聞してゐたことを考慮に入るべきである。例へば、五十年三月十六日の「ホゥム・ヂャアナル」にキリスが再錄したグレイアム文、五十一年の「ハリグラフ」(Haligraph)に於けるキリス文、五十四年二月號の「グレイアム雜誌」に出たグレイアム文、五十二年二月の「十九世紀」に出たバア(C. C. Bur)文などがそれである。然しグリズウォルドの信ずべからざる點を感じたため、五十二年文の諸點を削つて、五十六年文はかなり史實に近づいて來たところが多いとはいへ、尙、今日のポゥ學から見ると明らかに誤謬と判せられるものが散見するのである。ただ彼のポゥ評論は、史實の誤謬といふ點のみから見たのでは、その本質を盡しえない。それには是非とも人も悅び彼も得意でゐたポゥの性行と藝術との意義に關する解釋を究めねばならぬ。然る後にはじめてボォドレェルのポゥ評論の眞價が明らかにされるのである。

ポゥの性行と藝術とに對するボォドレェルの解釋は、結局、生活者としてのポゥ、思想家としてのポゥ、藝術家としてのポゥに三別され、更にそれらの標識をなすものが生活者としては「現實主義者」に對する「浪漫主義者」、思想家としては「民主主義者」に對する「貴族主義者」、藝術家としては「功利主義者」に對する「唯美主義者」であつた。以下これを追尋し、これを批判してみよう。

千八百五十年代は佛蘭西浪漫派文學がまさに衰頽期に陷りかけてゐた時代であるが、その性格とその教養とからいつてボォドレェルの思想には浪漫的な香氣が濃厚に殘つてゐた。さうしてその頃彼自身の生活感情が實生活上の態度としては貴族的な氣品を失へるブルヂョアを輕蔑し、藝術上の傾向としては社會的功利主義を至上とする見方に反して唯美主義的なものに轉じかけ、美の具體的な方向としては古典的な正格美に甘んじえなくなり、瑰異奇聳なものを求めんとするやうになつてゐたのである。かかる要求を強く感じてゐた時に探りあてた作家であるから、勢ひそのポゥ解釋にはボォドレェル自身の傾向が強く濃く投入されるに至つたのは當然であると思ふ。まづ生活者としてのポゥを見ると、ボォドレェルの解釋は徹頭徹尾これを「浪漫家」に塗り上げてゐるのである。

彼は、ポゥの傳記を知る前には、これを一種のダンディイたる、風流なバイロン的人物と想像して、「金持の青年紳士」寡作で、ありあまる閑雅な生活の中に險奇な恐ろしい作品を生み、たぐひ稀な目も醒めるやうな成功によつて文壇に乘り出したもの、と空想してゐたのである。 それがグリズウォルドの傳記によつて實狀を知つてから、バイロン風な生《ライフ》に挑戰してこれを克服する惠まれた浪漫家たるの空想は破れたが、逆に一轉して孤獨と悲哀とに献げられた窮乏の天才としてこれを見、惠まれぬ浪漫家と解する立場が確立するやうになつたのである。「今日僕は彼の生涯に就てもつてゐた間違つた觀念と實狀とを比較すると、——僕の想像力がつくり上げた幸福な金滿家、典雅な生活のくさぐさ、の仕事の中に住んで、時に文學に從ふ天才の青年紳士と、眞《まこと》のポゥ(あはれなエディイ)とを比較すると、その皮肉な對照は私にたへがたき愛情を滿たすのです。」さうして此種の「薄命な天才」觀は、浪漫派的人生觀の副産物で、先進アルフレッド・ドゥ・ギニイ、テオフィル・ゴオティエ等もその厭世觀をもつて此系列に加はるが、ボォドレェルの思想もまさしく此流れから派生してゐるのであつた。 此種の天才は生前からすでに「薄命」の刻印を捺されてゐるのだ。五十二年五十六年のポゥ論卷頭の起句がすでにその思想的潛流を示してゐる。「生明した懲罰の天使が、彼等を捉へて、他人の誡めのため、彼等に力一杯笞刑を加へる。……彼等の生涯は、その才能、その徳操、その優雅を示現せんとして、すべて空しい。……搖籃の時、既に薄倖を準備する惡魔のやうな「神」が存在、するのか」（五六）。

つづいて世に出でてからも、その藝術は認められず、作品の賣れない不幸を味はなければならない。ポゥは千八百三十一年に小詩集を公けにした。「まことに燦然たる曙光であつた。…… 大詩人の特徴たる地上のものならぬ抑揚《アクサン》と憂愁の中の靜謐《カルム》、優雅な嚴《おごそ》かさと早成の經驗とが存してゐた」（五六）。しかも文學雜誌はこれを歡迎したが、世人は全く捨てて顧みなかつた。「落伍者の呼吸する唯一の世界として、文學的生活に這入つたポゥは、ひどい貧窮の裡に死なうとした」（五六）。やうやくケネディイに拾ひ上げられて「南方文學新報《サザン・リテラリ・メツセンヂヤア》」に這入つて、「約二年間すばらしい情熱で、數々の斬新な樣式の短篇小說及び評論によつて讀者を驚かし」（五六）、批評の鋭敏直截と論理の辛烈とは人目を魅するに足りたけれど、つひに彼を長く雜誌記者として用ゐることは困難であつた。何となれば、一般の文體よりずつと飛びはなれた高雅な文體で書いたので、俗受けがせず、勢ひ安い給料しか拂はれなかつたからである。ポゥは、「もし天才を整調して、その創造的才能を、適當な方法で、亞米利加の土地に適用しさへしたならば、成金作家になれたのだ」(五六)。

勿論、彼はその文學上の勞作でどうにか生きてゆけたことは疑ひない。「不幸な此人は雜誌のために書き、編纂し、飜譯した。　彼の最大の苦惱は詩を見捨てねばならなかつたことである(五二)。「われらは此不運な男が、砂漠をゆく男のやうに、その天幕をたたみ、そのささやかな住居を、合衆國の主要な町々に轉ずるのを見るであらう」(五六)。彼は腰のきまらない變り種、いはば軌道をはづした遊星のやうに、「ボルティモォアからニュウヨォクへ、ニュウヨォクからフィラデルフィア、フィラデルフィアからボストン、ボストンからボルティモォア、ボルティモォアからリッチモンドと」絶えず輾轉してゆかなければならなかつた。　彼は時に食を絶し、纏ふに衣さへなかつた。　然し、かかる窮境に陷りながらも、ポウは藝術を捨てなかつた。　しかもその藝術は死によつて中斷されたのである。　その死は「殆んど自殺」(五六)であつた。

かかる悲慘な生活も、かかる悲慘な最後も、ポウに對する社會の敵意をやはらげることは出來なかつた。「社會はかうゆふ不幸な狂水病者等を好まない」(五六)。生前ポウは多くの敵をつくつてゐた。　その批評はひとり觀念にのみ興味をもつ孤獨なすぐれた人の批評であるから、勢ひ苛酷なため、多くの敵をつくつてゐたのである。

此連中は「彼の突然の死去の後、烈しくその死屍に鞭うつた。——特にルゥファス・グリズウォルドのごときは、永遠の加辱を行つた。……此術學の吸血魂は、平凡醜惡な膨大な論文を掲げて、その友を長々と中傷した」(五六)。

以上が生活者としてのポゥ觀であつた。これを要するに、ボォドレェルはポゥを飽くまでも、生に破れた「浪漫家」の典型と見たので、「大西洋彼岸のロマンティック運動を殆んど一身で代表してゐる」と考へ、後にポゥ論を一冊に集めんとした時など、某畫伯にポゥの肖像を依賴し、彼を「浪漫派の一員」として描いてもらひたいと述べてゐる(五十九年三月十六日)位であつた。

かうした解釋については、ボォドレェルは、ポゥの生活を浪漫家にしすぎてゐると批難することが出來る。現實のポゥは正當に結婚し、雜誌の經營を生涯の目的とし、禁酒組合にさへ加入しようとした位であることを想起するがよい。その思想的方面で、時に超道義的、超社會的な立言もしたけれど、それは飽くまでも敎義たるに止まつたもので、實生活的には「時々の酒亂と借金不拂との點を除けば」有能・勤勉な生活者であつた。作品の中、書簡の中に、日常生活の道德を嘲り、社會生活を否定することもないわけでもないが、それは彼の弱さのためであつて、ボォドレェルのやうに反逆者としての誇を自覺し、ことさら輿論を無視し、孤獨を求めたがためではなかつた。ボォドレェルの説明が此點に於て同時代的雰圍氣と自己辯明的感情移入とに濃過ぎたといふことは否定出來ない。さうした我流な彼の解釋は、特にポォの飲酒癖に對する説明の中に明らかである。

ポォは果して酒亂であつたか。此點に關しては、傳記家の間に相矛盾する説があつて、今日も問題を殘してゐる。然し乍ら、各方面の文獻から推定して、余はポォに酒癖のあつたことを認《みと》める一人である。即ちポォ家には遺傳としてその性癖が血の中に流れ、エドガァの兄ヰリアムは、二十四歳酒亂として倒れ、また妹のロザリイ(Rosalie)は此癖ある白痴としてその生を終へた。從弟ヰリアム・ポォの手紙にも「われら一族の大敵は――酒壜をあまり頻繁に用ゐること」とあるとほり、一族みな此癖があつたことは明らかである。加之、「メッセンヂャア」の社主ホワイト(White)より寄せた忠告の手紙に「朝飯前に飲む者は、健康でゐられない」(千八百三十五年)とあり、ポォ自身リッチモンドにゐて「メッセンヂャア」を編輯してゐた間、南國の會飲者らによつてすすめられた誘惑に、長い期間を間《あひだ》に置いて、屈服した。即ち屢々完全に醉つぱらつたことがある。飲み過した後は、何日も何日も、床に就いてゐなければならなかつたが、爾後四年、僕はあらゆる種類のアルコホルを斷つてゐる」とか、「僕は今迄決して節制を守らない人間ではなかつた。泥醉する習慣には陷らなかつた」とか、「僕が、僕の生活、僕の名聲、僕の理性を犧牲にしたのは、快樂を求めたためではない。苦しい追憶、危害、不正、批難の追憶、孤獨のたへがたき感情、不斷に僕の頭にさしかかつてゐる或異常な不幸の恐怖感を免れんとした絶望的な努力のためであつた」とか、その手紙の中に洩してゐる位であるから、ポォに飲酒癖があつたことは否定出來ない。ところでボォドレェルは「黑猫」について、「居酒屋の陰慘な生活、陶醉の沈默的瞬間がよく書かれてゐる」（五二）と評したところからみても、ポォの飲酒癖は事實として十分に認《みと》めてゐたことが明らかである。「彼はちびりちびりやる方ではなかつたさうだ。がぶ飲みをした」（五六）。しかも「ニュウヨォクに於て、此詩人の名があらゆる人々の口に上つてゐた時、――「鴉」の現はれた日の朝など、彼はブロォドウェイを、目もあてられぬ千鳥足で歩いてゐた」（五六）といふ。然しながらこれらの敍述は、ポォの或時代の失行を常住の惡德に變形せしめすぎてゐる。たしかにポォは遺傳のため意志弱くして酒をあふり、時には「葡萄酒乃至リキュウル酒の小量が、彼の組織を顚覆させるに十分であつた」（五六）とまで傳へられるに至つたのであらう。然し、彼は決して不斷に醉ひつぶれてゐるやうな男ではない。少くともその藝術の量と質とから判ずると、ポォは容易に飲みつぶれたなどとは云へないと思ふ。むしろその手紙が示してゐるやうに絶えず飲酒せまいと覺悟してゐたし、時々飲むことはあつても、それは或きつかけで餘儀なくあふつたといふやうな形になつてゐるのである。さうした事實をボォドレェルは敢て認《みと》めなかつた。五十二年文の解釋では、生活の倦怠と悲痛とを忘れるがために飲んだといふ。「アルコホルは不幸に對する最良の藥料である。彼はここに忘却の逸樂を見出でようとしたらしい。文學的失敗、無限の眩暈、家政の苦痛、貧窮の恥辱、これらすべてのものから、ポォは、準備した憤墓に逃れるやうに、酩酊の闇黑の中に逃れたのである。」それが五十六年本の序によると、これを「狹い見方、單純な説明」と稱し、藝術に對する獻身から、創作に適する環境にあるやう、新しき未知の映像を生むために飲んだといふ説明を呈供した。「多くの場合に於て、ポォの酩酊は一つの記憶法、勞作の一方式であつた。此詩人は、周到な文學者が備忘錄をつくつて修業するやうに、飲む事を學んだのである。彼は以前の或嵐の中に出會したすばらしい夢、恐ろしい夢、微妙な意想の數々を再見せんとする要望に抗する事が出來なかつた」(五六)。これはボォドレェル自身が人工樂園の美をかいまみる手段として用ゐたのであつたから、その體驗をポゥの性行の中に移入したのである。此移感が更に一歩を進めると、人間として、藝術家として、社會に反抗するポゥの姿を强調するため、ポゥはみづからその健康を損じ、徐々に自殺するために飲んだのだといふ噴飯に堪へぬ奇説をさへ附會するやうになつたのである。かくのごとくボォドレェルのポゥ論には、その本性の反抗心を被評者に移入して、生活者ポゥそのひとの姿をたくみに歪曲してゐる部分が多い。然し乍らかくのごとく歪曲することによつて彼が創出せるボォドレェル型「エドガァ・ポゥ」は、その後何代かの人人が驚歎し賞美せずにはゐられない程、强く烈しく人を魅了する何物かを彼によつて新らしく與へられたのである。

次に思想家としてのポゥを、ボォドレェルは專ら「貴族主義者」として示してゐる。ポゥは亞米利加將軍の孫で、英吉利第一流の門閥と關係ある家に生れたので、その血の中にはおのづから貴族的感情が流れてゐた。「名門の生れであるポゥ」自國の大きな不幸は、傳來の貴族をもつてゐないこと、何故なら貴族をもたぬ國民の間では、「美」の禮拜は、つひに腐敗し、墮落し、消滅するほかはないと明言したポゥ」(五六)——さういふのがボォドレェルの鋭く見拔いた第二の特色である。

彼は南國の生れ、ヴァヂニア人《びと》である。誤つて低劣な世界にさ迷ひ入れるバイロンである。その少年時代は豪商の養子として安逸の中に送られた。その持つて生れた卓絶した氣品、その貴族的な相貌、皆好個の「紳士」たることを思はせる。「彼の人柄には人の肺腑を刺すやうな威嚴があつた」(五六)。その人柄の美しさは、「浪漫的」といふ言葉に含まれた漠然たる、然し、特異な觀念を援助に呼べば、大體想像することが出來る。さうして日常生活に於てさへさうした貴族的な雰圍氣を漲らしてゐたことは、窮乏せる時のポゥを訪問したグリズウォオルドでさへ「ポゥの態度の完璧のみならず、その貴族的な相貌と、至極質素な飾りつけ乍ら、その室の芳馥たる氣氛に驚かされた」と語つてゐる程であつた。從つてかくのごとき天資を備へてゐたポゥが、かくのごとき高貴なものを本能的に見拔く人人から敬愛されたのは當然で、特に彼に接近した女性達から「高貴と優雅」との典型として一樣に禮讃されたことは、オズグッド夫人の證言で明らかであらう。義母クレム夫人が天使のやうな奉仕を彼の身に獻げた文學史上の殉教ぶりに就いては、あの熱しやすいボオドレエルが數百言を連ねて讃美の情を獻げてゐる位なのである。

皮肉にも此天性の貴族主義者がマンモンの國、民主政體と物質萬能との國に生れ落ちたのであつた。遥かに芳はしい世界に生きるべき運命をもつた男が、狂はしい焦慮を抱いて、驅けまはる地獄ともいふべきがその祖國の實狀であつた。「合衆國はポウにとつて瓦斯燈に輝やく巨大な蠻境」(五六)である。ポウの內面的・外面的なあらゆる生活は、此いとはしい雰圍氣から逃れんとする不斷の努力だつたのである。彼の天才そのものは、彼の種族のそれと全く合致しなかつた。彼の思想は殆んど全く反亞米利加思想である。彼は「モウノスとユウナとの對話」に於て、民主主義、進歩、文明に對して、侮蔑厭嫌の情を吐露し、あらゆる點で、同國人の意見に反對した。「家具の哲學」などは亞米利加人の趣味を嘲らんがために書かれたといはれる程であるが、「ミイラとの對話」の中では、はつきり獨立十三州の歷史を同國人に物語らせて、物質的進歩にとらはれ、眞の文明に眼開かれぬ亞米利加人の思想を完膚なきまでにこきおろした。

ポウはまた貴族主義者らしい態度で亞米利加人のブルジョア的根性と民主思想と

を輕蔑した。彼はブルヂョアの金錢萬能の思想を攻擊し、本來優美の化身たるべき女性にさへ、此惡習が傳播してゐることを罵つた。――「吾が美人連中の間に流行してゐる、大きな胡瓜のやうな途法もない財布は、世間では巴里から來たものだと思つてゐるが、全く國產なのだ。女が財布の中に金しか詰めない巴里で、あんなものが流行するものか。ところが、アメリカの女の財布はどうだ。ありつたけの金ばかりか、ありつたけの魂を詰め込まなければならぬ」(五七)。かうした低劣な賤民どもの「意見が、いかに怜酷な獨裁權を持つか」(五六)、思想の自由を許された由緒ある文化國に於ては想像もつかぬ。「民主思想」といふ此「法律を內的生活の亂雜多樣な情況に適應するにあたつては、如何なる仁慈をも、寬容をも、柔軟性をも、此主權に懇願してはならない」(五六)。此思想は社會主義と結びつく。「東にシャルル・フゥリエ(Charles Foulier)西にホレス・グリィリィ(Horace Greeley)」ともに自ら意識した偉大な說敎師だ。此一派に共通した準繩とは輕信だ、むしろ癡呆ともいふものだ。……かういふ人々の論證と稱するものは、存在するものを否定し、存在しないものを說明する勝手な方法なのである」(五七)。さうしてこの思想の基礎となつた進步說(「此衰耗の一大邪說」)も、やはりポゥの眼をくらますことは出來なかつた。實際、そこに彼が費消した狂熱を見ると、彼は、公衆の障碍たる、或は街路の邪魔物たる「進歩」なるものに復讐しなければ我慢出來なかつたのだともいひうる位であつた。

かかる「民主思想、進歩説、文化論に對してその侮蔑厭嫌の情をぶちまけた」(五七)此貴族的思想家は、彼自身のアメリカニズムを劣等物の圏內に追ひ拂つた。或時はまた「われわれに附きまとふ惡魔のやうな、必然の眞理に遲疑することなく屈從して、詩人の眞正な道に立ち歸り、天國を追はれた天使の天國を偲ぶやうに熱い吐息を洩し、その悲嘆《おもひ》を黃金の時代に、失はれた天國に、おくつた。火爐の焦熱の息吹の前に惴縮して、自然のあらゆる莊嚴に泣いた」(五七)。——

ここでもボォドレェルの解釋は一面の眞實を摑んでゐるが、他面の眞實を忘れしめる程強烈な主觀化の匂が濃すぎるといふ批難を提出しうると思ふ。特にポゥの思想的環境を罵倒し、ポゥの不幸の責任を合衆國に負はせたごときがそれである。これに對しては、ボォドレェルの生前すでにポンマルタンの駁論がある位で、「君は亞米利加の若年の民主思想を批難するが、古き歐羅巴の社會にも此種のものは多い。チャタトン(Chatterton)を見よ。 Hégésippe プ・モロオ(Hégésip Moreau)を見よ。…… これはむしろ實際的なものと空想的なものとの永遠な鬪爭の故と解すべきではないか。

ポゥの亞米利加も、ネルヴル(Nerval)の佛蘭西も、此種の狂氣に對しては、責任を負ふべき筋がない」といふ方がむしろ正しい解釋であらう。ポゥはその國でどうやら生活することが出來た、その地位を長く續け得なかつたのは、その酒亂と發作的な自棄心とのためで、ボォドレェルの説くやうに合衆國全體が彼を迫害したといふ事實はない。その作品も當然受くるに價ひする歡迎は受けなかつたけれど、それはその國の國民全體の文學的教養が、理解に高度の文學的教養を必要とする此妖異文學を十分に受け容れるだけの深度と廣度とを持たなかつたからで、此點でポゥの不幸と薄運とは否定出來ないが、此種の不遇は更に高度な他國文學にも多く見出されるので、ひとり合衆國のみの責任に歸せらるべきでないことはいふまでもない。かうなると我流の解釋が強すぎて、今日の讀者にはそのまま受け入れられないことが明らかであらう。もつともこれには當時の佛蘭西人一般の合衆國觀が有力な地盤として彼を支持してゐたことを忘れてはならぬ。例へば、千八百三十五年七月十五日、四十三年二月の「兩世界評論」に現はれたフィラレェト・シャルルの論文などで明らかなやうに、合衆國は歐羅巴を理解しえない、ひとへに商工業の慾望にとらはれすぎてゐるから、美神の聲は忽ち窒息せしめられる、合衆國とは「實業《ビズネス》と民主思想との國家」であるといふのが當時の輿論であつた。「合衆國は舊大陸を嫉妬する身體ばかりむやみに大きい子供である。その異常な、殆んど怪物的な、物質的發展に已惚れて、この歴史上の新參は、産業萬能を單純に信仰してゐる。彼地では、時間と金錢とが大變な價値をもつ、大袈裟な程度に於て既に國民的狂氣であるその物質の活動は、精神に、この世のものならぬ様々の事物を考へる餘地を全く與へない」（五六）。かういふボォドレェルの合衆國觀は當時の人人の對亞米利加的意見を代辯して餘蘊がない。ところでかかる産業萬能と民主思想とはボォドレェルの蛇蝎視してゐたものであるから、此合衆國に對する不快感を彼はポゥの中に移入し、ポゥもその祖國を憎んでゐたらうと卽斷してしまつたのである。ポゥが民主思想を罵倒したのは事實であるが、それは必ずしもボォドレェルのいふやうにその祖國を憎んだがためではなく、恐らく此制度の不合理に惱んだがためであつたと解する方が當つてゐると思ふ。また産業萬能に反感を持つあまり、彼はポゥが物質的進步の敵であると信じ、五十六年本の序では「モゥノスとユゥナとの對話」を引いて、その例證を示した。これに對してはバルヱイ・ドォルギリイが、物質的進步をたくみに資材とせる「輕氣球虛報」などを引いて、ボォドレェルの説を駁したので、彼は激昂し、「最近或輕率な批評家が、私としては此高貴な詩人への賞讃の辭といつてもよい位な意味で使つた手品師といふ言葉を、エドガァ・ポゥを中傷せんがため、もしくは私の禮讃の誠實を殺がんがために、使用したので、私は少々辯明する必要があるといきまき」五十七年本の序中に、此輕氣球の物語を創出することによつて、ポゥは物質的進歩を信ずる合衆國人どもの信念を嘲らんとした、恰も「主人を赤面せしめんとする奴隷のやうだ」と稱してゐる。　然し此解釋は正しくないと思ふ。「輕氣球虚報」その他の科學的物語は、さう解釋してはならない。　たしかにここにはボォドレェルの力說せるごときファルスウルとしての要素、即ちミスティフィカシオンの興味も潜在するが、それは飽くまでも第二次的感興で、むしろ現實そのままの神話を建設し得る人間精神の力を示さんとしたことが第一義的な主題であつたと考へられる。　恰もデュパンものが知力の人生を分析し得る能力を示す象徵であるやうに、ここでは知力が人生を綜合しうる姿を示してゐるのである。　さう解してみると、ポゥにはボォドレェルの指摘しなかつた科學的興味も潜在し、物質的進歩をも全然否定せんとしたのではないことが明らかであらう。　見方によつてはそれらの科學的要素こそ、ポゥの思想と藝術との最も重大な點なので、ポゥの世界文學に於ける近代的作家としての位置の一面は、此要素を力說しなければ成立しないかと思はれる程なのである。此點に於けるボォドレェルの解釋は極めて尖銳ではあつたが、結局一面的といふ批難を免れがたいと信ずる。

　更に一つ、五十七年本の序中の誤解を指摘すると、ボゥの所謂「天邪鬼の鬼」をボォドレェルは人間本然の邪惡と見て、「人間の行動は、それが惡であり危險であればこそ魅力があり、深淵の妖惑をもつ。この始源の抗し難い力こそ本然の「邪惡」である」(五七)といふ風に、これを宗教的なものにまで解釋しをほせてゐる。これは英語で佛語と同形なものは、その意味まで全然同一と見て、この種の所謂 faux amis を詳しく檢證しなかつたためである。故に英語 perverse は時に頑強なものといふほどの義で、佛語の pervers ほど深刻にして悲劇的な内容を持たぬことを究めるに及ばなかつた。それに「黑猫」の中ではボゥ文の天邪鬼はボォドレェル風の廣義な用例にかなふけれど、その他の物語に出るとき、ボゥの所謂「天邪鬼」は、近代の哲學者の「精神的眩暈」と稱する生理的なもの(ルモンニエ)であるし、此特異性の取扱方も、ボゥの場合では、人間精神の機構を分析してその法則を究めんとする動機により多く力點を置いてゐるごとくで、ボォドレェルのやうに、これをより多くモラリスティックに見るものとは、その色調を異にしてゐるのではないかと考へられる。

最後に藝術家としてのポゥの根本特質を、ボォドレェルは、專ら「唯美主義」と解してゐる。これは前項の結論から當然に引出されてくる意見であるが、人間を敎化せんがために藝術を手段に用ゐ、道德と進歩とをこれによつて實現せんとするやうな態度に對して、ポゥは嫌厭の情を明らかに示した。「その傾向、その要望が、公衆の傾向と要望とに、最も親近する者、——作品の性能と樣式とを混同して、あらゆる者に唯一の目的を指定してしまふやうな者、——詩の中に道念を完成する手段を求める者」(五七)を、「實利の觀念があらゆるものを支配してゐる國」では、尊敬する。ポゥはさうした錯誤に對して、あらゆる機會を捕へ、全力を盡して反抗した。

といつて、藝術は斷じて有用なものとはなれず、必然的に無用なもの、非道念的なものと考へてはならぬ。ポゥはそんな錯覺には陷つてゐない。「ゲェテの無思慮な狂信者達が說くやうに、すべての美は、本質的に無用だとは云はない」(五二)。彼の打破せんとするものは、藝術には直接な效用が無ければならぬといふ意見である。

此點に於てボォドレェルが特にポゥのために辯じたのは、彼が佛蘭西で遭逢する同一現象に對する自說を宣揚するためであつた。「彼が戰はねばならなかつた數々の偏見、彼の周圍に流布された數々の誤つた思想、凡俗の批判は、久しい以前から、佛蘭西の印刷物にも傳染してゐる。誤謬が類似してゐるといふ理由で、彼の意見は、我が國でも、容易に當て篏るであらう」(五七)。「大分前から、合衆國には、詩を引つぱつてゆかうとする功利運動がある。人道主義詩人がをり、普選詩人がをり、奴隷解放詩人がをる。余は別に我國のことを云つてゐるのではない……」(五二)。ポゥかボストンの超絶派の詩人達を攻擊した手で、ボォドレェルは藝術を道德に從屬させんとした佛蘭西詩人のことを嘲罵した。「多數の人人は、詩の目的は、何等かの敎訓にあると信じてゐる。詩は良心を堅固にするもの、或は操持を完成するもの、或は結局何事にもよらず有益なものを表明するものでなければならないと信じてゐる。亞米利加人は、特に此異端外道の引立を蒙つてゐるとエドガァ・ポゥは言つてゐる。あゝ、かかる邪說を聞かうと、わざわざボストン邊まで出掛けてゆくには及ばないのだ。此處にゐたつて、異端外道は、吾々を取りまき、毎日毎日、眞實な詩歌を砲擊してくれるのだ」(五七)。

　これに對してポゥは明確な唯美主義の理論をくりひろげる。當時の浪漫派の人人も、藝術はそれ自體以外に目的をもたぬことを確言しえたけれど、その理論は極めて漠然としたもので、心理的な深みを欠いてゐた。それをポゥは鮮やかに補つて、明確な藝術觀に體系づけたのである。――彼は人間の精神の世界を、純智、趣味、道念に分つ。それらの三者はそれぞれ各自に異る目的をもつ、――即ち純智は眞を、趣味は美を、道念は義務を、敎へる。さうしてこの三者のうち、道念は文學の創作にあづからぬ。文學に關する他の二能力のうち、趣味は詩を最高の目的とし、純智は散文の主能力である。「散文の領域には、趣味はさして關與しない。」散文の位置は「純粹な詩のやうな高揚になく、最も變化に富み、一般讀者に最も味はれやすい制作を供給するところにある」(五七)。「(散文の)物語に於て美といふ唯一の目的を追ふ作者は、非常な不利益を以て、仕事をさせられる」(五七)。勿論、純粹に詩的な物語を創らうとして、屢〻成功した例も見出される。現にポゥ自身も、最も美しい詩的な散文物語を書いてゐる。「然し、此爭鬪、此努力は結局その人に分相應な目的に向けられた眞の技能の力量を現はすに役立つにすぎないので、ありとあらゆる最も偉大な作家にあつても、これらの英雄的な邪慾は、絕望に由來するものであると、余は信ずる」(五七)。」故に詩は「道德的な目的を追はない」。もし詩人が道德的目的を追ふならば、彼の作品は醜惡なものになると斷言しても差支ない。詩はまた「眞を目的としない。眞を詮表する樣式は、おのづから他物である。眞理は詩心と全く反對なものである」(五七)。では眞とも善とも異る「美」の本性はどこにあるか。それは「地とそのながめとを、天の照應のごとく、われらに目撃せしむるものである」(五七)。卽ち此「美」とは想像力と呼ぶものと合致する。何となれば、ポウの謂ふ想像力とは、哲學的方法の外にあつて、物象の內面的にして秘密な關係、照應、類推等を認識する半ば神のごとき能力だからである。詩人の榮譽は、かかる美にあくがれることにある。またかかる美に渴せる心情を滿足せしむる方法を發見することにある。ところで美には官能を通じてみられる物象の美と心象の美とがある。ひとは皆、此觸目するものの美から推して「至上美」にあくがれずにはゐない。その際に生ずる快感は「魂の高揚」と名づけてよい。此高揚にくらぶれば、他のあらゆる人間感情はとるにたらぬものである。從つて魂の滿足をかちうることは人間として絕大の滿足を味はふ所以であるから、文學に於ける王座はいやでも此「美」の創造者たる詩人の手に托されざるをえなくなるであらう。

　ところで此「至上美」に近づかんとする時、われらは地上のあらゆるものをいかに配置しいかに按配するも、その美の幻想を完全には再現しえないから、殘されたるはただ此天上の美を出來るだけ髣髴せしむるごとく創作することである。此際詩人を助けに現はれてくるものがある――卽ち音樂である。「恐らく詩的感情の靈感をうけて、天上の美の創作といふ大目的に心靈が最も近づくのは、音樂に於てであらう。音樂の中に於てこそ、その崇高な大目的は屢〻現實に達しえられることがあらう。」これは音樂が、言語に絕する特定な性質を備ふるが故に至上美に最もよく接近しうるといふ思想である。音樂にくらべると、律語は力弱く劣れるものにすぎない。が、此兩者は必ずしも融合しえないとはいはれぬ。遠き世のケルトの歌人《うたびと》や中世のミンネジンゲルは律語と音樂とを一致せしめたし、近き世のトマス・ムゥア（Thomas Moore）も自作の歌を誦して、それを正しき意味の詩たらしめてをる。かういふ先例に照らして、彼もまた詩に音樂の力を利用しようと志した――以上のごとき特性を綜合して、ポゥは詩を「美の韻律的《リズミカル》な創造」と定義したのである。

　ところで詩は「魂を高揚させること」が本志であるから、詩の眞價は、魂の高揚に比例する。然るに、あらゆる高揚は、人間心理の原則からいつて、長いこと持續しえないから、從來敍事詩と呼ばれてゐたものは、詩として承認しえない。といつて、短かすぎる詩も、いかに緊迫せる效果を齎らすとはいへ、その效果が繼續しないから、いつまでも記憶に殘らない。從つてこれも詩としては不完全である。

さうしてこれらの「美神」に求めた異常な要請は、彼をして決して製作の方法を輕視せしめなかつた。彼は「鴉」に就て、その構成樣式、韻律の選擇、疊句の適用を仔細に說明したやうに、「立案の完璧、制作の正確」に敏感であつた。これは本來彼が「科學、研究、解析」に天賦の才を有してゐたためである。彼は「靈感を手法に、最も嚴正な解析に、服從させたのである。」「一小曲も自己の設計を要求する。」「自己の記憶の主人であり、言葉の支配者であり、常にひもどかれんとしつつある自己の感情を記載しうるもののみが詩人である」（五七）。

この藝術論はポウの詩論を殆んどそのまま逐語譯して、これを自說のごとくその評論中にちりばめてゐるのであるから、ポウの本旨を傳へる上に遺憾がなかつたといつてよい。尚、此點は次章に於て細論する（一六二頁以下參照）。

以上數節に亘つてボオドレエルのポウ評論の内容を分析し、その特色とするところを指摘した。卽ち、われらの見るところによると、是等の評論は、今日より顧みると史實にも相當な誤謬を含み、その解釋にも評者自身の激烈な感情を被評者の性行と思想とに投入し過ぎたため、正鵠な判斷を誤まつた個所が相當に見出される。卽ちここに描かれた人物は如實のポウではなくして半ばポウにして、半ばはボオドレエルともいふべき特殊な存在である。然し乍らこの缺點はまた逆に多くの長所によつて補塡されてゐる。卽ち、これはポウ批評史の上から見て、此鬼才の眞價を全圓的に啓示せる最初のものであつた。讀者の胸に生生たる共感の思を惹きおこさずにはゐないほど、非常な情熱をそそいで書いた、ポウに好意ある最初の研究であつた。思ふに、これは對象を正しく見とほし、微妙な色調の差違を味はひわけた點よりは、むしろ讀者の胸に迫り烈しい共感の情をかきたてる點に於て、すぐれてゐると評することが出來よう。恐らく凡百のポウ文獻のうちで、此評論ほどポウを愛し、ポゥの敵を憎んだ激越な文章は他にあるまいと信ぜられる。而してまた思ふにこれ位激越にして燃ゆるが如き情火でその評論を書かれなかつたならば、此合衆國の鬼才も、あれほどまで佛蘭西の文壇(ひいては歐洲大陸一圓の文壇)の注意を惹くことは出來なかつたであらう。少くとも英米兩國に於ては、ポゥの名聲は極めて薄弱で、それさへたえず論難の的となつてゐたことを想起して欲しい。此事實はいかに力說するも力說し過ぎることはないのであるから、以下少しく英米兩國に於けるポゥの名聲を略記しておかう。ポゥが生前合衆國で全く閑却されてゐたといふ說は誤解であつて、彼が相當な文名を馳せてゐたことは否定出來ない。もつともその文名といふのは、最初、大膽なる論斷を敢てする、必ずしも公平ならぬ、惡意多き、俊敏な、批評家としてかちえたものであつて、「南方文學使者」時代からその名を知られ、ロングフェロォ合戰及びニュウヨォク文人評傳以後は明快なれど苛酷なる、惡意にみちた筆を揮ふ、個人的好惡の情つよき爭論家として、敬遠される氣味があつた。つづいて物語作者としては、早くから地方的文名を馳せ、千八百三十九年の二卷本『怪奇と唐草との物語』は賣り出し後三年間に七百五十部がはけたに過ぎないが、ニュウヨォク及びフィラデルフィアではともに好評で、特に「アッシャ家の崩壞」や「キリアム・

ヰルソン」や「モレラ」やなどは一流の名作と目され、四十三年の「黄金蟲」は翌年作者自身が三十萬部以上賣れたと吹いた位に世評を惹いたのである。此方面では、微妙な分析力と驚嘆すべき想像力と。婉雅にして正確な文章力との故に、重んぜられたらしい。これに反して詩人としてのポゥは生前全く不遇であつた。千八百二十七年の處女詩集以來、殆んど全くその存在を無視せられ、四十五年一月の『鴉その他の詩』（第四詩集）に至つて、始めてその天分を認められ、その詩名を全國的に流布せしめたけれど、文壇的には默殺されて、彼を詩人として評論した名家はロゥエルを除くと一人も無かつたといつてよい。かくのごとくポゥは合衆國でも相當の文名を馳せてはゐたが、これに伴ふ惡聲はもつと高く、特に彼の言動の不快さ（誇張して傳へられた飲酒癖と、性行と文學とを分離して考へ難い亞米利加人風の世評と）のために合衆國に於ける文學者ポゥは極めて輕視さるべき存在に過ぎなかつた。少くとも今日人人の考へるやうな、亞米利加文學の誇りたる異數の天才と彼を見做したひとは一人もゐなかつたと云へよう。此際に於けるボォドレェルの評論は青天霹靂的な價値轉換の試みであつた。さうして此試みは、多くの欠點をふくみ乍らも、（飜譯による實例を提供した外）合衆國人ほどポゥについて先入見なき佛蘭西人の讀者を對象としたため、見事に成功した。これによつてポォは天成の物語作者、鬼才ある詩人、新美學を創めた大批評家と佛蘭西人一般に考へられるやうになつたのである。それはまた當時に覇王たる佛蘭西文學の世界的位置とボオドレェルの偉才とによつて全歐の文壇にその意見を强要することになつたことを意味する。これによつてポォはその文學的位置が一躍して歐洲第一流の大家とならべられるに至つた。卽ち、彼の文運は「はてしなき未來」を提供されたのである。さうして今日世界の文學界に於けるポォに對する文學的常識の源を遡つてゆくと、殆んど全部此ボオドレェルの評論から發してゐるのを知るであらう。

ではこれほどの貢獻と寄與とをポォに與へたボオドレェルは、彼を識り、彼を譯し、彼を評することによつて、自身その藝術とその思想とに於ていかなる影響を受けたか。これは此章に附屬して說くべく、あまりに多くの問題を含んでゐる。第四章は專ら此疑義に對する解答に充《あ》てたいと思ふ。

ポォとボオドレェル（島田）

第四章　ポゥのボォドレェルに及ぼせる影響

此問題はポゥがボォドレェルの作品そのものに及ぼした影響と思想方面に及ぼした影響とに別けて説くのが便宜である。まづ前者から究めてみよう。

すでに第一章に推定しておいたごとく、ボォドレェルがポゥを識つたのは四十六年かチケツル四十七年のこととすると、それ以前のボォドレェルの作品は、少くともポゥの影響を受けてゐないことが明らかである。では、四十七年以前の作品にはいかなるものがあるかといふに、今日は未だボォドレェルの作品の年代的研究が不十分であるから、此點に就て今後加へらるべきものが豫想されるのは當然であるが、まづ『四十五年のサロン』、『四十六年のサロン』、短篇小説二篇『ファンファルロ』(La Fanfarlo)『若き魔術師』(Le Jeune Enchanteur)、詩三章、「ランペニタン」(L'Inpénitent)、「殖民地生れの女に」(A Une Dame Créole)「印度の娘に」(A Une Malabaraise) をここに數へてよいことは明らかである。〔然し原稿として存在せる詩章は數多く、プラロン(Prarond)の說によると、四十三年にはすでに十六章書かれてゐたといふし、シャンフルゥリの說によると、四十五年にはすでに詩集の出版準備が出來てゐたといふし、またアッセリノオの說によると、四十四年には『惡の華』の大部分が出來上つてゐたので、爾後はただその改訂に從つてゐたのみだといふ。〕さうすると、これらの作品と四十七年後ポゥの思想と藝術とが劃然として影を投じて來た作品との間にはかつきり區別があるに違ひないが、倘立ち入つて考へると、一見ポゥの影響によつて變更せるものと思はれるものも、實はボォドレェルの心境に先在せるポゥの思想との一致點、類似點によつて生じたので、決してポゥの影響の中に數へ上げ難いものがある筈である。またそれらに反して明らかにポゥの影響と信せられる部分も相當見出されるに違ひない。此區別を明確にするためには、まづ四十七年ポッを識る以前からボォドレェルに明顯せる思想でポゥの說と一致するものを摘出し、つづいてさうした分子を作品中に搜索して、果してそれがポゥの影響を受けてゐるか否かを檢證しなければならぬ。

ルモンニエは此點に就てたくみに初期のボォドレェルの思想を抽出して來た。更にそれを補ふものはフェルランの『ボォドレェル美學』である。今これらを嚮導者として略說してみると、人生に於ける藝術の位地、頽唐妖異の趣味、自意識的な藝術構成の手法、抒情短詩說など、旣に二卷の『サロン』『青年文學者への忠言』等の中にその萌芽を示してゐるのである。例へば、「詩とは人間の最も必要なる要求を滿足せしむるもの」とか、「食は二日廢すとも、詩はなくんばあらず」といふ「忠言」は「詩とは自然にしてあらがひえない要求に應ずるものである。人間は、古來、今日のごときものであつたから、かつて詩の存在せざりし時代はなかつた」といふポォの立論と符節を合するごとく、またドラクロア(Delacroix)の「病める天才の妖異にして驚嘆すべき能力」、ルゥソオの「青ざめし自然、薄暮、異樣な水にひたれる落日」を愛するごときは、後これを精錬して、ポォの鬼才を讚美するに用ゐる言葉と全く同じく、更にまたドラクロア論中「藝術には偶然なるものはない、機械に於けるも同じく。たくみに見出される一つのものは、よき推理の單純な結果である……錯誤が惡しき原理の結果であるやうに、繪は一つの機械であつて、その全體系は、訓練された眼によく解しうる」といふ思想は、「いかなる構圖の一點も偶然乃至直感に歸せらるべきではない、(余の)作品は、數學的問題の正確と論理とを以て、一歩一歩その解決に向つて進んで行つた」といふポゥの告白と合致し、バルザックが校正によつて訂正して行く手法を「句の統一を散漫にするのみならず、作品全體の統一を散漫にする」といつて批難した如き、全體の構圖を確立して、それより離脱してはならぬことを力說したポゥの議論そのままを佛蘭西語で書いたやうな感銘を受ける。　またその靈感の長つづきしなかつたところから「忠告」に說いた集中の理論など、勢ひポゥの「抒情詩は短かかるべし」といふ說と符節を合するごとくであつた。　これらの例證から推測してゆくと、ポゥを知る前すでにボォドレェル獨自の美學の輪廓は素描されてゐた、さうしてその美學は極めてポゥのそれと酷似してゐたと斷じておいてよいと思ふ。

　ボォドレェルがポゥを發見した時のよろこびを述べた既出のあの有名な言葉は、かくのごとき兩者の思想の酷似を前提にするとき、はじめて理解することが出來るのである。　曰く、「私が彼の書物をはじめて開いた時、私はかねて私の夢想してゐた主題だけでなく、私の考へてゐた文句そのものまでが、二十年も前に彼によつて模倣されてゐるのを見て、驚きもし、有頂天にもなつたのでした。」（一九頁參照）

　思ふにかかる類似性は、ポゥとボォドレェルとの住んでゐた一般的な文學的環境から說明することが出來よう。　卽ち兩者の活躍せる十九世紀中葉の文學思潮、文化史的大勢を一瞥すれば、ポウもボオドレェルも同一文學運動圈に繰り入れらるべきことは明らかである。　卽ち二人はともに英佛文學のロマンチスムが最高潮に達した直後の人人で、ワアズワス(Wordsworth)、コォルリッヂ(Coleridge)、シェリ(Shelley)に對するポウの關係は、ラマルティイヌ(Lamartino)、ギニイ(Vigny)ユ・ウゴオ(Hugo)に對するボオドレェルの關係にひとしい。　二人はこれら第一期ロマンチスムの先進に反動して新風を樹立せねばならなかつた。　その方向が、ポウの場合では、バイロン的な第一期浪漫派の高揚から離れて、異常心理の探求に向つたのであり、ボオドレェルの場合では、感傷と情熱との誇示から離れて、感覺の藝術を求めたといふ形になつてゐる。　兩者はともに千八百三十五年以後に新展開を試みた第二期ロマンチスムに屬する人人である。　更にこれを裏づけるものは兩者の思想を支持せる文化的精神狀態の類似である。　卽ち千八百四十年代合衆國に現はれた神祕思想は、エマスンの『代表偉人論』に最もよく具現してゐるが、數年後には佛蘭西にも渡來して、バルザックの小說の一部にスヱェデンボルグ(Swedenborg)的傾向として痕跡を留めた。　かかる自然と人生との中に超自然的なものを求める精神傾向が、ポウとボオドレェルにも浸透してゐて、兩者はかかる思潮から單なる寫實主義以上のものを學んだことが明證されよう。　加ふるに此世紀初葉から急激に擡頭して來た自然科學の影響が作品の資材を提供した外、單に靈感の恍惚に依らず、もつと人爲的な意力によつて仕上げを重んずる方法といひ、佛蘭西革命の人道主義思想に對する反抗がおのづと彼等を藝術至上主義的教義にまで導き入れたことといひ、みな時代思潮の共通點といふところから說明せられよう。　もう一つ考慮に入れるべきは彼等に直接先縱となつた藝術家や思想家の共通影響である。　かの神秘妖異な文學の趣味をポゥに教へたのは、アン・ラドクリッフ（Ann Radcliffe）やモンク・リュイス（Monk Lewis）等の英吉利小說家とアマデウス・ホフマン（Amadeus Hoffmann）等の獨逸小說家とであつたが、これらの作家は、ポゥを讀む前から、ボォドレェルもすでにその愛讀書としてゐたものであるし、萬物照應の理法や恍惚によつて絕對に到達せんとする理論なども、十八世紀の神秘思想家、特にスヱェデンボルグの著書より、兩者のひとしく學んでゐたものであつた。

故に從來ポゥがボォドレェルに及ぼした影響のなかに數へられるもののうち若干は、かかる兩者の思想の根柢的類似より生じた現象と見るべきで、決して影響と口すべきではないと思ふ。例へば、ルイ・セイラァズのごとき研究家は「傲慢の懲罰」(Le Chatiment de l'orgueil) のうち第三第四行 "Après avoir forcé les cœurs indifférents, / Les avoir remués dans leurs profondeurs noires ......" を「われらの悲しき人性が地獄の相貌を呈するごとき時がある。然し、人間の想像力はカラティスではないから、罰せられずしてその間道のすべてを探るわけにゆかぬ」といふ旨のマァヂネィリアの一節 (XVI) と比較して、內容も形式もともに類似するから、これはポゥより受けた影響の中に數へられると說いたが、此ボォドレェル詩は千八百四十三年來完成してゐたといふから、この推定は成立しないと思ふ。またアァサァ・パタソンなどが引く『惡の華』中ことに有名な萬物照應の詩なども、彼の說くやうに、ポゥの「アル・アアラァフ」(Al Aaraaf) 第一部百二十八行百二十九行から來てゐるのではない。兩者に共通な材源はスヱェデンボルグの『動物時代の經濟學』であつて、兩詩とも由來するところはそこにあつたのである。また頭韻と類音とを主とするボォドレェル獨特の韻律上の技巧もポゥより學んだといふパタソンの說は、これを第一義的な影響といふ意味に解釋すれば、當然否定しなければならぬ。ボォドレェルはすでに千八百四十四年以來この技巧を用ゐてゐる。彼はこれをサント・ブゥヴに學んだので、サント・ブゥヴその人はこれを英吉利湖畔派の詩人、特にコゥルリッヂより學びえたのである。ところでポゥがコゥルリッヂに負ふところ多きは周知の事實であるから、ボォドレェルがポゥによつて此技巧に開眼されたと說くのは間違ひで、兩者共通して受けた影響のうちに數ふるのが至當であると信ずる。

これら以外に意識してポゥを模したものもあるが、それは、必ずしも多くなく、それも大柢は計劃のままに殘され、實現されたものは少なかつた。例へば「天邪鬼の鬼」の飜案たるべき戯曲のシナリオ「醉漢」(L'Ivrogne)や「歡喜に對して、ポゥが苦痛に適用せる過度に鋭敏なる感官を適用すること」といふ日記の一節の覺書などが、それであつた。實現された少《すくな》いものの一つに『赤裸の心』の手記がある。ポゥは「マァヂネィリア」の一部に「暗示されたる表題。「赤裸の心」Heart laid bare. 野心家が人間の思想、人間の感情の世界を一擧に革命せんとせば、ただ一卷の小冊子を書けばよい。その書の表題は簡單である、曰く――『赤裸の心』。但しその小冊子はその表題に對しては眞實でなければならぬ。……然し、何人もその大膽さをもたぬ、恐らく永久に持たないであらう」と書き殘しておいたが、これを承けてボォドレェルの實現したのが、歿後刊行の "Mon cœur mis à nu" である。その內容は一にポォの所期せる告白の眞實を期したもので、アミエルの日記と並んで十九世紀文學史上の二大奇書と目すべきものである。

『惡の華』序文下書の中には、「剽竊覺書」として、「トマス・グレイ(Thomas Gray)、ロングフェロオ(二個所)、スタティウス(Stace)、ヹルギリウス(Virgile)、アイスキュウロス(Eschyle)、ギクトル・ユウゴオ」等の名を擧げ、その中「エドガア・ポウ」は(二個所)とあるが、これ以外に尙いくつかを加へることが出來る。『惡の華』そのものは四十六七年にはほぼ大部分が完成してゐた筈だから、ポォの直接の影響を探り出し難いのは當然であるが、(第一)ボォドレェルには推敲の癖があり、(第二)ポォを知れる後、『惡の華』(五十七年)の出版までには約十年の歲月があり、(第三)ボォドレェルには長いこと打捨てて置いた作品をかなり長い間隔を置いて仕上げる例が多いのであるから、ポォを知つた後に加筆訂正された部分が相當あるに違ひない。　例へば「不運」(Le Guignon)などはロングフェロオの一節から思ひついて制作したが、思ふやうに完成せず、後漸くトマス・グレイの一節の飜案を加へて仕上げたやうに、はつきりと詩中の一部にポウの句を用ゐたものが相當數多く見出される。余の檢證した限りに於て明徵あるものは、まづ「影」(Shadow) の末句がそのまま「オブセッシオン」(Obsession) に用ゐられ (The well-remembered and familiar accents of many thousand departed friends —— Mais les ténèbres sont elles-mêmes des toiles/ Où vivent, jaillissant de mon œil par milliers,/ Des êtres disparus aux regards familiers)、また「影」の第三節が「曇れる空」にたくみに用ひられ (That terrible state of existence which the nervous experience when the senses are keenly living and awake, and meanwhile the powers of thought lie dormant —— Quand, agités d'un mal inconnu qui les tord,/ Les nerfs trop éveillés raillent l'esprit qui dort,)、「キリアム・キルソン」の一句が「航海」(Le Voyâge) に痕をとどめ (Some little oasis of fatality amid a wilderness of error —— Une oasis d'horreur dans un desert d'ennui.)「赤死病の假面」中の一感想を「時圭」(L'horloge) の中にちりばめ (the lapse of sixty minutes which embrace three thousand and six hundred seconds of the time that flies —— Trois mille six cents fois par heure, la Seconde……)「ライヂヤ」の眼の描寫は「美」(La Beauté) にも「航海」にもひびかひ (Those large, those shining …… orbs ! —— Mes yeux, mes larges yeux aux clartés éternelles. I to them devoutest of astrologers. —— Astrologues noyés dans les yeux d'une femme.)「モゥノスとユゥナとの對話」に於けるモゥノスが死に入る前後の世界文學史上最も幽玄な描寫は「好奇者の夢」(Le Rêve d'un Curieux) の中に換骨され (——J'allais mourir. C'était dans mon âme amoureuse, / Désir mêlé d'horreur, un mal particulier; / Angoisse et vif espoir, sans humeur factieuse, / Plus allait se vidant le fatal sablier, / Plus ma torture était âpre et délicieuse; / Tout mon cœur s'arrachait au monde familier.)「エレオノオラ」や「鴉」に出る「天使達の香爐の搖る音」も「今宵わが心よ、なれは何をいふ」(Que diras-tu ce soir, pauvre âme solitaire) の中に利用され(……the censers of the angels —— Sa chair spirituelle a le parfum des anges)、「アッシャ家の崩壞」中の「幽靈宮」最末聯は「自ら罰する者」(L'Héautontimorouménos) にそのまま轉置され (A hideons throng rush out for ever, / And laugh —— but smile no more —— Un de ces grands abandonnés / Au rire éternel condamnés, / Et qui ne peuvent plus sourire !)、『ピムの物語』はかなり多くの痕跡を止めたが、特に幽靈船の横寫前後の映像が「シテエルへの旅」(Un Voyage à Cythère) の美句を生み〔幽靈船の接近して來た時、船上にピム達の見た時の前後が —— Mais voilà qu'en rasant la Cote d'assez près, / …… Nous vîmes …… 船上の悲慘な屍體を見た時の前後 Ah ! Seigneur, donnez-moi la force et le courage / De contempler mon corps et mon cœur sans dégoût! 海鳥についばまれる一死體の慘況前後が De féroces oiseaux, perchés sur leur pâture, / Détruisaient avec rage un pendu déjà mûr, / Chacun planant comme un outil son bec impur / Dans tous les coins saignants de cette pourriture. 海波穩かになる前後が Le ciel était charmant, la mer était unie' またピムが南極の雪圏を横斷した後神秘の大スフィンクスを見る句から「美」の第二聯(Je trône dans l'azur comme un sphinx incompris)が生じたごとき「生ける炬火」(Le Flambeau vivant)が「ヘレンに寄す」(To Helen)の一句をそのまま飜譯したごとき(They are my ministers, yet I their slave. —— Ils sont mes serviteurs et je suis leur esclave.)、みな好個の例證として擧げられるであらう。

かくのごとき明徴あるものに對して、確證は求め難いが、主題や、雰圍氣や、手法や、詞句の諸點に於て、恐らくポゥの作品が影響を及ぼしたと信ぜられるのは、或批評家が指摘したとほり、サバティエ夫人(Mme. Sabatier)に贈つた諸詩章で、サント・ブゥヴの『逸樂』(Volupté)がかかる主題の先蹤をなしてはゐるが、女性を放蕩より男性を守護する天使と考へる特にプラトニックなベアトリチェ觀は、ポゥの女性觀から直系統を引くことが明らかである。 また「鋸山奇談」中の東邦都市の幻景など「巴里人の夢」(Rêve parisien)の風景(Babel d'escaliers et d'arcades, / C'était un palais infini, / Plein de bassins et de cascades / Tombant dans l'or mat ou bruni ; / Des nappes d'eau s'epanchaient bleues, / Entre des quais roses et verts, / Pendant des millions de lieues, / Vers les confins de l'univers ; / Insouciants et taciturnes, / Des Ganges, dans le firmament, / Versaient le trésor de leurs urnes / Dans des gouffres de diamant.) を歌ふに資し「うづしほ」の中にまき込まれゆく感じは、「償ひ難きもの」(L'Irréparable) 第三聯の奈落行を暗示し (……Et luttant, angoisses funèbres / Contre un gigantesque remous / Qui va chantant comme les fous / Et pirouettant dans les ténèbres ?) たらしく、現に「航海」の中には、その Mare Tenebrarum の佛譯 Mer des Ténèbres がそのまま利用せられ (Nous nous embarquerons sur la Mer des Ténèbres) てゐる。これに反して「モゥノスとユゥナ」の古代讃美から「われは裸形の時代の追憶を愛す」(J'aime le souvenir de ces époques nues) 末尾の描寫が出て來てゐるとか「天邪鬼の鬼」や「物いふ心臟」の告白ぶりが「暗殺者の酒」(Le Vin de l'Assassin) にひびいてゐるとか「鴉」の一節が「大いなる心をもつ下女《はしため》」(La Servante au grand cœur) 第二部の起首にヒントを與へたとか、「ワルデマル氏の病症」最末の迫眞的手法が「吸血鬼の變身」(Les Métamorphoses du Vampire) を思はせるとかいふ諸説は、まだ再考の餘地があつて、それをそのまま支持することは出來まいかと思ふ。

『惡の華』中にはポゥの詞句が、映像が、思想が、上述のごとく影響してゐる外、詩形的な薫化も存在するのではないか。例へば、頭韻と類音とはすでに早くサント・ブゥヴに學んでゐたけれど、ポゥ詩集を讀んだ後、從來よりは頻繁に用ゐるやうになり、また新らしく同一構造句の繰り返しを彼から學んだと想像してはいけないであらうか。由來ボォドレェルは、感動と韻律との調和を圖るあまり、詩句の制約を緩うし、時に「またぎ」を用ゐ、エミスティッシュを破り、新らしきメトリックの結合にたえず腐心した結果、その韻律は正格を失ひ清明を減じたが、そのかはり毎行隱密な調律美を生み、後のヹルレェヌ(Paul Verlaine)が「何者よりも尊し」と叫んだ一種の「音樂」を内在せしめることになつた。この新韻律の魅力の中心となつたのが頭韻と類音とで、主としてサント・ブゥヴから學びえこと既述のごとくである。例へば「ヂョゼフ・ドロルムの詩」に Pourtant je n'ai souci ni de la brise amère, / Ni des l*am*pes, d'ar*gent* d*an*s le bl*an*c firma*ment* と an を重用したのは、ことさらきらめく感じを出さうとしたためであると作者自身告白してゐるが、ボォドレェルが此手法を此師友から學びえたことは、ゴオティエもこれを傍證してゐる。此影響は主としてラテン詩の技法から流れて來てゐるが、ポゥ系統の英詩方面のそれも相並んで重視すべきである。もともと佛蘭西詩は、その國語の性質上、最後の綴音に力點が置かれるので、脚韻によつて詩句《ヴェル》を定めんとするが、英詩は首綴に力點を置く關係上、首韻の類似、卽ち頭韻を用ゐることが多い。特にポゥが頭韻を愛用したことは人もすでに知るとほりで、「鴉」などでは濫用の疑ひあるほど多數に驅使してゐる。これがボォドレェルにひびいてゐることは、例へば四十二年「アルティスト」(L'Artiste)に發表されたのと五十七年の定案とを比較してみると、「マラバレイスの女」が、頭韻を二つも加へてゐることによつて明證されよう。頭韻と類音との融合に於て比類なき音樂美をかちえて、ポゥの詩壘に迫つたのは、「薄暮の調」(Harmonie du Soir)などがこれを代表する。

次に同一語彙乃至構文を繰り返して用ゐる技法(ルフラン)は、四十三年の「ベルトの眼」(Les Yeux de Berthe)以來散見するが、ポゥを發見した後、急激に增加して來た事も事實である。由來、佛蘭西詩のルフランは、正格でシメトリックなのが特徵であるが、ポゥは「音の單調を破りつつ、しかも思想を變化せしめることによつて、効果を强めよう」とし、たえず新らしいルフランの用法に腐心しただけあつて、柔軟多様を極めた新體を創めたが、ボオドレエルはこれを更に細心にその詩に適用した。 例へば「ヘレンに」(To Helen)寄せた詩に見られるやうな單語のくりかへし(*Tout cela ne vaut pas* le poison qui découle/De tes yeux, de tes yeux verts ……/ *Tout cela ne vaut pas* le terrible prodige/De ta salive qui mord ……/Je vais vous emporter *à travers l'épaisseur*,/Compagnons de ma triste joie,/*A travers l'épaisseur* de la terre et du roc,/*A travers* les amas confus de votre cendre.)、句のくりかへし(*La gloire* du soleil sur la mer violette,/*La gloire* des cités dans le soleil couchant)、同じ構造のくりかへし(Ô toi, tous mes plaisirs! Ô toi, tous mes devoirs! ……/Que ton sein m'était doux! que ton cœur m'était bon! ……/Que l'espace est profond! Que le cœur est puissant! ……)、「エウラリイ」(Eulalie)や「ウラルウミ」(Ulalume)に見られるやうに句首と句尾とのくりかへし(*Allume* ta prunelle à la flamme *des lustres*,/*Allume* le desir dans les regards *des rustres* …… *Que ce soit dans la* nuit et dans la *multitude*,/*Que ce soit dans la* rue et dans la *solitude*.)、「アナベルリイ」のやうに同じ語をくりかへしつつ新らしい展開を開いてゆくもの(*Ta gorge* qui s'avance et qui pousse la moire,/*Ta gorge triomphante est une armoire.* ……)、「ヘレンに寄す」歌のやうに各種のパラレリスムを混用し

たもの (*Ils marchent* devant moi, *ces yeux* pleins de lumières, / Qu'un Ange très savant a sans doute aimantés ; / *Ils marchent* ces divins *frères* qui sont mes *frères*, / Secouant dans *mes yeux* leur feu diamantés. / Me sauvant *de tout* piège et *de tout* péché grave, / Ils conduisent mes pas dans la route du Beau ; / *Ils sont mes serviteurs et je suis leur esclave* ; / Tout mon être obéit à ce vivant flambeau. / *Charmants yeux*, vous brillez de la clarté mystique / Qu' ont les cierges brûlant en plein jour ; le soleil / Rougit, mais n'éteint pas leur flamme fantastique ; / *Ils célèbrent la Mort*, *vous chantez le Reveil* ; / *Vous marchez en chantant le Réveil* de mon âme, / Astres dont nul soleil ne peut flétrir la flamme.) などが、それである。これらもポォより受けた詩形的薫化の中に數ふべきであらう。これに反してポォが詩句の内部で重用した豫期を破る脚韻の妙は、ボォドレェルの中には見出し難いものである。

かくのごとく『惡の華』集は、大體ポォを識る以前のもので、改作補訂を加へた點で影響として擧げうるのは上述の分子に盡きると思ふ。それ以外の作品はポォに負ふところもないではないが、主要な材源はむしろ他に求むべく、『人工樂園』(Le Paradis artificiel) がトマス・ド・キンシイ (Thomas De Quincey) に、『巴里の憂鬱』がサント・ブゥヴに、主として負ふてゐることは先人も既に指摘したごとくである。それでも前者

（第四章）には「鋸山奇談」中の阿片吸飲が視覺に及ぼす印象が利用され、後者には、例へば「二重の部屋」(La Chambre double) の裝飾に「ヲンドォの小屋」や「家具哲學」が「群集」(La Multitude) の描寫に「群集の人」の一般的雰圍氣が「惡しき硝子賣」(Le Mauvais Vitrier) の心理解剖に「天邪鬼の鬼」の主題が「英雄らしい最後」(La Mort héroïque) の構想一般に「ぴよんぴよん蛙」（これにはヂャック・クレペェの反對說あれど）が、色色な示唆を與へたことは否定出來ないと信ずる。

『惡の華』集その他の檢討によつて、ボォがボォドレェルに影響した痕跡を探るべき個所は、具體的な作品の外形に出てゐる部分ではないことが明かとなつた。それは繰り返していふやうに、抒情詩人としてのボォドレェルの天資が、ボォを「發見」する以前から確立してゐたためである。すでに千八百四十七年には、後に「憂鬱と理想」乃至「死」と名づけらるべき部門がすでに完成してゐた。而してこの年を境界線にして分析家・理論家としてのボォドレェルの相貌が確然と現はれて來たのである。四十六年の「サロン」評と、五十五年の「博覽會」論とでは、理說に明確な差違がある。さうしてその原因はボォドレェルがポゥを識つたといふ事實以外からは說明がつかぬ。かくして今日『美的獵奇』と『浪漫派藝術』とをひもどくものは、各章每に、ポゥの敎義の痕跡を歷々として感得するであらう。即ちこれを思想的影響と名づけて、漸次追尋せんとする所以である。此方面のものは人生觀、社會觀、藝術觀の三部に分つて問ふのが便宜と思ふ。

　ボォドレェルがポゥを識る以前、特に千八百四十二年から四十五年にかけて送つたピモダン館の豪華時代には、ただ銷閑の具として文學に從つてゐると見せかけたダンディスムが主で、當時の手紙を見ると、天才は必ず社會的な成功をかちうるものと確信してゐたのである。四十二年十一月、母へ送つた手紙によると「小說を一二冊書けば、賣るところがわかつてゐます。一箇月働けば十分です。十フィユトンの小說一冊で五百法、雜誌に十フィユの小說で一千法」と樂觀し、四十四年には負債に苦しめられ乍らも、尙「今月末には」三冊の書物を賣りつけて、少くとも千五百法は手に這入ると妄信してゐた位で、文學上の天才をもつものが不幸に陷るなどとはかりにも想像して見たことがなかつたのである。四十六年發表の「忠告」の中にも、靑年文學者を激勵し、何よりもまづ實力を養へ、さすれば必ず社會的な成功を受けるに違ひないと斷言してゐる。彼は大衆作家ウウジェヌ・シュウ(Eugène Sue)のことを例に引いて「新らしい手段によつて、同じ程度の興味を湧き立たせて見たまへ。反對の方向に於ける同等で優秀な力をえたまへ。さすれば、諸君は最早ブルジョアを誹謗する權利を失つてしまふに違ひない。何となればブルヂョアは諸君に味方するだらうから。それまでは、敗れしものは不幸なるかな。何となれば、最高の正義である實力ほど眞實なものはないが故に」といふ。かういふ議論は五十二年以後にボォドレェルの力說する、現代では文學的英雄は必ず失敗せずにはゐられない、生に敗れし薄命兒こそ眞の天才である、呪ふべきはこれを理解せずして徒らに嘲笑の矢を投げかけるブルジョアの徒だといふ說と正反對ではないか。更にまた四十六年の「忠告」は、天才に放縱の癖ありとするも、それはただ「天才が恐ろしく强いといふことを證すのみだ」と誇稱してゐたのに反し、五十二年以後になると、それが逆轉して、放縱と反抗とは現世に於て藝術家のとりうる唯一の態度だと力說するまでになつてゐる。

かかる天才觀の變動は、勿論、ボォドレェルの體驗した生活苦から生じたのである。

此時までも實生活上では多くの苦惱を經驗したが、自己の天才を信じて必ず成功するに違ひないものと確信してゐた。從つて四十七年ポゥを發見した時も、この作家を「金持で、幸福で、典雅な生活の百千の仕事の中にあつて、時に文學に筆を染める天才ある青年紳士」と想像してゐたことは既述のごとくである。それが五十五年になつて、一方では彼の理想とするダンディスムが現實の存在の前には空しき夢にすぎないことを知つた時、はからずもグリズウォルドのポゥ傳によつて、おのれの嘆美する天才がおのれとひとしく不幸な惱み多きひとであることを明察したのである。その時の彼の吃驚と歡喜とは容易に推察することが出來るであらう。自己と同一なることを確信する敬愛措く能はざる天才にしてその生涯がかくのごとくであつたとせば、また自己の現實の體驗にしてかくの如しとせば、從來の樂天的な人世觀は變動しないわけにゆかぬ。――かくのごとくこの悲痛なペシミスム的轉回への契機にポゥの影響は一つの重大な要素となつてゐるのである。

第二に變化せるは彼の社會觀である。ルイ・フィリップ王晩年の時代はブルヂョアと社會主義者と提携せる民主思想の全盛期であつた。四十八年の革命以前には、ボォドレェルも社會主義者の團體に出入して、當時流布されてゐた民主思想を遵奉し、四十八年二月以後も、その二十七日以後僅か二日しか發行しなかつた「公益新聞」(Le Salut public)を出した位で、後の手記にいはゆる「四十八年の陶醉」――僭主を憎み、共和と自由とを愛する思想が彼の全身を領してゐたのである。これは改革が自由をもたらすと信じ、ブルヂョアの勝利が藝術の利益を守りうるといふ信念の故であつた。然しそれは、結局、幻想に過ぎなかつた。彼は漸を追ふて民衆の愚とブルヂョアヂィの愚とを痛感するやうになつた。そこにヂョゼフ・ドゥ・メエストルの理論が加はつて、彼は民主思想の理論的愚妄を開眼されたのである。「ドゥ・メエストルは余に理解することを教へた」と後の覺書に誌したごとく、ボォドレェルははじめて、自已の思想を自覺して、本能を反省によつて系統化し、群集に對し、女人に對し、「原罪によつて罪なはれた天性の衝動に屈伏するすべてのもの」(アンドレ・フェルラン)に對し、反抗すべき原理を學んだのである。人間性を分析し、厭世觀をいよいよ洗錬し、深刻化して行つたのである。もともとボォドレェルは人間性善説を信じてはゐなかつたらしい。基督教の反對者でなかつたことがその消極的な證左であるが、千八百四十七年一月二十七日「デモクラシイ・パシフィック」を開いて、無名作家の短篇「黑猫」を見出した時も、實はその序に「此物語を掲ぐるは、人間性惡説の最近の黨與がいかに奇異なる議論に陷れるかを示さんためである。ここに今は勢力なき教義を支持せんとする寓話がある。此寓話に於て、作者は、ファンタジイの中にとはいへ、此自然の邪惡説を、主人公に多年飲酒せしめた後、生ずるものとしてゐる」と傍語のあるのを見て、此物語を讀まんと思ひ立つた程で、後の「自ち罰する者」に惡のために惱める姿を示し、「イレ バラァブル」に悔恨苦惱と純化の期待とを歌ひ、「惡」の中の良心をほのめかしたやうに、彼の道德感は、彼の心中のカトリシスムの殘餘と混じて宗敎感情の形をとつて來てゐたのである。民主思想と性善論と、此二傾向に飽きたりない彼をしてはつきり思想的に自覺させたのは、既述のごとくドゥ・メエストルであつたが、ポゥの物語を識つた後は、合衆國の民衆におもねる凡俗の成功の理由を推察して、ますます反人道主義的な道へ深入りするやうになつた。さうして此方面に於ても、ドゥ・メエストルの影響が敎義的道德意識を主とせるものにあつたのに反し、ポゥのそれは審美的な趣味性から彼の中におのづと浸透して來たのであらうと考へられる。

第三に、前項の論からして藝術の社會的使命を信じてゐたボォドレェルは、ポゥによつて新らしく唯美主義の理論を敎へられ、これに改宗するやうになつたと考へてよい。一時はピエェル・デュポン (Pierre Dupont) の『歌謠集』(一八五〇)に對する序に「唯美主義といふ子供らしい教説は、道德の否定として情熱をさへ除外するので、必然的に不生産的である」と迄いきまいた彼が、社會的使命を重んずる教義を一擲して今迄罵倒してゐた教法に歸依するやうになつた徑路は、五十二年來のポゥ論を順次にあとづけることによつて明らかにされよう。千八百五十二年四月十七日、「イリュストラシオン」に書いた「ベレニス」の序では、「大陸の浪漫派から、否、あらゆる浪漫家の宗派から、ポゥ氏をわかつものは、かかる功利性の觀念、否、むしろ好奇心である」といふ。故にその頃のボォドレェルは、藝術も功利性をもつ、然しその功利性とは道義的・社會的なものではなく、純粹に知的な性質で、好奇心と相混ずるものだといふ說を奉じてゐたわけである。それが翌月の「巴里評論」になると、此意見があらためられて「ゲェテの禮讃者やその他の非情派の詩人達のやうに、すべて美なるものは、本質的に功利性がないとはいはぬ、……むしろ近代の偉大な異端と呼ぶべきものは、直接な功利性の觀念である」と說く。此二論を對照すれば、兩者の意見が明瞭である。即ち、ボォドレェルは、すべて美なるものが本質的に功利性をもたないとは信じない。ただその功利性の内容が、前論では比較的利用的な知的性質を主としてゐたけれど、後者ではそれがはるかに漠然たる間接の效用性を重視するやうになつて來たのである。それが五十六年本の序によると、數歩を進めて、藝術が何等かの功利性をもちうると認める人人を思ひきつて罵倒してゐる。ここにポゥの藝術論の影響は劃然として明らかである。もつとも此ボォドレェルの唯美主義は、ゴォティエが『モォパン孃』(Mlle de Maupin)の序文に說いたやうな、ひたすら形式を目的として、道徳《モラル》を無視する、いはば裸體讃美の異敎的藝術思想からも系統を引いてゐるが、その系統の唯美主義では美の形面上的本體の說明が見られない。その欠點をボォドレェルはポゥの立論を借りて補塡したのである。ポゥの「美」論は至上美――超越美の崇拜を說く一種の形面上學的藝術論である。これは藝術を通じて人間に示され、詩人も僅か一瞬間かいまみうる至上美の暗示を志ざすものである。詩人はその美を人間に飜譯する。自然界は靈界の反映である。地は天のコレスポンダンスである。その宇宙に漲る象徴を、詩人は文字を通じて人人に暗示せねばならぬ。かういふ美論の根抵に橫はる宇宙の照應說は、ポゥに接する前、すでにラファテル (Lavater)、スヱェデンボルグ、ヂョゼフ・ドゥ・メエストル等から學んでゐたので、「人間の顏に、普遍的眞實のあらはれ」を認めその輪廓・形體・大小からして靈的な意味を汲みとつたラファテル、「自然界でも、靈界でも、すべての形體、運動、數、色、匂は互に照應し合つてゐる」といふスヱェデンボルグ、「現世は不可見の事物が可見になつたものにすぎない。われらはその可見なるものの中に住んでゐる。すべての法則の背後には靈的法則がある」と説くドゥ・メエストル等は、いはば彼の神秘主義的思想の導師であつた。即ち彼はポゥの藝術論に接する前に、早くも世界の神祕と象徴の言葉とに開眼されてゐた。彼がポゥの書にはじめて接した時、かねて自分の考へてゐた文句まで書かれてあるのを見たといふのは此謂である。加ふるに彼は四十六年來色彩の音樂に就て感ずるところあり、「ドラクロアの色彩は悲しげに、カトランの色彩は屢〻恐ろしい」と語つてゐる位で、一種の表現上の象徴主義的感性に早くも惠まれてゐたのである。さうしてかうした要素がポゥを讀むことによつて、始めて明瞭に自覺せられ、體系的に組織せられたのである。ここではボォドレェルがポゥほど論理的な批判力を豐かに惠まれてゐなかつたことが、かへつて幸ひしたといつてよい。もしも彼にしてその種の能力を早く發揮してゐたなら、彼はあれほど自由にポゥの教説をわがものとすることは出來なかつたであらう。五十七年本の序の中で、ポゥの唯美主義を評論するところなど、全くその敍述と禮讃とで、ポゥと同じ地盤に立つて、ポゥの思想を批判したところは一個所もない。

あの序の中の詩論篇では、ボォドレェル自身の言葉として物語られてゐるところも實はポォの語句をパラフレイズしたに過ぎず、殆んど一句一句そのまま借用した部分が多い。これは五十九年の「ゴオティエ論」でも同じで、ここでは五十七年本の序から長い個所を抜き「パラフレイズするのを避けるため自文を引く」と稱してゐるが、それはポォの文そのままで、且つ文中にも、某々の個處では詩を感性や心情から發生せず、想像力と趣味とに據ると稱し乍ら、他の個所では「想像力の感性、これをおほむね趣味といふ」と說いたり、ゴオティエの野心は「美によつて創られた（情熱とはいたく異る）熱狂」をあらはすにあつたといひ乍ら、すぐその先にゴオティエの「美の情熱」を讃美するなど、所々に矛盾する思想、少くとも矛盾感をうながす妥當ならぬ語句を用ゐてゐるところからみても、ボォドレェルがポォほど幾何學的精神を豐かに惠まれてゐなかつたことは否定出來ない。さてこそポォの體系を少しも變改することなく、わがものとなすことが出來たのである。

以上略述したやうに、ボォドレェルはポゥから語句の模倣や詩句の類似のやうな表面的影響を作品そのものの上にも多少は受けてゐたけれど、もつと根源的な思想の方では決定的な影響を受けたと斷定する事が出來る。恐らくポゥが現はれなくとも、ボォドレェルほどの偉才なら、みづから此道に踏み入つたかもしれぬ。然し彼はその生涯の最も重大な危機にポゥと會合したのである。まさに危機といつてよい。卽ち文學によつて身を立て富有になる希望を抱き、純潔な生涯を送らんとして出立しながら、貧窮に陷り、惡德に汚染してゐたのである。人道主義思想・民主思想を抱き乍ら漠然とこれがその身に適合しないことを感じてゐたのである。そこへポゥが現はれて、人性の眞相を敎へ、唯美主義の理論を示し、貧窮と惡德とは現世に於て天才に與へられた「光榮」だといふ新らしい哲理を啓いてくれた。卽ちポゥは彼に潛在せる美學と思想とを自覺せしめて、これを單に造形美術によつて敎養された官能的藝術家の域から引き上げて、もつと思想的な背景をもつ眞の「詩人」の域に高めたのである。ポォル・ヴァレリイ(Paul Valéry)のいはゆる「透徹の惡魔、分析の天才、論理と幻想と、神秘と計量との最も新らしき結合の創始者、例外の心理家、藝術のあらゆる手段を深め利用する技術的な文學者」エドガア・ポォは、ボォドレェルに敎へて、詩人的創作力と批評家的知力とを結合せしめたのである。これによつて彼の運命は一變した。これを顧みれば、ポォを識らなかつたならば、ボォドレェルは高々「ゴオティエの敵手か、高踏派のすぐれた詩人にしかなりえなかつたであらう」と說く現代純粹詩派の巨匠の言葉は、最もよく此兩者の關係を摑んだものと思ふ。(終)

附註

〔緒言〕 三頁。比較文學史成立以前に兩者の關係に着目せる英米側文獻としては Esme Stuart, Charles Baudelaire and Edgar Poe, A Literary Affinity (Nineteenth Century, vol. XXXIV. 〔July, 1893〕 pp. 65—80) などが最も早いものとして擧げることが出來よう。

三頁。パタソンは基礎となるテクストに就て十分な知識なく、且つ資料の檢證が不十分である。

四頁。ルモンニエの業績は、大戰以前から着手されてゐた。エドガァ・ポォの最もまとまつた病理學的研究によつてその名を識られたエミイル・ロォヴリエェル (Emile Lauvrière) には多少指導をうけたらしく、またマラルメも在職せるコレッヂュ・ロランの英語教授であつたことは、ひそかにその誇りとするところである。

五頁。キャンビエェルの書は書誌的に利用すれば無盡の寶庫である、勿論その立論と推斷とは殆んどつねに警戒を要するけれど。

〔第一章〕 十六頁。合衆國にはあれほど多くのポォの傳記的研究が續出しながら、此兩者の關係を精査したものが殆んどないのは不思議である。然し、ポゥがボォドレェルの譯業を識らなかつたことは否定出來ない。

二十四頁。クレム夫人への手紙は、N・R・F・版『ボォドレェル全集』第十三卷（一九三一）四三五―四三六頁參照。

二十五頁。ポゥをめぐつて、ボォドレェルとサント・ブゥヴとの間には、語るべき多くの話柄がある。文學者の心理と文壇の裏面とを最もよく示すものとして、別に精査すべき問題である。兩者の書簡集を對比した後、Fernand Vandérem; Baudelaire et Sainte-Beuve (Paris, Henri Leclerc, 1917) を參照するがよい。

二十七頁。ワグネル音樂に對する傾倒ぶりとその理由とはアンドレ・フェルランの近著に要をえた解釋がある。Cf. Ferrand: L'Esthétique de Baudelaire. Paris, Hachette. pp. 213—277.

〔第二章〕　四十九頁。バルヱイ・ドオルヰリイとの文書往來に就ては、コナァル版「ボォドレェル全集」（ポゥ集、第一卷三六二頁以下）參照。

五十頁。「ル・ペイイ」誌所揭その他、雜誌に載つたポゥ譯文の日時については、ルモンニエの書にも多少の誤謬がある。

五十七頁。コルベイユ止宿問題は所傳の逸話で、今日同所にあたつて訊ねたところによると、別に確證はないさうである。

八十六頁。譯文ポゥ集と世評とに關しては、ルモンニエの學位論文『エドガア・ポゥと佛蘭西人の批評』全文を參照すべきである。

八十七頁。『ユウレカ』に就ては、語るべき多くの逸話がある。これはポゥの此宇宙論の意義とともに、別に獨立して他日一項目をなすであらう。

〔第三章〕今日のポゥ學として、傳記的方面の權威たるものは、Hervey Allen: Israfel, the life and times of Edgar Allan Poe, 2 vols. New-York, George H. Dora である。フィリップス女史の大著 (Mary Phillips: Edgar Allan Poe, the Man, 2 vols, Philadelphia. 1926. The John C. Winston Company) は、これに較べてかなり落ちると思ふ。人間ポゥの心理解剖としては、Joseph W. Krutch: Edgar Allan Poe, study in genius. New-York, Alfred A. Knopf. 1926 をすすめたい。

百六頁。スタナァド女史の編輯せる書簡集は、Letters till now unpublished in the Valentine Museum, Richmond, Va. Introductory Essay and Commentary by Mary Newton Stanard, Philadelphia, Lippincott, 1925.

百三十二頁以下。ポゥの詩論に對しては拙稿「ポゥ」(岩波世界文學講座)、ポゥの物語に對しては同じく拙稿「ポゥ短篇集」(英語英文學講座)に、余の意見を述べておいた。

〔第四章〕ボォドレェルの思想一般に就ては、辰野隆博士の好著『ボォドレェル研究序說』(第一書房刊)をすすめたい。

百四十頁。ボォドレェル作品の年代誌的研究には、『佛蘭西文學研究』第五輯以下連載、中島健藏氏の「シャルル・ボォドレェル書誌」參照。

なほ『續々文藝評論』(昭和九年四月芝書店刊)所載小林秀雄氏の譯文には、文中多くを負ふてゐる。記《しる》して厚く感謝の意を表はしたいと思ふ。